JAMAIS PLUS

COLLEEN HOOVER

Collection dirigée par Franck Spengler
Ouvrage dirigé par Sylvie Gand

Photos de couverture : © Jon Shireman
Couverture : Laywan Kwan

© Colleen Hoover, 2016
Tous droits réservés
Première publication par Atria Paperback Edition, 2016
Atria Paperback est un label de Simon & Schuster, Inc
Titre original : *It ends with us*

© 2018, Hugo Poche département de Hugo Publishing
34-36, rue La Pérouse
75116 Paris

ISBN : 9782755637083
Dépôt légal : avril 2018
Imprimé en Espagne en avril 2023 par CPI Black Print

Traduit de l'américain par Pauline Vidal

JAMAIS PLUS

COLLEEN HOOVER

Hugo
Poche

NEW ROMANCE®

À mon père, qui faisait de son mieux
pour ne jamais être au plus bas.
Et à ma mère, qui faisait en sorte
que nous ne le voyions jamais au plus bas.

PREMIÈRE PARTIE

CHAPITRE 1

À califourchon sur le rebord du toit, je contemple les rues de Boston depuis le onzième étage, sans pouvoir m'empêcher de songer au suicide.

Pas le mien. J'aime assez ma vie pour compter la savourer jusqu'au bout.

Je songe davantage à d'autres gens et je me demande comment certains peuvent vouloir mettre fin à leurs jours. *Et s'ils finissaient par le regretter ?* Durant le moment qui sépare leur saut de l'impact final… Ils doivent bien être pris d'une seconde de remords au cours de cette brève chute libre. Regardent-ils le sol qui s'approche en se disant : *Et merde ! Je n'aurais pas dû.*

Au fond, peut-être pas.

Je pense beaucoup à la mort. Surtout aujourd'hui, alors que je viens – il y a douze heures – de prononcer la plus épique des oraisons funèbres à laquelle les habitants de Plethora aient jamais assisté. Bon, d'accord, ce n'était peut-être pas la plus épique. Certains la considéreraient davantage comme la plus désastreuse. Tout dépend s'il s'agit du point de vue de ma mère ou du mien. *Ma mère qui ne voudra sans doute plus m'adresser la parole pendant au moins un an.*

Qu'on ne s'y trompe pas, mon oraison n'était pas assez profonde pour entrer dans l'Histoire, comme celle de Brooke Shields aux funérailles de Michael Jackson, ou celle de la sœur de Steve Jobs, ou celle du frère de Pat Tillman. Mais elle était quand même épique, dans son genre.

Au début, j'étais anxieuse. C'était bien l'enterrement du prodigieux Andrew Bloom, maire révéré de notre bonne ville de Plethora, dans le Maine. Propriétaire de la plus prospère des agences immobilières de la région. Époux de l'exquise Jenny Bloom, professeure adjointe la plus adorée de tout Plethora. Et père de Lily Bloom – cette drôle de fille aux improbables cheveux roux, qui avait trouvé le moyen de tomber amoureuse d'un S.D.F et jeté l'opprobre sur toute sa famille.

Bon, c'est moi. Je suis Lily Bloom, et Andrew était mon père.

J'avais à peine achevé son oraison funèbre que j'ai dû foncer prendre mon vol de retour pour Boston ; là, j'ai filé vers le premier toit accessible. *Encore une fois, je ne suis pas suicidaire.* Je n'ai aucune intention de me balancer au sol. J'avais juste besoin d'un peu d'air et de silence, choses totalement impossibles depuis mon appartement du deuxième étage, sans aucun accès au toit et où sévit une coloc qui adore s'entendre chanter.

En revanche, je ne pensais pas qu'il y ferait aussi froid. Ce n'est pas insupportable, c'est juste désagréable. Au moins, je vois les étoiles. Père décédé, coloc exaspérante, éloges douteux, tout ça ne paraît plus si terrible quand le ciel nocturne est assez clair pour littéralement témoigner de la grandeur de l'univers.

J'aime bien quand le ciel me rend trop insignifiante.

J'aime cette nuit.

Enfin… Pour tout dire, il faudrait que j'apporte une petite correction à cette dernière phrase.

J'*aimais* cette nuit.

Car, pas de chance, la porte vient de s'ouvrir si brutalement qu'on pourrait s'attendre à voir l'escalier cracher un être humain sur le toit. Puis elle claque et des pas retentissent derrière moi. Je ne me donne même pas la peine de regarder. Qui que ce soit, il ne risque pas de me repérer, assise sur le rebord à gauche de l'entrée. Cette personne a surgi si brusquement… Ce n'est pas ma faute si elle se croit seule.

Dans un léger soupir, je ferme les yeux et appuie la tête sur le mur de stuc derrière moi, tout en maudissant la destinée de m'arracher à ce moment paisible. Le moins qu'elle pourrait faire, aujourd'hui, serait de m'envoyer une femme et non un homme pour me tenir compagnie. Malgré ma taille, je suis coriace et peux sans doute me défendre, mais je me sens trop bien en ce moment pour affronter un inconnu, seule sur un toit en pleine nuit. Je ferais sans doute mieux de m'en inquiéter et de me lever, seulement je n'ai aucune envie de partir. Comme je l'ai déjà dit, je me sens trop bien…

Je finis par tourner les yeux vers la silhouette accoudée au rebord. C'est bien ma chance : il s'agit d'un homme. Il a beau se pencher, on voit qu'il est grand. Ses larges épaules créent un étonnant contraste avec cette façon poignante qu'il a de se tenir la tête entre les mains ; et aux mouvements de son dos, on devine qu'il pousse de profonds soupirs.

Il semble sur le point de piquer une crise. J'ai presque envie de lui parler, pour qu'il prenne conscience de ma présence, ou au moins de m'éclaircir la gorge, mais c'est là qu'il se retourne pour balancer un coup de pied dans l'une des chaises de jardin derrière lui.

Je frémis quand j'entends les quatre pieds crisser sur le sol mais, apparemment inconscient de ma présence, ce type continue d'envoyer promener la chaise, comme s'il s'exaspérait de la voir chaque fois reculer au lieu de se renverser.

Cette chaise doit être en polymère marin.

Un jour, j'ai vu mon père heurter avec sa voiture une table en polymère marin qui lui a pratiquement ri au nez. Il y a cabossé son pare-chocs sans qu'elle-même ne présente la moindre égratignure.

Ce garçon doit comprendre qu'il ne l'emportera pas sur un matériel d'aussi grande qualité car il finit par s'arrêter, les poings serrés le long du corps. Pour tout dire, je l'envie un peu. Voilà un mec qui parvient à maîtriser sa fureur, tel un champion. Apparemment, il vient de vivre une journée de merde, tout comme moi d'ailleurs, mais, tandis que je refoule ma rage dans une sorte d'agressivité passive, lui s'est trouvé un exutoire.

Moi, je me détends plutôt avec le jardinage. Dès que je me sens stressée, je sors ramasser arracher les mauvaises herbes autour de moi. Sauf que, depuis que je me suis installée à Boston, il y a deux ans, je n'ai plus de jardin. Ni de terrasse. Même pas de brindilles qui traînent.

Je devrais peut-être investir dans une chaise en polymère marin.

J'examine encore le type un petit moment, curieuse de découvrir quand il va bouger. Mais non, il reste là, debout, à regarder la chaise. Ses mains se sont détendues, remontées sur les hanches ; là, je constate que sa chemise ne lui va pas ; du moins pas autour des biceps. Ailleurs ça passe, mais il a vraiment des bras énormes. Il se met à fouiller dans ses poches puis – dans ce qui ressemble à un nouveau geste de défoulement – il allume un joint.

J'ai vingt-trois ans. J'ai fini l'université et il m'est arrivé de m'offrir un ou deux moments de came détente. Je ne vais pas juger ce type qui éprouve le besoin de fumer en solitaire. Sauf qu'il n'est justement pas seul. Et qu'il ne le sait pas.

Il tire une longue taffe puis, en regagnant le rebord, m'aperçoit, soupire. Quand nos regards se croisent, il s'immobilise. Il n'a pas l'air choqué du tout, mais pas amusé non plus. Il se trouve à environ trois mètres de moi, cependant les étoiles brillent assez pour que je voie ses yeux descendre lentement le long de mon corps, sans laisser paraître la moindre pensée. Ce type sait se maîtriser. Il a l'air impassible, la bouche serrée, telle une version masculine de la *Joconde*.

– Comment vous appelez-vous ? demande-t-il.

Sa voix me serre le cœur. Pas bon. Les voix devraient s'arrêter aux oreilles, mais, parfois – pas trop souvent, en fait – un timbre se réverbère à travers tout mon corps. Comme celui-ci, profond, déterminé, velouté.

Comme je ne lui réponds pas, le mec tire une deuxième bouffée de son joint.

– Lily, dis-je alors.

Je déteste ma voix. Elle me semble trop fragile pour seulement atteindre ses oreilles à cette distance, alors pour ce qui est de se réverbérer à travers *son* corps…

Il hausse légèrement le menton, penche la tête vers moi.

– Vous voulez bien descendre de là, Lily ?

Alors seulement je remarque sa posture. Il se tient tout droit face à moi, si ce n'est rigide. Comme s'il avait peur que je tombe. *Mais non.* Ce rebord fait au moins trente centimètres de large et je me tiens plutôt du côté du toit. Je pourrais facilement me rattraper si je glissais, d'autant que le vent souffle dans la bonne direction.

– Non, ça va. Je me sens tout à fait à l'aise.

Il se détourne légèrement, comme s'il ne pouvait me regarder plus longtemps.

– Descendez, s'il vous plaît ! Il y a sept chaises libres ici.

Malgré le *s'il vous plaît*, c'est presque un ordre.

– Plutôt six, rectifié-je pour lui rappeler qu'il a presque assassiné la septième.

Il n'a pas l'air de trouver ça drôle et, comme je ne bouge toujours pas, il se rapproche encore.

– Vous êtes à cinq centimètres de tomber et de vous tuer. J'en ai assez vu comme ça pour la journée.

Il me fait de nouveau signe de descendre.

– Vous me faites peur, ajoute-t-il. Et vous gâchez mon trip.

Agacée, je lève les yeux au ciel, je passe les jambes vers l'intérieur.

– Trop dommage de gâcher un joint, dis-je en m'essuyant les mains sur mon jean. Ça vous va mieux comme ça ?

Il laisse échapper un soupir, comme s'il ne respirait plus. Je passe devant lui pour me diriger vers la partie du toit qui a la plus belle vue. En même temps, je ne peux m'empêcher de remarquer à quel point il est mignon.

Non. Mignon, c'est une insulte.

Ce mec est beau. Élégant, il sent bon l'argent et doit avoir quelques années de plus que moi. Les coins de ses yeux se plissent tandis qu'il me suit du regard, ses lèvres se crispent même quand il ne serre pas les dents. Lorsque j'atteins l'angle du bâtiment qui domine la rue, je me penche pour regarder les voitures en bas, histoire de ne pas avoir l'air trop impressionnée par ce qu'il me dit. À sa seule coupe de cheveux, on voit qu'il a l'habitude d'impressionner son monde, et je refuse d'alimenter son ego. Non qu'il ait fait quoi que ce soit pour me laisser entendre qu'il en a un. Mais il porte une chemise Burberry décontractée et je ne crois pas avoir été jamais repérée par quelqu'un qui puisse s'en offrir une pour tous les jours.

J'entends des pas derrière moi et le voilà qui vient s'accouder lui aussi au garde-fou. Du coin de l'œil, je le regarde porter encore le joint à sa bouche. Après quoi, il me le tend, mais je refuse d'un geste. Il ne manquerait plus que je me mette à planer devant ce type. Sa voix est une drogue à elle seule. J'ai envie de l'entendre encore, alors je lui balance une question :

– Qu'est-ce qu'elle vous avait fait, cette chaise ?

Il me regarde. Mais vraiment. Il plante ses yeux dans les miens et me dévisage, comme s'il pouvait lire tous mes secrets inscrits sur mon front. Je n'ai jamais vu d'yeux aussi sombres que les siens. Enfin, peut-être que si, mais pas sur un personnage aussi intimidant. Il ne me répond pas, ce qui ne calme pas ma curiosité pour autant. Maintenant qu'il m'a forcée à descendre de mon confortable refuge, il a intérêt à me distraire en répondant à mes questions. Alors j'insiste :

– C'était une femme ? Elle vous a brisé le cœur ?

Il part d'un petit rire.

– Si seulement mes ennuis pouvaient se résumer à des peines de cœur !

Et puis il s'accoude au muret pour me faire face.

– À quel étage habitez-vous ?

En même temps, il se lèche les doigts, pince le bout de son joint, qu'il glisse ensuite dans sa poche.

– Je ne vous avais encore jamais vue.

– C'est parce que je n'habite pas ici.

Je tends le doigt vers mon immeuble :

– Vous voyez ce building d'assurances ?

– Oui.

– J'habite à côté. Le bâtiment est trop petit pour qu'on l'aperçoive d'ici. Il ne fait que deux étages.

– Dans ce cas, que faites-vous là ? C'est votre petit ami qui vit dans les parages ?

Le genre de commentaire qui vous rabaisse un peu. Trop facile pour un mec de cette allure. Apparemment, il doit garder ses piques les plus saillantes pour les femmes qu'il en juge dignes. Je réponds à côté :

– Vous avez un joli toit.

Il hausse les sourcils, comme s'il attendait davantage de précisions.

– Je voulais respirer un peu d'air frais. Dans un coin où réfléchir. J'ai consulté Google Earth et trouvé un immeuble avec une belle terrasse.

– Au moins, vous êtes économe. C'est une bonne qualité.

Au moins ?

Je hoche la tête car il a raison, c'est une bonne qualité.

– Pourquoi aviez-vous besoin d'air frais ?

Parce que j'ai enterré mon père aujourd'hui et fait un éloge désastreux ; maintenant, j'ai du mal à respirer.

Je finis par souffler.

– On pourrait cesser de parler une minute ?

Il semble un rien soulagé et se penche sur le rebord, balance un bras au-dessus de la rue. Il sait que je le regarde, mais ça n'a pas l'air de le déranger.

– Quelqu'un est tombé de ce toit le mois dernier, m'annonce-t-il.

J'aurais dû lui en vouloir de ne pas respecter ma demande de silence, mais je suis intriguée.

– C'était un accident ?

– On ne sait pas. C'est arrivé dans la soirée. Sa femme a dit qu'elle préparait le dîner quand il lui a annoncé qu'il montait prendre des photos du coucher de soleil. Il était photographe. On pense qu'il a glissé en se penchant par-dessus le rebord.

Comment peut-on se mettre en situation de glisser par accident ? Et puis je me rappelle que j'ai moi-même enjambé la bordure il y a quelques minutes.

– Quand ma sœur m'a raconté ça, j'ai aussitôt pensé qu'il avait dû se faire tirer dessus. J'espérais que son appareil n'était pas tombé avec lui, parce que ça aurait fait un sacré gâchis. Mourir pour son amour de la photo sans obtenir le dernier cliché qui vous a coûté la vie ?

Ce commentaire me fait rire un peu malgré moi.

– Vous dites tout ce qui vous passe par la tête ?

– Pas à tout le monde.

Là, je souris. J'apprécie que, sans me connaître, il ne me range pas dans *tout le monde*.

Il s'adosse au rebord, croise les bras.

– Vous êtes née ici ?

– Non. Je suis venue du Maine après la fac.

Il plisse le nez et je trouve ça plutôt canon. Ce mec en Burberry, avec sa coupe à deux cents dollars, qui fait la grimace.

– Alors vous êtes au purgatoire de Boston ? C'est nul.

– Comment ça ?

Il pointe le coin de la bouche.

– Les touristes vous traitent comme une locale ; les locaux vous traitent comme une touriste.

– Ouah ! dis-je en riant. C'est exactement ça.

– Je suis là depuis deux mois. Je n'en suis même pas arrivé au purgatoire, vous êtes donc en avance sur moi.

– Qu'est-ce qui vous amène à Boston ?

– Mon internat. Ma sœur vit ici. Juste en dessous, d'ailleurs, ajoute-t-il en tapant du pied. Elle a épousé un geek qui a fait fortune et ils ont acheté le dernier étage.

– *Tout* l'étage ?

– Oui. L'heureux veinard travaille chez lui. En pyjama, si ça lui chante, et il gagne un million par an.

L'heureux veinard, en effet.

– Quel genre d'internat ? Vous êtes médecin ?

– Neurochirurgien. Il me reste moins d'un an d'études.

Élégant, beau parleur, intelligent. Fumeur de joint. S'il me teste, je demanderais ce qui cloche dans cette liste.

– Les médecins peuvent s'en griller un comme ça ?

– Sans doute pas, ricane-t-il. Mais si on ne se permettait pas de petits écarts de temps en temps, on serait beaucoup plus nombreux à se jeter du haut des toits, croyez-moi.

Il regarde encore devant lui, le menton appuyé sur les bras. Puis il ferme les yeux, comme s'il goûtait le vent sur son visage. Ce qui le rend nettement moins intimidant.

– Vous voudriez savoir ce que seuls les locaux savent ?

– Bien sûr, dit-il en reportant son attention sur moi.

– Vous voyez ce bâtiment ? Avec le toit vert ?

Il hoche la tête.

– Derrière, il y a un building qui donne sur Melcher Street, avec une petite maison au sommet. On ne l'aperçoit pas de la rue et peu de gens sont au courant.

Il semble impressionné.

– C'est vrai ?

– Oui, je l'ai vue en examinant Google Earth. Apparemment, son permis date de 1982. Cool, non ? Vivre dans une maison au sommet d'un building !

– On a tout le toit pour soi.

Je n'avais pas songé à ça. Si ça m'appartenait, j'y planterais tout un jardin où je pourrais me détendre.

– Qui y habite ? demande-t-il.

– On ne sait pas, en fait. C'est l'un des plus grands mystères de Boston.

Il se met à rire puis m'interroge du regard.

– Parce qu'il existe d'autres grands mystères à Boston ?

– Votre nom.

À peine ai-je dit ça que je me frappe le front. Ça fait trop drague à deux balles ; je n'ai plus qu'à éclater de rire, comme si je plaisantais.

– Je m'appelle Ryle, dit-il en souriant. Ryle Kincaid.

– Très joli nom !

– On dirait que ça vous rend toute triste.

– Je donnerais n'importe quoi pour avoir un joli nom.

– Vous n'aimez pas Lily ?

– Si, mais mon nom de famille, c'est Bloom[1].

Il ne dit rien, essayant visiblement de masquer sa compassion.

– Je sais, dis-je encore. Ça fait petite fille de deux ans, pas femme de vingt-trois.

– Une gamine de deux ans gardera son nom toute sa vie. On n'en sort pas avec l'âge, Lily Bloom.

---

1 *Lily* signifie lys en anglais et *Bloom*, fleur. Elle s'appelle donc littéralement Lys Fleur.

– Dommage pour moi. D'autant que j'adore le jardinage, les fleurs, les plantes. C'est ma passion. J'ai toujours rêvé de devenir fleuriste. Seulement, je suis sûre que si je faisais ça, les gens croiraient à un tour de passe-passe, comme si j'essayais juste d'exploiter mon nom.

– C'est possible. Mais qu'est-ce que ça peut faire ?

– Rien, je suppose. Lily Bloom… C'est un super nom pour une fleuriste, je reconnais. Mais j'ai un master en management. Ce serait un peu dévalorisant, vous ne croyez pas ? Je travaille pour la plus grosse société de marketing de Boston.

– Il n'y a rien de dévalorisant à posséder son propre commerce, rétorque-t-il.

– Sauf si ça ne marche pas.

– Certes. Vous avez aussi un deuxième prénom, Lily Bloom ?

Je grince des dents et ça ne fait qu'exciter sa curiosité.

– Et il n'arrange rien ?

Je me prends le visage à deux mains, hoche la tête.

– Rose ?

– Encore pire.

– Violette ?

– J'aimerais bien. *Blossom*[2].

S'ensuit un instant de silence, puis :

– Bon sang, murmure-t-il.

---

2 *Blossom* signifie fleur, tout particulièrement fleur d'arbre, en anglais.

– Ouais. C'était le nom de jeune fille de ma mère, et mon père a estimé qu'avec des références aussi fleuries, ils étaient faits l'un pour l'autre. Si bien qu'à ma naissance, ils ont choisi des noms de fleurs.

– Franchement, ils sont nuls.

L'un d'eux oui. Enfin, il l'était.

– Mon père est mort cette semaine.

– Mais bien sûr ! C'est une blague.

– Non, c'est vrai. C'est pour ça que je suis montée ici ce soir. Je crois que j'avais juste besoin de pleurer un bon coup.

Il me dévisage d'un air pas trop convaincu, sans s'excuser le moins du monde pour sa gaffe. Au contraire, il a l'air encore plus intrigué, comme s'il était personnellement concerné.

– Vous étiez proches ?

La question qui fâche. Je repose le menton sur mon bras pour observer de nouveau la rue.

– Je ne sais pas. J'étais sa fille, je l'aimais. Sauf que je détestais ce type.

Je sens son regard posé sur moi, jusqu'à ce qu'il commente :

– J'aime votre franchise.

Il aime ma franchise. Là, j'ai dû rougir.

Pendant un moment, on ne dit plus rien, puis il reprend :

– Ça vous arrive de souhaiter que les gens soient plus transparents ?

– Comment ça ?

Il cueille sur le mur un morceau de stuc ébréché, l'envoie par-dessus le rebord.

– J'ai l'impression que tout le monde veut se faire passer pour ce qu'il n'est pas. Alors qu'au fond, on est tous aussi paumés les uns que les autres. On est juste plus ou moins doués pour le cacher.

Soit il commence à vraiment planer, soit il est du genre ultra-introspectif. En tout cas, je suis d'accord. Je n'aime rien tant que les conversations sans conclusions.

– Je ne crois pas qu'on ait tort de rester un peu sur ses gardes, dis-je alors. La vérité toute nue n'est pas souvent jolie à regarder.

– *La vérité toute nue*, répète-t-il au bout d'un moment. Ça me plaît !

Là-dessus, il fait demi-tour vers le centre de la terrasse, redresse légèrement un transat et s'installe dans l'autre, croisant les bras sous sa tête pour contempler les étoiles. Je viens m'installer à ses côtés, rabaisse le dossier pour pouvoir me mettre dans la même position que lui.

– Racontez-moi une vérité toute nue, Lily.

– À quel sujet ?

– Je ne sais pas. Quelque chose dont vous n'êtes pas fière. Et qui me permettra de me sentir moins paumé.

Il regarde le ciel en attendant ma réponse. Et moi j'observe la courbe de sa mâchoire, le creux de ses joues, le contour de ses lèvres. Il fronce un peu les sourcils, comme s'il se concentrait sur ce qu'il voyait. Sans trop savoir pourquoi, j'ai l'impression qu'il souhaite qu'on reprenne la conversation. Alors je réfléchis à sa question en tâchant de trouver une réponse honnête. Lorsque j'ai trouvé, je détourne les yeux vers le ciel.

– Mon père était violent. Pas avec moi, avec ma mère. Pendant leurs disputes, il piquait de telles colères que, parfois, il la frappait. Quand ça arrivait, il passait la semaine ou les quinze jours suivants à essayer de se faire pardonner. Il lui achetait des fleurs ou nous emmenait dîner dans un bon restaurant. Et puis il me faisait des cadeaux parce qu'il savait que je détestais leurs disputes. Quand j'étais petite, j'en venais à espérer qu'il la frappe un bon coup, ainsi j'étais sûre que les semaines suivantes seraient géniales.

Je marque une pause car c'est bien la première fois que je le reconnais.

– Bien sûr, si j'avais pu, j'aurais tout fait pour qu'il ne la touche jamais, mais ces violences semblaient faire partie de leur mariage, c'en était presque devenu normal. En grandissant, je me suis rendu compte qu'à force de ne pas intervenir, je me rendais tout aussi coupable. J'ai passé la moitié de ma vie à le détester, mais je ne suis pas sûre de valoir mieux que lui. On est sans doute des gens aussi négatifs l'un que l'autre.

Ryle m'observe d'un air songeur.

– Lily, ça n'existe pas les gens négatifs. On est tous des gens qui commettent parfois des actes négatifs.

Là, je reste coite. *On est tous des gens qui commettent parfois des actes négatifs.* Ce doit être vrai quelque part. Personne n'est complètement mauvais ou bon. Certains ont sans doute un plus grand travail à faire sur eux-mêmes pour supprimer la part mauvaise en eux.

– À vous, dis-je.

D'après sa réaction, je me dis qu'il n'a peut-être pas envie de jouer à son propre jeu. Il soupire lourdement, se passe une main dans les cheveux, ouvre la bouche, la referme, réfléchit puis finit par déclarer d'un ton accablé :

– Ce soir, j'ai regardé un petit garçon mourir. Il n'avait que cinq ans. Avec son jeune frère, ils avaient trouvé un pistolet dans la chambre des parents. Le cadet a pris l'arme et le coup est parti tout seul.

J'en ai le cœur retourné. C'est peut-être une vérité un peu trop crue pour moi.

– On ne pouvait plus rien pour l'aîné quand il est arrivé sur la table d'opération. Médecins et infirmières, tout le monde était bouleversé. « Les pauvres parents », disaient-ils. Mais, quand je suis entré dans la salle d'attente pour annoncer aux parents en question que leur enfant n'avait pas survécu, je n'éprouvais pas une once de regret pour eux. Je voulais qu'ils souffrent. Qu'ils ressentent le poids de leur sottise ; comment pouvaient-ils laisser traîner des armes chargées à portée d'enfants innocents ? Non seulement ils avaient perdu un fils, mais gâché la vie entière de celui qui avait accidentellement appuyé sur la détente.

Mon Dieu ! Je ne m'attendais pas à une telle horreur.

Impossible d'imaginer où va une famille qui a vécu ça.

– Le malheureux petit frère, dis-je, que va-t-il devenir après avoir vu ça ?

– Ça va le détruire à jamais, marmonne Ryle en époussetant son jean. Voilà tout.

– Ce n'est pas trop dur d'assister tous les jours à des scènes pareilles ?

– Ça pourrait être encore plus terrible, en fait ; plus je côtoie la mort, plus elle fait partie de la vie. Et je ne sais pas trop quoi en penser.

Il me regarde de nouveau dans les yeux.

– Allez, reprend-il, une autre vérité. Je trouve que la mienne était plus tordue que la vôtre.

Je ne suis pas d'accord, mais je lui raconte ce que j'ai fait il y a une douzaine d'heures.

– Avant-hier, ma mère m'a demandé de prononcer l'éloge funèbre de mon père. Je lui ai répondu que j'aurais du mal, que je risquais de trop pleurer pour pouvoir parler devant une foule, mais je mentais. En fait, je ne voulais pas parce que j'estime qu'un éloge devrait revenir aux proches qui respectaient le défunt. Et je ne respectais pas beaucoup mon père.

– Vous l'avez quand même prononcé ?

– Oui, dis-je en m'asseyant en tailleur. Ce matin. Vous voulez l'entendre ?

– Certainement !

Je croise les bras, inspire profondément.

– Je ne savais pas quoi dire. Une heure encore avant l'enterrement, j'ai répété à ma mère que je ne voulais pas le faire. Elle a répondu que c'était simple et que mon père aurait voulu que je le fasse. Que je n'avais qu'à monter sur le podium puis énoncer cinq grandes choses sur mon père. Alors… Voilà exactement ce que j'ai fait.

Ryle se soulève sur un coude, l'air de plus en plus intéressé.

– Oh non, Lily ! Qu'avez-vous fait ?

– Attendez, je vais le rejouer pour vous.

Je me lève, contourne mon transat, me tiens droite comme si je faisais de nouveau face à la salle bondée de ce matin. Je m'éclaircis la gorge.

– Bonjour, je suis Lily Bloom, fille du défunt Andrew Bloom. Merci de vous joindre à nous dans ces moments de deuil et de recueillement. Je tenais à lui rendre hommage en vous rapportant cinq belles choses à son sujet. La première…

Je baisse les yeux vers Ryle, hausse les épaules.

– Voilà.

Il se redresse.

– Comment ça ?

Je reviens m'allonger sur mon transat.

– Je suis restée là deux bonnes minutes sans dire un mot. Je ne voyais aucune belle chose à rapporter sur cet homme, alors je contemplais silencieusement la foule, jusqu'à ce que ma mère comprenne à quoi je jouais et prie mon oncle de me faire quitter le podium.

Ryle penche la tête de côté.

– Vous plaisantez ? En fait, vous avez rendu un antihommage aux funérailles de votre père ?

– Oui, et je n'en suis pas plus fière que ça. Enfin, pas vraiment. Parce que si les choses s'étaient passées comme je l'avais voulu, il se serait beaucoup mieux conduit et j'aurais pu parler de lui pendant une heure.

– Rhooo ! marmonne Ryle en s'allongeant. La classe ! Vous avez dit du mal d'un mort.

– C'est d'un goût…

– La vérité toute nue n'est pas toujours belle à regarder.

– À vous, dis-je en riant.

– Je ne ferai pas mieux.

– Essayez, je suis sûre que vous y arriverez.

– Pas moi.

– Mais si ! Là, j'ai l'impression que je suis la pire de nous deux. Racontez-moi votre dernière pensée la moins avouable.

Recroisant les mains derrière la tête, il fixe son regard sur moi.

– J'ai envie de vous baiser.

Je reste bouche bée, incapable de répondre. Il me décoche un coup d'œil innocent.

– Vous m'avez demandé ma dernière pensée, alors voilà. Vous êtes belle. Je suis un homme. Si vous étiez amatrice de coups d'un soir, je vous emmènerais en bas, dans ma chambre, et je vous baiserais.

Là, je baisse vite la tête. Cette déclaration provoque une multitude de réactions en moi.

– Désolée, je ne suis pas amatrice de coups d'un soir.

– C'est bien ce que je pensais. À vous.

Il paraît trop nonchalant ; comme s'il ne venait pas de me réduire au silence.

– Laissez-moi une minute pour rassembler mes idées, dis-je en riant.

J'essaie de penser à un truc un peu choquant, mais je n'arrive pas à digérer qu'il ait pu dire ça. À *voix haute*. Sans doute parce que c'est un neurochirurgien ; je n'aurais jamais cru qu'avec une telle éducation on utilise aussi facilement le mot *baiser*.

Je me reprends… en quelque sorte… et laisse tomber :

– D'accord. Puisqu'on en est là… Le premier mec avec qui j'ai fait l'amour était un S.D.F.

Il dresse l'oreille.

– Là, je veux entendre le reste.

– J'ai grandi dans le Maine. On vivait dans un quartier plutôt sympa, mais la rue qui donnait sur le fond du jardin était assez mal entretenue, avec des terrains vagues et une maison abandonnée. J'ai fait la connaissance d'un certain Atlas qui occupait la baraque en ruine ; j'étais la seule à savoir qu'il habitait là. Je lui apportais à manger, mais aussi des vêtements et d'autres trucs. Jusqu'au jour où mon père nous a découverts.

– Et il a fait quoi ?

Je serre les dents. Je ne sais pas pourquoi j'ai amené ça sur le tapis alors que j'ai encore du mal à évoquer ce souvenir.

– Il l'a battu.

La voilà, la vérité toute nue.

– À vous.

Il me dévisage un moment, comme s'il devinait que cette histoire cache bien d'autres aspects. Puis il se détourne.

– L'idée du mariage me rebute. Je n'ai pas loin de trente ans et me passe très bien d'une épouse, encore plus d'enfants. La seule chose que je cherche dans la vie, c'est la réussite. Mais si je reconnais ça à voix haute, ça me donne l'air arrogant.

– La réussite professionnelle ? Ou le statut social ?

– Les deux. Tout le monde peut avoir des enfants. Tout le monde peut se marier. En revanche, tout le monde ne peut pas être neurochirurgien. J'en tire une immense fierté. Et je ne veux pas être seulement un grand neurochirurgien. Je veux être le meilleur.

– Vous avez raison, ça vous donne l'air arrogant.

Il sourit.

– Ma mère a peur que ça me gâche ma vie car je ne fais que travailler.

– Vous êtes neurochirurgien, dis-je en éclatant de rire, et votre mère trouve à y redire ? C'est dingue ! Les parents ne sont jamais contents de leurs enfants.

– Et je ne le serais pas des miens si j'en avais. Rares sont les gens qui possèdent ma détermination ; je crois que je passerais mon temps à guetter leurs bêtises. C'est pourquoi je n'en aurai jamais.

– Ça m'a l'air parfaitement raisonnable, Ryle. Trop de gens refusent d'admettre qu'ils sont sans doute trop égoïstes pour avoir des enfants.

– C'est sûr que je le suis dix fois trop. Et cent fois trop pour entretenir une relation.

– Alors comment les évitez-vous ? Vous ne sortez jamais avec une femme ?

– Quand j'ai le temps, dit-il avec un petit sourire, je trouve toujours des filles pour satisfaire mes désirs. De ce point de vue, je ne me prive pas, si c'est ce que vous vouliez savoir. Mais l'amour ne m'attire pas. J'y vois plus un fardeau qu'autre chose.

J'aurais aimé pouvoir considérer l'amour de ce point de vue. Ça me simplifierait infiniment la vie.

– Je vous envie. Quant à moi, je suis sûre qu'il existe quelque part un homme qui me correspondrait parfaitement. J'ai tendance à me lasser très vite parce que personne ne répond à mes critères. J'ai l'impression d'être constamment en quête du Saint Graal.

– Vous devriez essayer ma méthode.

– C'est-à-dire ?

– Les coups d'un soir.

Il hausse un sourcil, comme s'il m'adressait une invite.

Heureusement qu'il fait nuit, car je suis rouge comme une tomate.

– Je ne pourrais jamais coucher avec quelqu'un si ça ne devait pas aboutir à quelque chose.

J'ai dit ça à voix haute, mais je sens qu'elle manque de conviction.

Poussant un long soupir, il se rallonge sur le dos.

– Ce n'est pas votre genre, murmure-t-il d'un ton presque déçu.

Je ne sais même pas si je l'enverrais promener au cas où il esquisserait un geste vers moi, mais je viens d'annuler toutes mes chances.

– Si vous ne couchez jamais avec un mec que vous venez de rencontrer… jusqu'où êtes-vous prête à aller ?

Je ne sais que répondre, mais son regard me donne presque envie de réviser mon point de vue. Au fond, je n'ai rien contre les aventures d'un soir. En fait, l'occasion ne s'est jamais présentée avec quelqu'un qui en valait la peine.

Du moins jusqu'à maintenant. Serait-il en train de me faire une proposition ? J'ai toujours été nulle en flirt.

Tendant le bras, il attrape le bord de mon transat et l'approche d'un mouvement leste, jusqu'à ce que nos sièges se touchent.

Mon corps se crispe. Nous sommes maintenant si proches l'un de l'autre que je sens son souffle tiède dans l'air froid de la nuit. Si je me tournais vers lui, nos visages se trouveraient à quelques centimètres l'un de l'autre. Il en profiterait sans doute pour m'embrasser alors que je ne sais strictement rien de ce type, à part quelques pures vérités. En revanche, je ne me sens pas agressée du tout quand il pose la main sur mon estomac.

– Jusqu'où iriez-vous, Lily ? demande-t-il d'une voix si suave qu'elle me fait frissonner de la tête aux pieds.

– Je ne sais pas…

Ses doigts se glissent vers le bas de mon tee-shirt qu'il remonte doucement, dénudant un peu de chair. Je sens alors la chaleur de sa paume qui glisse sur ma peau, et je pousse un gémissement.

Malgré moi, je tourne la tête et ses yeux me subjuguent. Il paraît sûr de lui, plein d'espoir, affamé, à s'en mordre les lèvres, alors que sa main continue sa progression vers ma poitrine. Il doit sentir les battements affolés de mon cœur. Il doit même les entendre.

– Ça va trop loin ? demande-t-il.

Je ne sais pas d'où me vient cette réaction, mais je réponds :

– Pas du tout.

Sans se faire prier, il passe les doigts sous mon soutien-gorge et je sens ma peau frémir.

À l'instant où je ferme les paupières retentit une sonnerie qui nous paralyse tous les deux. Un téléphone. *Son* téléphone.

Son front se pose sur mon épaule.

– Bon sang !

Sa main se retire de mon tee-shirt et il fouille dans sa poche, se lève, s'éloigne de quelques pas pour prendre l'appel.

– Oui, dit-il, ici le Dr Kincaid.

Il écoute attentivement en se frottant la nuque.

– Au sujet de Roberts ? Je ne devrais même pas répondre à cet appel.

Nouveau silence, puis :

– D'accord, j'arrive dans dix minutes.

Il raccroche, range le téléphone dans sa poche puis revient vers moi, l'air plutôt déçu, désigne la porte de l'escalier.

– Je dois…

– Je comprends.

Ce qui ne l'empêche pas de lever un doigt.

– Ne bougez pas, dit-il en ressortant son appareil.

Il se rapproche de moi, comme s'il allait me prendre en photo. Sans trop savoir pourquoi, j'ai envie de refuser. Cependant, je suis habillée, je n'ai aucune raison de dire non.

Il me prend en photo, allongée dans ce transat, les mains tranquillement croisées sous ma tête. Je ne sais pas pourquoi il fait ça. Il doit avoir envie de se rappeler mon visage, alors qu'on ne se reverra jamais.

Il contemple un instant le cliché sur son écran, sourit. Je serais presque tentée de lui tirer le portrait moi aussi, mais je ne suis pas certaine de vouloir garder le souvenir d'une personne qui va tout de suite disparaître de ma vie. Cette idée a quelque chose de déprimant.

– Je suis content d'avoir fait votre connaissance, Lily Bloom. J'espère que vous parviendrez à accomplir vos rêves.

Je souris, aussi attristée qu'effarée par ce type. Je ne crois pas avoir jamais passé un moment avec quelqu'un comme lui – quelqu'un qui vit sur un pied si différent du mien. Ça ne se reproduira sans doute jamais. Mais je suis agréablement surprise de constater qu'on n'est pas si différents l'un de l'autre.

Malentendu confirmé.

Il regarde un instant ses pieds, comme s'il allait perdre l'équilibre. Comme s'il hésitait entre me parler et s'en aller. Il me jette un dernier regard – cette fois nettement moins impassible. Je lis la déception dans son expression, mais déjà il tourne les talons et s'en va. Je l'entends ouvrir la porte et dévaler l'escalier. Je me retrouve seule sur ce toit et, à ma grande surprise, je me sens un peu triste maintenant.

CHAPITRE 2

Lucy – *la coloc qui aime s'entendre chanter* – surgit dans le salon, attrapant ses clefs, ses escarpins et ses lunettes de soleil. Assise sur le canapé, j'ouvre des cartons à chaussures remplis de vieux trucs récupérés à la maison quand j'y suis retournée la semaine dernière pour l'enterrement de mon père.

– Tu travailles, aujourd'hui ? me demande Lucy.

– Non. Je suis en congé pour deuil jusqu'à lundi.

Elle s'arrête net.

– Lundi ? s'esclaffe-t-elle. Tu en as de la chance !

– Oui, Lucy, trop de chance que mon père soit mort.

Ça m'énerve d'avoir dit ça d'un ton trop légèrement sarcastique.

– Tu sais ce que je veux dire, marmonne-t-elle.

Elle prend son sac, enfile un escarpin, puis l'autre, dans une position d'équilibre instable.

– Je ne rentrerai pas ce soir, continue-t-elle. Je vais passer la nuit chez Alex.

La porte claque derrière elle.

À première vue, nous avons beaucoup de points communs, sauf qu'en dehors de faire la même taille de vêtements, de porter chacune un prénom à quatre lettres commençant par un *L* et finissant par un *Y*, il n'y a pas grand-chose qui nous unisse. Mais en tant que colocs, ça me va très bien. À part ses éternelles chansons, elle est potable. Elle est propre et souvent absente. Deux des plus importantes qualités pour une coloc.

J'ôte le couvercle d'un de mes cartons à chaussures quand mon téléphone sonne. Je me penche sur le canapé pour l'attraper. Lorsque je vois que c'est ma mère, je plonge le visage dans un coussin pour étouffer un faux cri de désespoir.

Après quoi je réponds.

– Allô ?

Trois secondes s'écoulent, puis :

– Allô, Lily.

Dans un soupir, je me redresse.

– Bonjour, maman.

Je suis complètement surprise qu'elle me parle. Une seule journée s'est écoulée depuis l'enterrement. Ça fait trois cent soixante-quatre jours plus tôt que prévu. Je lui demande :

– Comment ça va ?

– Bien, soupire-t-elle. Ton oncle et ta tante sont repartis pour le Nebraska ce matin. Ce sera ma première nuit solitaire depuis…

– Ça ira maman, dis-je d'un ton qui se voudrait rassurant.

Elle garde le silence un long moment avant de répondre :

– Lily, je tiens à te dire qu'il ne faut pas te sentir gênée pour ce qui s'est passé hier.

Ce n'est pas le cas, rassure-toi...

– Ça arrive à tout le monde de faire un blocage, surtout dans de tels moments de pression. J'aurais plutôt dû demander ça à ton oncle.

Je ferme les yeux. *Elle remet ça*. Quand elle n'aime pas un truc, elle le masque. Pas question de s'accuser de quoi que ce soit. Évidemment, elle s'est convaincue que j'ai fait un blocage hier, ce qui expliquerait pourquoi j'ai refusé de parler. Évidemment. J'ai presque envie de lui dire que ce n'était pas ça. Mais juste que je ne voyais pas quel compliment adresser à l'homme minable qu'elle a choisi pour devenir mon père.

Pourtant, quelque part, je m'en veux car je n'aurais pas dû faire ça en présence de ma mère. Du coup, j'accepte son avis et son comportement.

– Merci, maman. Désolée de m'être étranglée.

– Ce n'est pas grave. J'y vais maintenant. J'ai rendez-vous avec la caisse d'assurance de ton père. Tu m'appelles demain, d'accord ?

– D'accord. Bonsoir, maman.

Je raccroche et jette le téléphone sur le canapé, puis reprends le carton à chaussures sur mes genoux. Au-dessus des objets qu'il contient apparaît un anneau de bois en forme de cœur. Je passe les doigts dessus en me remémorant le soir où il m'a été offert. Dès que les souvenirs reviennent, je l'écarte. La nostalgie est une étrange chose.

Je sors quelques anciennes lettres, quelques coupures de presse que je mets également de côté. En dessous, je trouve enfin ce que je cherchais… tout en espérant ne pas le trouver.

Mes journaux pour Ellen.

Je passe également les mains dessus. Il y en a trois dans cette boîte, mais je dirais qu'au total il en existe huit ou neuf. Je n'en ai jamais relu aucun après les avoir écrits.

Quand j'étais plus jeune, je refusais d'admettre que je tenais un journal parce que ça faisait trop stéréotype. En fait, j'étais même parvenue à me convaincre que j'avais trouvé le truc le plus cool qui soit, qui n'avait techniquement rien d'un journal. J'adressais chacun de mes écrits à Ellen DeGeneres car je regardais son talk-show depuis ses débuts, en 2003, alors que j'étais encore une petite fille. Je l'enregistrais tous les jours et me le repassais en rentrant de l'école ; j'étais persuadée qu'Ellen m'aimerait beaucoup si elle faisait ma connaissance. Je lui écrivis régulièrement jusqu'à mes seize ans, des lettres qui ressemblaient plutôt à des pages de cahier. Bien entendu, je savais que ça ne pouvait en rien l'intéresser et j'avais eu la présence d'esprit de n'en envoyer aucune. Mais j'aimais lui adresser mes réflexions, si bien que ça resta le cas jusqu'à ce que j'arrête, purement et simplement.

J'ouvre un deuxième carton à chaussures où se trouvent d'autres extraits, sors le journal de l'année de mes quinze ans, le feuillette à la recherche du jour où j'ai rencontré Atlas. Jusque-là, je n'avais rien vécu de particulièrement intéressant, ce qui ne m'avait pas empêchée de remplir des pages depuis six années.

Je m'étais juré de ne jamais les relire mais, après la disparition de mon père, j'ai beaucoup repensé à mon enfance. Peut-être qu'en les parcourant de nouveau, je trouverai la force de pardonner. À moins que ça ne me rende encore plus amère.

Je m'allonge sur le canapé et commence à lire.

Chère Ellen,

Avant de vous raconter ce qui s'est passé aujourd'hui, je dois vous dire que je viens d'avoir une excellente idée pour un nouveau thème dans votre talk-show. Je l'appellerais « Ellen à la maison. »

Je crois que beaucoup de gens aimeraient vous voir en dehors de votre travail. Je me suis toujours demandé comment la vie se passait chez vous, quand vous vous y retrouvez seule avec Portia, sans une équipe pour vous filmer. Les producteurs devraient peut-être lui donner une caméra pour qu'elle l'allume de temps en temps alors que vous vous livrez à vos activités normales comme regarder la télé, faire la cuisine ou du jardinage. Elle pourrait vous filmer à votre insu avant de crier : « Ellen à la maison ! » pour vous faire peur. Ce serait marrant pour quelqu'un qui aime tant les farces.

D'accord, maintenant que je vous l'ai dit (j'avais déjà oublié plusieurs fois), je vais vous raconter ma journée d'hier. C'était sans doute la plus intéressante, à part celle où Abigail a giflé M. Carson quand il regardait son décolleté.

Vous vous rappelez qu'il y a un certain temps, je vous ai parlé de Mme Burleson, qui habitait derrière chez nous ? Celle qui est morte la nuit de cette énorme tempête de neige ? Mon père a dit qu'elle devait tant d'argent aux impôts que sa fille n'a pu récupérer sa maison. Tant mieux pour elle, d'ailleurs, parce que ce n'était plus qu'un tas de ruines.

Cette maison était donc vide depuis sa mort qui remontait à deux ans. Je le savais car la fenêtre de ma chambre donne sur son jardin et que je n'y avais plus vu le moindre mouvement.

Jusqu'à cette nuit.

J'étais au lit, en train de battre des cartes. Je sais, ça paraît bizarre mais j'aime bien, alors que je ne sais même pas y jouer. Seulement, quand mes parents se disputent, ça me détend, ça me permet de me concentrer sur autre chose.

Enfin, voilà, il faisait nuit, alors j'ai tout de suite remarqué la lumière. Sans être éblouissante, elle provenait de la vieille maison ; ça faisait un peu penser à une bougie. Du coup, je suis sortie sur le perron du jardin et là, j'ai pris les jumelles de mon père. J'ai essayé de voir ce qui se passait là-bas, mais on ne distinguait rien du tout, il faisait bien trop sombre. Au bout d'un petit moment, la lueur s'est éteinte.

Ce matin, alors que je me préparais pour l'école, j'ai vu quelque chose qui bougeait derrière cette maison. Je me suis penchée à la fenêtre et j'ai repéré quelqu'un qui se glissait au dehors. Un type avec un sac à dos. Il regardait autour de lui comme pour s'assurer que personne ne l'avait repéré ; puis il s'est faufilé entre notre maison et celle du voisin, pour se rendre à l'arrêt du bus scolaire.

Je ne l'avais encore jamais vu. C'était la première fois qu'il prenait mon bus. Il s'est assis à l'arrière, tandis que j'étais au milieu, alors je ne lui ai pas parlé. Pourtant, il est descendu à la même station que moi et il est entré dans l'école.

Je ne sais pas pourquoi il dormait dans cette maison, où il n'y a sans doute ni électricité ni eau courante. Sur le coup, j'ai cru à un pari, seulement, aujourd'hui, il a quitté le bus au même arrêt que moi. Il a emprunté une autre rue, comme s'il partait ailleurs, mais j'ai couru dans ma chambre pour vérifier par la fenêtre. Effectivement, quelques minutes plus tard, je l'ai vu se glisser à l'intérieur de cette ruine.

Je ne sais pas si je devrais en parler à ma mère. Je n'aime pas me mêler de ce qui ne me regarde pas. Mais si ce type n'a nulle part où aller, je suis sûre qu'elle voudrait l'aider puisqu'elle travaille dans une école.

Je ne sais pas. Je devrais sans doute attendre deux jours avant d'en parler, histoire de vérifier s'il retourne chez lui ou non. Peut-être qu'il veut juste s'éloigner un peu de ses parents. Comme j'aimerais bien que ça m'arrive de temps en temps.

C'est tout. Je vous raconterai la suite demain.

– Lily

Chère Ellen,

Je passe en accéléré vos séquences de danse quand je regarde votre talk-show. Avant j'aimais bien, mais ça commence à me raser un peu, je préfère vous entendre parler. J'espère que ça ne vous énerve pas trop.

Bon, alors j'ai trouvé qui était ce type et, oui, il va toujours là-bas. Ça fait deux jours maintenant et je n'en ai encore parlé à personne.

Il est en terminale et s'appelle Atlas Corrigan ; c'est tout ce que je sais. J'ai demandé à Katie qui c'était quand elle s'est assise à côté de moi dans le bus. Elle a levé les yeux au ciel en me disant son nom, avant d'ajouter : « Je ne sais rien d'autre, mais il pue. » Et elle a plissé le nez comme si ça la dégoûtait. J'ai failli lui crier à la figure qu'il n'y pouvait rien, qu'il n'avait pas d'eau. Au lieu de quoi je me suis tournée vers lui. J'ai dû un peu trop insister parce qu'il a fini par s'en apercevoir.

En rentrant à la maison, je suis allée faire un peu de jardinage. Mes radis étaient mûrs ; c'est la dernière chose qu'il me restait à cueillir parce qu'il commence à faire trop frais pour qu'on puisse planter quoi que ce soit. J'aurais sans doute pu attendre quelques jours de plus pour les cueillir, mais j'étais sortie surtout par curiosité.

Et là, je me suis aperçue qu'il en manquait un peu. Comme si on les avait déterrés. Or, ce n'était pas moi, et mes parents ne touchent jamais à mes plantations.

C'est alors que j'ai pensé à Atlas. Ça ne pouvait être que lui. Jusque-là, je n'y avais pas vraiment réfléchi, mais s'il n'avait pas de quoi prendre une douche, il ne devait pas non plus avoir de quoi manger.

Je suis rentrée à la maison pour y préparer quelques sandwiches. J'ai pris aussi deux sodas dans le réfrigérateur et un paquet de chips. J'ai mis le tout dans un sac de pique-nique et j'ai couru le déposer devant l'entrée de jardin de la maison abandonnée. Je ne savais pas trop s'il m'avait vue, alors j'ai frappé à la porte avant de filer chez moi, droit dans ma chambre. Le temps que j'arrive à la fenêtre pour vérifier s'il mettait le nez dehors, le sac avait déjà disparu.

Alors j'ai compris qu'il me surveillait. Ça m'angoisse un peu qu'il sache que je sais qu'il vit là. Je ne vois vraiment pas quoi lui dire s'il cherche à me parler, demain.

– Lily

Chère Ellen,

Aujourd'hui, j'ai vu votre interview du candidat à la présidence, Barack Obama. Ça ne vous angoisse pas d'interviewer quelqu'un qui pourrait devenir notre prochain chef d'État ? Je n'y connais pas grand-chose en politique, mais je ne crois pas que je parviendrais à être drôle dans de telles circonstances.

Ouf ! Il vient de nous arriver un tel truc à toutes les deux ! Vous avez interviewé celui qui sera sans doute notre prochain président et moi j'ai nourri un jeune S.D.F.

Ce matin, en allant à l'arrêt de bus, j'y ai trouvé Atlas qui attendait déjà. Au début, on n'était que tous les deux ; sans mentir, ça m'a fait drôle. J'ai vu le bus arriver au carrefour et j'ai regretté qu'il ne roule pas plus vite. Quand il s'est arrêté, le garçon s'est rapproché de moi et, sans relever la tête, il a dit : « Merci. »

Quand les portes du bus se sont ouvertes, il m'a laissée entrer la première. Je n'ai pas répondu « De rien » parce que j'étais choquée par ma réaction : sa voix me donnait la chair de poule, Ellen.

Ça vous a déjà fait la même chose, une voix de garçon ?

Oh, pardon ! Ça vous a déjà fait la même chose, une voix de fille ?

Il ne s'est pas assis à côté de moi ni rien à l'aller, mais au retour, il a été le dernier à monter. Il ne restait plus de places assises mais, à la façon dont il examinait chaque passager, on voyait qu'il ne cherchait pas à s'asseoir ; c'était moi qu'il cherchait.

Quand nos regards se sont croisés, je me suis dépêchée de baisser les yeux. Malheureusement, je ne sais pas comment réagir avec les garçons. Peut-être que je finirai par apprendre quand j'atteindrai mes seize ans.

Dès que la place s'est libérée, il s'est assis à côté de moi en coinçant son sac à dos entre ses jambes. Là, j'ai compris ce que voulait dire Katie. Il sentait un peu fort, mais je n'allais pas le lui reprocher.

Au début, il n'a rien dit ; il tripotait juste un trou dans son jean, pas le genre déchirure à la mode. Celui-là venait d'un véritable accroc, parce que c'était un vieux pantalon qui paraissait un peu trop petit pour lui car on apercevait ses chevilles. Sauf que ce garçon était assez maigre pour ne pas paraître à l'étroit ailleurs. « Tu l'as dit à quelqu'un ? » m'a-t-il demandé.

Il paraissait inquiet. C'était la première fois que je pouvais le regarder franchement. Il avait les cheveux brun foncé quoique, s'il les lavait, ils sembleraient peut-être plus clairs. Je lui trouvais les yeux brillants ; c'était bien la seule chose qui brillait en lui. Des yeux profondément bleus, comme ceux d'un husky. Je ne devrais sans doute pas le comparer à un chien, mais c'est la première idée qui m'est venue en les voyant.

Je me suis détournée vers la fenêtre jusqu'au moment où j'ai trouvé le courage de lui demander : « Pourquoi tu ne vis pas chez toi avec tes parents ? »

Il m'a dévisagée quelques secondes, l'air de se demander s'il pouvait me faire confiance ou non, avant de répondre : « Parce qu'ils ne veulent pas de moi. »

Là, il s'est levé. Je me suis dit que je l'avais fichu en pétard, jusqu'au moment où j'ai vu qu'on était arrivés. J'ai eu juste le temps de récupérer mes affaires et de descendre derrière lui. Cette fois, il n'a pas cherché à cacher où il se rendait, comme les autres jours. D'habitude, il empruntait une rue latérale pour traverser en douce mon jardin, mais là, il m'a juste suivie.

Devant l'entrée de ma maison, on s'est arrêtés tous les deux et il a donné un coup de pied par terre. « À quelle heure rentrent tes parents ? »

« Vers dix-sept heures. »

Il était quinze heures quarante-cinq.

Il a agité la tête comme s'il allait dire autre chose, mais il s'est tu et a fini par repartir vers la vieille maison sans eau, sans électricité ni rien à manger.

Après, Ellen, je sais que là j'ai commis une bêtise, pas la peine de me le dire. Je l'ai appelé et, quand il s'est retourné, j'ai dit : « Si tu te dépêches, tu peux prendre une douche avant de rentrer. »

Mon cœur battait trop fort, car je savais à quels ennuis je m'exposais si mes parents rentraient à la maison et trouvaient un S.D.F. sous la douche. Je jouais peut-être ma vie. Mais je ne pouvais pas non plus le laisser repartir sans lui offrir quelque chose.

Il a baissé de nouveau la tête et je me suis sentie atteinte par sa gêne. Sans plus de réaction, il s'est contenté de me suivre.

Tout le temps qu'il a passé sous la douche, je me suis sentie au bord de la panique, guettant le moindre mouvement à la fenêtre de peur de voir arriver les voitures de mes parents, alors qu'ils ne devaient pas rentrer avant une bonne heure encore. J'avais aussi peur qu'un de mes voisins ne l'ait vu entrer, bien qu'ils ne me connaissent pas assez pour trouver anormal que j'amène un visiteur chez moi.

Je lui avais donné des vêtements de rechange ; non seulement il devrait partir sans tarder, mais se trouver assez loin pour que mon père ne le voie pas. Car il reconnaîtrait sûrement ses propres habits sur un ado croisé dans le quartier.

Tout en surveillant la pendule d'un côté, la fenêtre de l'autre, je remplissais mon ancien sac à dos d'un tas de trucs. Des boîtes d'aliments secs, deux tee-shirts de mon père, un jean sans doute dix fois trop grand et plusieurs paires de chaussettes.

J'ai fermé le tout lorsqu'il a émergé de la salle de bain.

J'avais raison, même humides, ses cheveux semblaient plus clairs. Ça rendait ses yeux encore plus bleus.

Il avait dû se raser aussi car il paraissait beaucoup plus jeune. Ça m'a fait déglutir et j'ai dû détourner les yeux tant ce changement m'émouvait. J'avais trop peur qu'il ne lise dans mes pensées.

Avec un dernier coup d'œil vers la fenêtre, je lui ai tendu le sac. « Il vaudrait mieux que tu passes par derrière pour que personne ne te voie. »

Il l'a pris, m'a regardée une minute. « Comment t'appelles-tu ? »

« Lily. »

Il a souri. C'était la première fois qu'il me souriait et là, une horrible pensée m'a traversée. Comment un mec au si beau sourire pouvait-il avoir des parents aussi nuls ? Je m'en suis voulu aussitôt parce que, bien sûr, les parents devaient aimer tous leurs enfants, qu'ils soient beaux ou laids, maigres ou gros, intelligents ou stupides. Sauf que, parfois, on ne pouvait pas contrôler les élans de son esprit. Il fallait juste apprendre à les identifier.

Il m'a tendu la main : « Je m'appelle Atlas. »

« Je sais », ai-je dit sans la prendre. Je ne sais pas pourquoi j'ai refusé de lui serrer la main. Ce n'était pas parce qu'il me faisait peur. Enfin si. Mais pas parce que je me croyais meilleure que lui. Il m'impressionnait, voilà tout.

« Je ferais mieux d'y aller », a-t-il alors dit.

Je me suis écartée pour le laisser passer. Il m'a désigné la cuisine, comme pour demander si c'était par-là qu'il fallait passer. J'ai fait oui de la tête et l'ai suivi dans l'escalier. Arrivé en bas, il s'est arrêté un instant devant ma chambre.

J'en ai éprouvé une énorme gêne. Personne ne voyait jamais ma chambre, si bien que je n'avais pas cherché à lui donner un aspect plus adulte. J'avais gardé les rideaux et le dessus-de-lit roses de mes douze ans. Ça m'a donné soudain envie de déchirer mon poster d'Adam Brody.

Atlas n'a pas paru s'en formaliser. Il a regardé droit vers la fenêtre qui donnait sur le fond du jardin, a poursuivi son chemin vers la porte de derrière, puis s'est tourné vers moi. « Merci de ne pas me mépriser, Lily. »

Et il est parti.

Ça faisait drôle de penser qu'un ado puisse se sentir méprisable. Surtout de la part d'un garçon à l'air si bien élevé. Comment pouvait-il se retrouver S.D.F. ? Comment cela pouvait-il arriver à un ado ?

Il faut que je le sache, Ellen.

Je vais découvrir ce qui lui est arrivé. Vous allez voir ça.

– Lily

***

Je m'apprête à tourner une autre page quand mon téléphone sonne. Je me penche sur le canapé pour l'attraper. Évidemment, il s'agit encore de ma mère. Maintenant qu'elle se retrouve seule après le décès de mon père, elle va sans doute m'appeler deux fois plus qu'avant.

– Allô ?

– Que dirais-tu si je venais m'installer à Boston ?

J'attrape le coussin près de moi pour étouffer un cri.

– Euh… Ouah ! Tu crois ?

Silence, et soudain :

– C'était juste une idée. On pourra en discuter demain. Je suis presque arrivée à ma réunion.

– D'accord. Au revoir.

Là, d'un seul coup, j'ai envie de quitter le Massachusetts. *Elle ne va pas venir ici !* Elle ne connaît personne. Elle compterait sur moi pour lui tenir compagnie tous les jours. J'aime ma mère, d'accord, mais je suis venue à Boston pour y trouver mon indépendance. Avec elle dans les parages, ce serait fini.

Le cancer de mon père a été diagnostiqué il y a trois ans, alors que j'étais encore à l'université. Si Ryle Kincaid était là, en ce moment, je lui dirais la vérité toute nue : je me suis sentie un rien soulagée quand mon père a été trop malade pour pouvoir s'en prendre physiquement à ma mère. Ça a complètement changé la dynamique de leur relation, et je ne me suis plus sentie obligée de rester à Plethora pour m'assurer qu'elle allait bien.

Maintenant qu'il est parti et que je n'ai plus à me soucier de ma mère, j'aurais envie de prendre mon envol.

Et voilà qu'elle veut venir à Boston ?

Là, j'ai plutôt l'impression de me faire casser les ailes.

Si seulement je pouvais taper dans une chaise en polymère marin !

Je commence à vraiment stresser, je ne sais pas ce que je vais faire si elle déménage vraiment. Je n'ai pas de jardin, ni de cour, ni de patio, ni de plantes vertes.

Il faut que je me défoule autrement.

Je décide de faire du rangement. Je dépose tous mes cartons à chaussures pleins de cahiers et de notes dans le placard de ma chambre. Après quoi je me lance dans une totale réorganisation de mes bijoux, mes chaussures, mes vêtements…

Elle ne va quand même pas venir à Boston.

CHAPITRE 3

Six mois plus tard

– Oh !

C'est tout ce qu'elle dit.

Ma mère se retourne, examine la salle, passe un doigt sur le rebord de la vitre et ramasse un peu de poussière.

– C'est…

– Oui, je sais, il y a du travail. Mais regarde bien la devanture. Elle a du potentiel.

Hochant la tête, elle émet ce bruit qui vient du fond de la gorge qu'elle sort parfois quand elle acquiesce sans conviction, les lèvres serrées. Autrement dit, elle n'est pas d'accord. Et là, elle le fait deux fois.

Je baisse les bras.

– Tu crois que c'était idiot ?

– Tout dépend de la tournure que ça prendra, Lily.

Nous nous trouvons dans un ancien restaurant encore plein de tables et de chaises. Ma mère en tire une pour s'y asseoir.

– Si ça marche, dit-elle, si ta boutique de fleurs prend bien, on dira que c'était un choix professionnel hardi, audacieux, intelligent et réussi. Mais si ça ne marche pas et que tu y perds tout ton héritage…

– On dira que c'était un choix professionnel complètement imbécile.

– C'est ainsi que ça marche. Avec ton master en management, tu le sais bien.

Elle examine lentement la salle, comme si elle voyait à quoi ça ressemblera dans un mois.

– Arrange-toi juste pour que ça paraisse audacieux et hardi, Lily.

Je vois ce qu'elle veut dire. Je lui souris.

– Dire que j'ai acheté ça sans te demander ton avis !

– Tu es une adulte, c'est ton droit, réplique-t-elle non sans une certaine amertume.

Je crois qu'elle se sent encore plus seule maintenant que j'ai de moins en moins besoin d'elle. Voilà six mois que mon père est mort et, bien qu'il n'ait pas été de bonne compagnie, elle doit se sentir très seule. Une fois nommée à un poste dans une école élémentaire de Boston, elle a emménagé au cœur d'une banlieue tranquille, dans une jolie maisonnette entourée d'un immense jardin. Je rêve d'y faire des plantations, mais il faudrait que je m'y rende tous les jours. Pour l'instant, je m'en tiens à une visite par semaine. Parfois deux.

– Qu'est-ce que tu vas faire de tout ce foutoir ?

Elle a raison. Ce tas de vieux meubles ne sert à rien. Il va me falloir des jours et des jours d'efforts pour m'en débarrasser.

– Je ne sais pas. J'ai un travail monstre qui m'attend avant de songer à la décoration.

– Quand tombe ton dernier jour à la société de marketing ?

– Hier.

Elle pousse un soupir, secoue la tête.

– Oh, Lily ! J'espère que tout se passera bien pour toi.

On se lève lorsque la porte d'entrée s'ouvre. Gênée par des planches, je dois pencher la tête pour voir la femme qui arrive.

– Bonjour, dit-elle en m'adressant un signe.

Elle est jolie, bien habillée, mais son pantacourt blanc va droit au désastre dans ce nid à poussière.

– Vous désirez ?

Coinçant son sac sous le bras, elle vient droit vers moi, la main tendue.

– Je suis Allysa.

– Lily, dis-je en lui serrant la main.

– J'ai bien vu le panneau dehors, reprend-elle en désignant la devanture. Vous cherchez des employés ?

– Ah bon ?

Je n'ai mis aucun panneau.

– Bon, il avait l'air vieux, c'est vrai. Je me baladais dans le coin et j'ai vu ça. Pure curiosité de ma part.

Elle me plaît tout de suite, avec sa voix agréable et son sourire chaleureux.

Ma mère me pose une main sur l'épaule avant de m'embrasser sur la joue.

– Il faut que j'y aille. Réunion de parents d'élèves ce soir.

Je lui dis au revoir, la regarde partir, puis reporte mon attention sur Allysa.

– En fait, je n'embauche pas encore. Je vais ouvrir une boutique de fleurs, mais pas avant deux bons mois.

Je ferais mieux de ne pas m'arrêter sur des jugements préconçus, mais elle n'a pas l'air du genre à se contenter d'un petit salaire. Son sac doit valoir plus cher que tout l'immeuble.

– C'est vrai ? s'enthousiasme-t-elle. J'adore les fleurs ! Cette salle a un potentiel énorme. De quelle couleur allez-vous la peindre ?

Je croise les bras avant de répondre :

– Je ne sais pas encore. Voilà juste une heure que je suis entrée ici pour la première fois. Il va falloir que j'y réfléchisse.

– C'est Lily, je crois ?

Je hoche la tête.

– Sans me faire passer pour une professionnelle, je dois dire que j'adore la décoration. Si vous avez besoin d'aide, ce sera gratuit.

– Vous travailleriez gratuitement ?

– Je n'ai pas vraiment besoin de travailler. C'est juste en voyant le panneau que je me suis dit : *Pourquoi pas ?* Mais je m'ennuie vite. Je serais ravie de vous aider, aussi bien à nettoyer que décorer, choisir les couleurs et tout. Tenez, cette porte cassée, je pourrais vous en faire quelque chose de magnifique. Et de tous ces trucs en fait.

On peut tirer quelque chose d'absolument tout, vous savez ?

Je regarde autour de moi, parfaitement consciente que je ne pourrai jamais m'en occuper toute seule. À vrai dire, je ne pourrai sans doute même pas tout soulever. Il faudra bien que je finisse par engager quelqu'un.

– Non, je ne vais pas vous faire travailler gratos. Je pourrais vous donner dix dollars de l'heure si vous tenez à vous y mettre.

Elle applaudit et, si elle ne portait pas des talons, je crois qu'elle aurait sauté sur place.

– Quand est-ce que je commence ?

– Demain, ça irait ? Il faudra sans doute porter des vêtements moins fragiles.

Elle dépose son superbe sac Hermès sur une table poussiéreuse.

– Pas question ! Mon mari regarde la retransmission d'un match de hockey dans un bar au bout de la rue. Si vous êtes d'accord, je peux commencer maintenant.

***

Deux heures plus tard, je suis persuadée d'avoir fait la connaissance de ma prochaine meilleure amie.

On écrit « À garder » et « À jeter » sur des post-it qu'on colle sur tout ce qui meuble la salle. Allysa est aussi convaincue que moi qu'il faut avant tout penser recyclage, si bien qu'on décide de garder les trois-quarts du matériel. Elle promet que son mari jettera le reste quand il en aura le temps. Une fois qu'on a décidé quoi faire de chaque élément, je prends un carnet et un crayon et on s'assied pour noter chacune de nos idées.

– OK, dit-elle en étirant les jambes devant sa chaise.

J'ai envie de rire en découvrant son pantacourt couvert de poussière, mais elle semble s'en moquer.

– Tu as un objectif pour cet endroit ?

– Oui, réussir.

– Ça, je n'en doute pas ! s'esclaffe-t-elle. Mais il te faut un but précis.

Ça me fait penser à ce que m'a dit ma mère : « Arrange-toi juste pour que ça paraisse audacieux et hardi, Lily. »

– Audacieux et hardi. Je veux que ça ne ressemble à rien de ce qu'on connaît déjà. Je veux prendre des risques.

– Mais, dit-elle en mordillant le bout de son stylo, tu veux juste vendre des fleurs, non ? Comment peut-on être audacieux et hardi avec des fleurs ?

En regardant autour de moi, j'essaie de me représenter ce qui me vient à l'esprit, sans trop savoir à quoi ça pourrait ressembler, mais je bous d'impatience. Comme si j'allais pondre la plus brillante des idées. Je lui demande soudain :

– Quels mots te viennent à l'esprit avec les fleurs ?

– Aucune idée. Attends, elles sont douces ? Vivantes ? Elles me font donc penser à la vie. Et puis cette couleur rose. Et le printemps.

– Douceur, vie, rose, printemps. Allysa, tu es super brillante !

Je me mets à faire les cent pas en pensant à voix haute :

– On va prendre ce que tout le monde aime avec les fleurs et faire exactement le contraire !

Elle fait la grimace. Apparemment, elle n'a pas compris.

– D'accord, dis-je. Et si au lieu d'exposer la douceur des fleurs, on montrait leur infamie ? Au lieu des teintes rosées, des couleurs plus fortes comme un violet foncé ou même du noir ? Et au lieu du printemps et de la vie, l'hiver et la mort ?

Allysa écarquille les yeux.

– Mais… Si quelqu'un veut quand même des fleurs roses ?

– On lui en donnera bien sûr. Toutefois, on peut également lui donner ce qu'il veut sans le savoir.

Elle se gratte la joue.

– Alors comme ça, tu penses à des fleurs noires ?

Elle semble vraiment inquiète et comment lui en vouloir ? Elle ne voit que le côté sombre de mon concept. Je retourne m'asseoir pour tâcher de m'expliquer :

– Un jour, quelqu'un m'a dit que les gens négatifs, ça n'existait pas. On est tous des gens qui commettent parfois des actes négatifs. Cette idée ne m'a plus quittée car elle me semble trop vraie. On a tous en nous un côté négatif et un autre positif. Je voudrais en faire notre thème. Au lieu de peindre les murs d'une horrible couleur blafarde, on peut choisir du violet foncé avec des nuances de noir. Et au lieu d'aligner, comme à peu près partout, bouquet de fleurs après bouquet de fleurs dans des vases en cristal barbants qui évoquent soi-disant la vie, on peut se montrer plus inventives. Audacieuses et hardies. On va exposer des fleurs sombres enveloppées dans quelque chose qui évoque le cuir et les chaînes d'argent. Et plutôt que des vases en cristal, on les disposera dans de l'onyx noir ou… je ne sais pas… des vases de velours mauve bordés de clous d'argent. Les idées pullulent. Parce que, tu vois, des fleuristes, il y en a à tous les coins de rue pour ceux qui aiment les fleurs. Mais combien de fleuristes s'adressent à ceux qui n'aiment pas les fleurs ?

– Aucun, murmure Allysa.

– Voilà. Aucun.

On se regarde un moment et, tout d'un coup, je n'y tiens plus. J'éclate de rire comme une gamine. À son tour elle se met à rire, se précipite vers moi pour me prendre dans ses bras.

– Lily, c'est complètement tordu, et brillant !

– Je sais, dis-je galvanisée par sa joie. Là, il me faut un bureau pour que je puisse y pondre un plan stratégique. Sauf que ma future arrière-boutique est remplie de vieilles caisses !

Elle se dirige vers le fond de la salle.

– Viens, on va les virer et puis on ira t'acheter un bureau.

On se précipite ensemble dans l'arrière-boutique qu'on débarrasse petit à petit. Je grimpe sur une chaise pour pouvoir installer des caisses par-dessus les autres afin de nous aménager un peu plus d'espace.

– Tiens, ce sera parfait pour la vitrine que j'imagine.

Elle me tend deux dernières caisses et s'en va ; alors que je me hisse sur la pointe des pieds pour les installer tout en haut, la pile se met à dégringoler. J'essaie de me retenir à quelque chose, mais la caisse me fait tomber de ma chaise. En atterrissant par terre, je sens mon pied se tordre. S'ensuit une douleur fulgurante de la jambe aux doigts de pieds.

Allysa surgit aussitôt, mais elle doit déplacer deux boîtes pour me libérer.

– Lily ! Oh, mon Dieu, ça va ?

Je tente de m'asseoir mais n'essaie même pas de poser mon pied. Je secoue la tête.

– Ma cheville…

Elle ôte délicatement ma chaussure puis sort son téléphone de sa poche, compose un numéro en me regardant.

– Je sais que c'est une question idiote, mais il n'y n'aurait pas un réfrigérateur avec de la glace, ici ?

Je fais non de la tête.

– Je m'en serais doutée, conclut-elle.

Elle pose l'appareil par terre, met le haut-parleur, puis entreprend de remonter mon pantalon. Je frémis, pas tant de douleur que de consternation. Comment ai-je pu commettre une telle bêtise ? Si je me suis cassé la jambe, je suis fichue. Je viens de mettre tout mon héritage dans une boutique que je ne pourrai retaper avant des mois.

– Saluuut, Issa ! ronronne une voix mélodieuse au téléphone. Où es-tu ? Le match est terminé.

Elle reprend son appareil, le rapproche de sa bouche.

– Au travail. Écoute, il me faut…

Le mec lui coupe la parole :

– Au travail ? Mais, chérie, tu n'as pas de boulot.

– Marshall, écoute. C'est urgent. Je crois que ma patronne s'est cassé la cheville. Il faudrait que tu apportes de la glace au…

Il l'interrompt d'un éclat de rire.

– Ta patronne ? Mais, chérie, tu n'as pas de boulot.

Elle lève les yeux au ciel.

– Marshall, tu as bu ?

– C'est la journée pyjama, bredouille-t-il. Tu le savais quand tu nous as déposés, Issa. Bière gratos jusqu'à…

– Passe-moi mon frère.

– Ça va, c'est bon.

Après un bruissement, une autre voix lance :

– Ouais ?

– Il faut que tu rappliques tout de suite ! S'il te plaît. Et apporte un sac de glace.

– Oui, m'dame.

Le frangin paraît un peu saoul lui aussi. Un éclat de rire retentit et un mec observe :

– *Elle est de mauvais poil.*

Après quoi, la ligne se coupe.

Allysa range son téléphone.

– Je sors les attendre. Ils sont en bas de la rue. Ça ira ?

J'attrape la chaise près de moi.

– Je devrais peut-être essayer de marcher.

– Non, surtout pas, dit-elle en m'adossant au mur. Guette-les, d'accord ?

Je ne vois pas ce que deux mecs bourrés pourront faire pour moi, mais j'acquiesce de la tête. Ma nouvelle employée se comporte plutôt en patronne pour le moment, au point qu'elle me fait un peu peur.

Je patiente une dizaine de minutes avant d'entendre enfin des voix et la porte qui s'ouvre.

– Qu'est-ce qui se passe ? demande un homme. Qu'est-ce que tu fiches toute seule dans cette baraque pourrie ?

J'entends Allysa répondre :

– Elle est là-bas.

Elle entre, suivie d'un mec en survêtement. Il est grand, un peu maigrichon, mais beau comme un ado avec ses gentils yeux écarquillés et sa tignasse noire, un baquet de glaçons à la main.

Mais ce survêtement… est en fait un *pyjama Bob l'Éponge* jaune vif ! Je ne peux m'empêcher d'interroger Allysa :

– C’est ton mari ?

– Hé oui, soupire-t-elle, malheureusement.

Un autre type – également en pyjama – arrive derrière eux mais je regarde plutôt Allysa qui m’explique alors pourquoi ils se baladent dans cette tenue un mercredi après-midi.

– Il y a un bar en bas de la rue qui offre une bière gratuite à tous ceux qui se pointent en pyjama durant un match de hockey.

Elle fait signe aux deux mecs de s’approcher de moi.

– Lily est tombée de la chaise et s’est blessée à la cheville.

Passant devant Marshall, l’autre type s’approche et je remarque aussitôt ses bras.

Merde, je les ai déjà vus.

Ils appartiennent au neurochirurgien.

Allysa est sa sœur ? Celle qui possède tout le dernier étage, dont le mari travaille en pyjama et gagne un million par an ?

Dès que mes yeux rencontrent ceux de Ryle, il esquisse un sourire rayonnant. Je ne l’ai plus vu depuis… *Dieu sait combien de temps*… Six mois ? Je ne pourrais pas dire que je n’ai pas pensé à lui, en fait ça m’est même arrivé plus d’une fois. Mais je n’aurais jamais cru le revoir.

– Ryle, voici Lily. Lily, mon frère, Ryle. Et voici mon mari, Marshall.

Ryle vient s’agenouiller devant moi.

– Lily, souffle-t-il, ravi de faire votre connaissance.

Bon, il m'a reconnue, même si, comme moi, il prétend le contraire. Pour le moment, je n'ai pas trop envie de raconter à tout le monde comment on s'est rencontrés.

Il examine ma cheville.

– Vous pouvez la remuer ?

J'essaie mais une violente douleur irradie dans ma jambe.

– Non ! dis-je dans un souffle. Ça fait mal.

– Trouve un truc pour mettre les glaçons, dit-il à Marshall.

Allysa suit son mari au dehors. Dès qu'ils sont sortis, Ryle se penche vers moi avec un sourire.

– Je ne vous ferai pas payer ma consultation, lâche-t-il, mais juste parce que je suis un peu bourré.

– La première fois, vous étiez chargé, maintenant vous êtes bourré. Je commence à me demander si vous n'allez pas faire le meilleur des neurochirurgiens.

– On dirait, s'esclaffe-t-il. Mais je vous assure que je plane rarement et que c'est mon premier jour de congé depuis plus d'un mois, alors j'avais vraiment besoin d'une bière. Ou de cinq.

Marshall revient avec un vieux chiffon enveloppant la glace. Il le tend à Ryle qui l'applique contre ma cheville.

– Tu pourrais aller me chercher la trousse de secours dans ta voiture ? demande-t-il à sa sœur.

De nouveau, elle entraîne son mari au dehors.

Ryle pose la paume sur ma plante de pied.

– Appuyez un coup, dit-il.

Je pousse, ça fait très mal mais je parviens à bouger sa main.

– Elle est cassée ?

– Je ne crois pas, dit-il en remuant mon pied sur les côtés. On va attendre deux minutes et je verrai si on peut poser un poids dessus.

Je le regarde s'installer en face de moi, s'asseyant en tailleur pour placer mon pied sur ses genoux. Il regarde la salle qui nous entoure, revient vers moi.

– Qu'est-ce que c'est, cet endroit ?

Je m'efforce de sourire.

– Vous êtes chez Lily Bloom. Dans sa boutique de fleurs qui devrait ouvrir dans deux mois.

Et là, juré, je vois son expression se teinter peu à peu d'admiration.

– Pas possible. Vous vous êtes décidée ? Vous ouvrez votre propre boutique ?

– Oui. Je me suis dit que je devrais au moins essayer tant que je suis encore assez jeune pour me remettre d'une faillite.

Il applique toujours la glace contre ma cheville mais, de l'autre paume, il m'enveloppe le pied, promenant son pouce d'avant en arrière comme si de rien n'était. Néanmoins, je sens beaucoup plus sa main que la douleur sur mon pied.

– J'ai l'air ridicule, non ? dit-il en jetant un regard sur son pyjama rouge vif.

– Au moins, vous avez choisi un modèle qui ne se rapporte à aucun personnage. Ça fait déjà un peu plus mature que Bob l'Éponge.

Ça le fait rire, mais il reprend son sérieux en appuyant la tête contre la porte derrière lui.

– Vous êtes encore plus jolie à la lumière du jour.

Dans ces moments-là, je déteste mes cheveux roux et ma peau claire. Quand je rougis, ce ne sont pas seulement mes joues qui s'empourprent mais tout mon visage, mes bras et mon cou.

Tout comme lui, je m'adosse au mur.

– Vous voulez que je vous dise une vérité toute nue ?

Il fait oui de la tête.

– Plus d'une fois j'ai eu envie de retourner sur votre toit. Mais j'avais peur de vous y rencontrer. Vous me donnez le trac.

Il cesse de me frotter le pied.

– Moi ?

Comme je hoche la tête, il paraît se concentrer pour mieux tracer l'espace qui va de mes orteils à mon talon.

– J'ai toujours très envie de vous baiser.

Un léger cri retentit et ce n'est pas moi qui l'ai poussé.

On se tourne ensemble vers la porte d'entrée où se tient Allysa, les yeux écarquillés. Elle tend l'index vers Ryle :

– Qu'est-ce que tu… Oh, Lily, pardon, désolée pour lui ! Ryle, tu viens de dire à ma patronne que tu voulais la baiser ?

Houlà !

Il se mordille la lèvre, et c'est là qu'arrive Marshall.

– Qu'est-ce qui se passe ?

– Il vient de dire à Lily qu'il voulait la baiser ! s'écrie Allysa.

Marshall nous regarde l'un et l'autre et je ne sais pas si je dois rire ou me cacher sous une table.

– C'est vrai ? demande-t-il à son beau-frère.

– On dirait, rétorque Ryle en haussant les épaules.

Allysa se prend la tête dans les mains.

– J'hallucine ! Pardon, Lily, il est saoul ; ils le sont tous les deux. Ne me juge pas sur la connerie de mon frère.

– Ce n'est rien, dis-je en souriant. Je ne sais pas combien de mecs voudraient me baiser. Au moins ton frère l'avoue. Il n'y a pas beaucoup de gens qui ont le courage de dire ce qu'ils pensent.

Tout en continuant de me frotter la cheville d'un mouvement tranquille, Ryle m'adresse un clin d'œil avant de reposer mon pied par terre.

– Voyons maintenant s'il supporte un peu de poids.

Avec Marshall, ils m'aident à me relever, puis Ryle désigne une table contre le mur, à quelques pas devant moi.

– On va essayer de nous y rendre et là, je vous ferai un pansement.

Son bras m'entoure la taille et il me prend la main pour s'assurer que je ne tombe pas. Marshall l'assiste sans conviction. Je m'appuie un peu sur ma cheville et ça fait mal, sans être insupportable. Je rejoins la table à cloche-pied, puis Ryle m'aide à m'asseoir dessus ; je m'adosse au mur et tends la jambe.

– La bonne nouvelle, dit-il, c'est qu'elle n'est pas cassée.

– Et la mauvaise ?

Il ouvre la trousse de secours.

– Il va falloir la mettre au repos plusieurs jours, peut-être une semaine ou plus, selon le temps qu'elle mettra à guérir.

Je ferme les yeux et gémis :

– Mais j'ai trop de choses à faire !

Il commence à panser délicatement ma cheville. Derrière lui, Allysa ne perd aucun de ses mouvements.

– J'ai soif, lance Marshall. Quelqu'un veut quelque chose à boire ? Il y a une supérette en face.

– Moi ça va, répond Ryle.

– Je voudrais de l'eau, dis-je.

– Moi du soda, dit Allysa.

Marshall l'attrape par la main.

– Tu viens avec moi.

Mais elle se détache de lui, croise les bras.

– Pas question. Je n'ai aucune confiance en mon frère.

– Allysa, c'est bon, lui dis-je. Il plaisantait.

Elle me dévisage un instant avant de reprendre :

– D'accord. Sauf qu'il ne faudra pas me virer s'il recommence ses conneries.

– Promis, je ne te virerai pas.

Là-dessus, c'est elle qui attrape son mari par la main et quitte la salle. Ryle achève son pansement et sort un sparadrap.

– Ma sœur travaille pour vous ?

– Oui. Je l'ai embauchée il y a deux heures.

– Vous savez qu'elle n'a jamais travaillé de sa vie ?

– Elle m'a prévenue.

Je lui trouve la mâchoire crispée. Il n'a plus l'air aussi décontracté que tout à l'heure. Tout d'un coup, je saisis : il croit que je l'ai engagée pour me rapprocher de lui.

– Je ne savais pas que c'était votre sœur jusqu'à ce que je vous voie entrer, juré.

– Je n'ai pas dit ça.

– Je sais. Mais je ne veux pas vous laisser croire que j'essayais de vous piéger d'une façon ou d'une autre. On n'attend pas les mêmes choses de la vie, vous et moi.

Hochant la tête, il repose doucement mon pied sur la table.

– Exact, dit-il. Moi je suis amateur de coups d'un soir, vous êtes en quête du Saint Graal.

Je m'esclaffe :

– Excellente mémoire !

– En effet, mais il faut aussi avouer que vous êtes difficile à oublier.

Bon sang, il doit arrêter de dire ça. Je plaque les mains sur la table et redescends ma jambe.

– Là, j'ai une nouvelle pure vérité.

– Je suis tout ouïe, dit-il en se penchant vers moi.

– Voilà. Vous m'attirez énormément. Il n'y a pas beaucoup de choses que je n'aime pas en vous. Mais, étant donné qu'on n'a pas les mêmes aspirations, si on doit se revoir, je préférerais que vous cessiez de dire des trucs qui me rendent folle. Ce n'est pas loyal.

– Bon, à mon tour, maintenant.

Posant ses mains à côté des miennes, il se penche.

– Moi aussi, vous m'attirez. Il n'y a pas beaucoup de choses que je n'aime pas en vous non plus. J'espère qu'on ne se reverra plus jamais parce que je pense souvent à vous et je n'aime pas ça. Enfin pas trop souvent, mais déjà plus que je ne voudrais. Alors, si vous dites non aux coups d'un soir, il vaudrait mieux qu'on s'évite, ça nous rendra service à tous les deux.

Je ne sais pas comment il s'y est pris, mais il se trouve à quelques centimètres de moi et j'ai de plus en plus de mal à me concentrer sur ses paroles. Son regard se pose brièvement sur mes lèvres mais, dès qu'on entend la porte s'ouvrir, il bondit en arrière. Le temps qu'Allysa et Marshall fassent leur entrée, il est en train de ramasser les caisses qui traînent encore par terre. Allysa jette un coup d'œil sur ma cheville.

– Alors, le verdict ? demande-t-elle.

– Ton médecin de frère dit que je vais devoir me reposer plusieurs jours.

Elle me tend une bouteille d'eau.

– Une chance que je sois là. Je pourrai commencer à tout nettoyer, le temps que tu reviennes.

J'avale une longue gorgée, m'essuie la bouche.

– Allysa, tu es l'employée du mois !

Avec un large sourire, elle se tourne vers Marshall.

– Tu as bien entendu ? Je suis la meilleure de ses employées !

Il l'entoure d'un bras, lui dépose un baiser sur la tête.

– Je suis fier de toi, Issa.

J'aime bien quand il l'appelle *Issa*, sans doute un diminutif d'Allysa. Quand je songe à mon propre prénom, j'aimerais trouver un garçon qui le raccourcisse en un *Illy* de rêve.

Non. Ce n'est pas pareil.

– Tu veux qu'on te ramène chez toi, Lily ? me demande-t-elle.

Je descends, essaie de m'appuyer sur mon pied.

– Plutôt jusqu'à ma voiture. Avec l'embrayage automatique, je n'ai pas besoin de mon pied gauche pour conduire.

Elle me prend dans ses bras.

– Tu n'as qu'à me laisser les clefs, je fermerai et reviendrai demain pour commencer le nettoyage.

Tous trois m'accompagnent à ma voiture et Ryle laisse Allysa prendre les choses en mains. On dirait qu'il a peur de me toucher, maintenant. Lorsque je me retrouve au volant, elle pose mon sac et d'autres choses à l'arrière, vient s'asseoir à la place du passager et prend mon téléphone pour y mettre son numéro.

Ryle se penche à la fenêtre :

– N'oubliez pas d'y mettre encore de la glace pendant plusieurs jours. Les bains font du bien aussi.

– Merci de m'avoir aidée.

– Ryle ? demande Allysa. Tu devrais peut-être la ramener toi-même et rentrer en taxi, ce serait plus sûr.

Il m'interroge du regard puis secoue la tête.

– Non, ce n'est pas la peine. Elle va très bien se débrouiller comme ça. J'ai bu plusieurs bières, je ne devrais pas conduire.

– Tu pourrais au moins l'aider à monter chez elle.

Il fait encore non de la tête, tapote le toit et s'en va. Je le suis du regard jusqu'à ce qu'Allysa me rende mon téléphone.

– Franchement, pardon pour lui. D'abord il te drague, ensuite il se conduit comme un putain d'égoïste.

Elle descend de la voiture, ferme la portière, puis se penche par la fenêtre.

– C'est même pour ça qu'il va rester célibataire jusqu'à la fin de ses jours. Envoie-moi un texto dès que tu seras rentrée. Et appelle-moi si tu as besoin de quelque chose. Je ne compterai pas les coups de main en heures de travail.

– Merci, Allysa.

Elle sourit.

– Non, merci à toi. Je ne me suis plus sentie aussi excitée depuis le concert de Paolo Nutini, l'année dernière.

Après un signe de la main, elle rejoint Marshall et Ryle.

Je les regarde s'éloigner dans mon rétroviseur. Avant de s'engager dans une rue transversale, Ryle se retourne.

Je ferme les yeux en soupirant.

Les deux moments que j'ai passés avec lui se sont déroulés après des événements que je préférerais oublier. Le jour de l'enterrement de mon père et celui où je me suis foulé la cheville. Pourtant, sa présence m'aura chaque fois aidée à en oublier le côté désastreux.

Je n'aime pas que ce soit le frère d'Allysa. J'ai l'impression que je n'ai pas fini de le voir.

CHAPITRE 4

Il me faut une demi-heure pour passer de ma voiture à mon appartement. J'ai appelé deux fois Lucy pour lui demander de m'aider, mais elle n'a pas répondu. Une fois entrée chez moi, je me sens un peu irritée de la trouver allongée sur le canapé, son téléphone à l'oreille.

Je claque la porte, ce qui lui fait lever la tête.

– Qu'est-ce qui t'arrive ? me demande-t-elle.

Tout en m'appuyant au mur, je pars en claudiquant vers ma chambre.

– Je me suis foulé la cheville.

– Pardon de ne pas avoir répondu au téléphone ! s'écrie-t-elle. Je discute avec Alex. J'allais te rappeler.

– C'est bon, dis-je avant de claquer la porte.

Dans l'armoire de la salle de bains, je récupère quelques vieux analgésiques et en avale deux avant de m'étendre sur le lit, les yeux au plafond.

Je n'arrive pas à croire que je sois bloquée une semaine dans cet appartement. Je tape un texto à ma mère :

Lily : Cheville foulée. Je vais bien mais je peux t'envoyer une liste de courses à me faire ?

Je lâche le téléphone sur mon lit et, pour la première fois depuis son arrivée ici, je suis contente que ma mère habite près de chez moi. En fait, on ne s'est jamais vraiment disputées. Je crois que je l'aime beaucoup plus depuis la disparition de mon père. Je lui en voulais de ne l'avoir jamais quitté. Bien que mes sentiments pour elle se soient largement apaisés, je ne pardonne rien à mon père.

Ce n'est sans doute pas très sain, mais c'était un être immonde. Envers ma mère, envers moi, envers Atlas.

Atlas.

J'étais tellement préoccupée par le déménagement de ma mère et la recherche, entre mes heures de travail, d'un local pour ma boutique que je n'ai pas eu le temps de finir de lire mon journal sur lequel je m'étais penchée il y a quelques mois. Je me rends à cloche-pied vers mon placard, trébuche et m'accroche de justesse à la commode. Une fois que j'ai attrapé le cahier, je saute sur mon lit et m'installe. Je n'ai rien d'autre à faire durant toute la semaine à venir, alors autant m'apitoyer sur mon passé en même temps que sur mon présent.

Chère Ellen,

En présentant la cérémonie des Oscars, vous nous avez offert la plus belle émission de télévision de l'année dernière. Je ne crois pas vous l'avoir déjà dit. Le sketch de l'aspirateur m'a fait pisser de rire.

Oh ! et j'ai découvert un de vos nouveaux fans en la personne d'Atlas. Avant de me reprocher de l'avoir encore laissé entrer chez moi, laissez-moi vous expliquer comment ça s'est produit.

Après la douche qu'il a prise hier, je ne l'ai plus revu le soir. Mais ce matin, il est revenu s'asseoir à côté de moi dans le bus. Il semblait un peu plus content que la veille car il m'a souri.

Franchement, ça me faisait drôle de le voir dans les vêtements de mon père, mais le jean lui allait bien mieux que je n'aurais cru.

« Devine ! » m'a-t-il lancé en ouvrant son sac à dos.

« Quoi ? »

Il en a sorti une pochette qu'il m'a tendue.

« J'ai trouvé ça dans le garage. J'ai essayé de les nettoyer pour toi, parce qu'ils étaient couverts de poussière, mais c'est un peu compliqué sans eau. »

Je n'ai pas caché ma méfiance. Jamais je ne l'avais entendu tant parler. Finalement, j'ai ouvert la pochette où j'ai cru voir quelques outils de jardinage.

« Je t'ai vue creuser la terre, il y a quelques jours. Je ne savais pas si tu avais beaucoup d'outils, et comme ceux-ci ne servent à rien… »

« Merci. »

J'étais plutôt choquée. J'avais possédé une truelle, mais le manche de plastique avait fini par se briser et ça me donnait des ampoules. J'avais demandé des outils à ma mère pour mon anniversaire, l'année dernière, et elle m'avait offert une énorme pelle et une binette ; je n'ai pas eu le courage de lui dire que ce n'était pas ce dont j'avais besoin.

Atlas s'est éclairci la gorge avant d'ajouter d'un ton beaucoup plus calme :

« Je sais que ça n'a pas l'air d'un vrai cadeau. Je ne l'ai pas acheté ni rien. Mais… je voulais te donner quelque chose. Tu sais… pour… »

Il n'a pas achevé sa phrase, alors j'ai refermé la pochette.

« Tu crois pouvoir les garder jusqu'à la fin des cours ? Je n'ai pas la place dans mon sac à dos. »

Il l'a reprise et remise dans son sac à lui, s'est accoudé dessus.

« Quel âge as-tu ? » m'a-t-il demandé.

« Quinze ans. »

Ça lui a donné l'air un peu triste, je me demande pourquoi.

« Tu es en seconde ? »

J'ai fait oui de la tête mais, franchement, je ne voyais pas que lui répondre. Je ne fréquente pas trop les garçons. Surtout plus âgés que moi. Quand je suis gênée, je la boucle.

« Je ne sais pas combien de temps je vais rester là », a-t-il repris plus bas. « Mais si tu as besoin d'aide pour le jardinage ou autre chose, rappelle-toi que je suis disponible. Quand on ne marche pas à l'électricité… »

J'ai éclaté de rire et je me suis demandé si j'avais raison de me marrer alors qu'il se rabaissait ainsi.

On a passé le reste du trajet à parler de vous, Ellen. Quand il a laissé entendre qu'il s'ennuyait, je lui ai demandé s'il avait déjà regardé votre talk-show. Il a dit qu'il aimerait bien parce qu'il croyait que vous étiez drôle, mais qu'il fallait avoir l'électricité pour regarder la télé. Encore un commentaire qui n'aurait peut-être pas dû me faire rigoler.

Je lui ai dit qu'il pourrait venir voir l'émission chez moi après le lycée. Je l'enregistre régulièrement sur mon disque dur et la regarde en faisant mes devoirs. J'ai décidé de boucler la porte d'entrée pour le cas où les parents rentreraient plus tôt, le temps de faire filer Atlas par-derrière.

Je ne l'ai plus revu jusqu'au trajet de retour d'aujourd'hui. Il ne s'est pas assis à côté de moi car Katie occupait la place. J'ai eu envie de lui demander d'aller ailleurs, mais elle aurait cru que je craquais pour lui et se serait fait une joie de le crier sur tous les toits. Alors je n'ai rien dit.

Atlas s'est assis à l'avant du bus, il est donc descendu avant moi mais il m'a attendue en bas, mine de rien. Et là, il a rouvert son sac à dos pour me donner la pochette d'outils. Il ne m'a pas rappelé mon invitation à regarder l'émission, alors j'ai fait comme si ça allait de soi.

« Viens. »

Et il m'a suivie ; j'ai fermé le verrou derrière nous.

« Si mes parents arrivent, va-t'en par la porte du fond pour qu'ils ne te voient pas. »

« Promis, ne t'inquiète pas. »

Je lui ai demandé s'il voulait boire quelque chose et il a répondu que oui. Je nous ai préparé un goûter puis j'ai apporté le tout dans le salon. Je me suis assise sur le canapé tandis qu'il prenait le fauteuil de mon père. J'ai allumé la télé et voilà tout. On n'a pas beaucoup parlé parce que je passais en accéléré toutes les publicités. Mais j'ai remarqué qu'il riait à bon escient. Je crois que le sens de la comédie est un élément essentiel de la personnalité. Chaque fois qu'il riait à vos plaisanteries, j'étais plus contente de l'avoir fait entrer à la maison. Je ne sais pas pourquoi. Peut-être parce que si c'est vraiment quelqu'un avec qui je pourrais devenir amie, je me sentirais moins coupable.

Il est parti juste après la fin. J'avais envie de lui demander s'il voulait encore prendre une douche, mais le risque aurait été trop grand qu'il se fasse surprendre par mes parents. Et je ne tenais pas à le voir courir tout nu dans le jardin.

Encore que ce serait plutôt marrant.

– Lily

Chère Ellen,

C'est pas vrai, des redifs ? Toute une semaine de redifs ? Bon, je sais que vous avez le droit de vous reposer un peu, mais j'ai une suggestion à vous faire. Au lieu d'enregistrer une émission par jour, vous pourriez en faire deux. Comme ça, vous auriez deux fois plus de temps libre et on n'aurait pas besoin de se taper des redifs.

Je dis « on » parce que je parle d'Atlas et moi. Il est devenu mon compagnon habituel de vos émissions. Je crois bien qu'il vous aime autant que moi, mais je ne lui dirai jamais que je vous écris tous les jours. Ça me ferait un peu trop passer pour une fan.

Voilà maintenant deux semaines qu'il habite dans cette maison. Il a pris quelques autres douches chez moi et je lui donne de la nourriture chaque fois qu'il vient. Je lave même ses vêtements après le lycée. Il passe son temps à s'excuser, comme si ça me dérangeait. Mais, franchement, j'aime bien. Ça me change les idées et j'ai hâte de le retrouver tous les soirs.

Papa est rentré tard, aujourd'hui. Autrement dit, il est passé au bar après le travail. Autrement dit, il risque de se disputer avec ma mère. Autrement dit, il va peut-être recommencer ses bêtises.

Franchement, parfois, j'en veux à ma mère de rester avec lui. Je sais, je n'ai que quinze ans, je ne comprends sans doute pas ses raisons, mais je refuse de lui servir d'excuse. Je me fiche qu'elle soit trop pauvre pour le quitter, ce qui nous obligerait à vivre dans un appartement pourri et à manger des nouilles tous les jours jusqu'à ce que je puisse travailler. Ce serait préférable à ça.

Je l'entends déjà hurler après elle. Parfois, quand il se met dans cet état, j'entre dans le salon en espérant le calmer. Il n'aime pas la frapper devant moi. Je devrais peut-être essayer encore.

– Lily

Chère Ellen,

Si j'avais sous la main un couteau ou un pistolet, je le tuerais.

En entrant dans le salon, je l'ai vu qui la faisait tomber. Elle s'accrochait à son bras pour essayer de le calmer, c'est là qu'il l'a jetée par terre. Je suis sûre qu'il allait lui balancer un coup de pied quand il m'a vue entrer ; alors il s'est arrêté en marmonnant je ne sais quoi, puis il est parti en claquant la porte.

Je me suis précipitée pour aider maman à se relever, mais elle ne veut jamais que je la voie dans cet état. Elle m'a adressé un petit signe de la main. « Ça va, Lily. Ce n'est rien, on s'est bêtement disputés. »

Elle pleurait et je voyais déjà la trace rouge sur sa joue, là où il l'avait giflée. Je me suis penchée pour m'assurer qu'elle n'était pas blessée, mais elle s'est juste agrippée au comptoir. « Je t'ai dit que ça allait, Lily. Retourne dans ta chambre. »

J'ai couru, pas dans ma chambre mais directement dans le jardin par la porte du fond. J'étais furieuse qu'elle se soit montrée aussi sèche avec moi. Je ne voulais pas me retrouver sous le même toit qu'eux et, bien qu'il fasse déjà nuit, je suis allée dans la maison où vivait Atlas, et j'ai frappé à la porte.

Je l'ai entendu s'approcher, comme s'il avait heurté un meuble au passage. « C'est moi, Lily », ai-je murmuré. Quelques secondes plus tard, il m'ouvrait, jetait un coup d'œil derrière moi, puis à gauche et à droite. Ce n'est qu'en regardant mon visage qu'il s'est aperçu que je pleurais.

« Ça va ? » m'a-t-il demandé. Je me suis essuyé les yeux avec ma manche, tout en remarquant qu'il sortait au lieu de me faire entrer. Alors je me suis assise sur une marche du perron et il a pris place à côté de moi.

« Ça va », ai-je répondu. « Je suis juste furieuse. Parfois, ça me fait pleurer. »

Il m'a glissé une mèche derrière l'oreille et j'ai bien aimé ce geste ; du coup, ça m'a tranquillisée. Et puis il m'a passé un bras sur l'épaule pour m'attirer contre lui et poser ma tête sur son épaule. Je ne sais pas comment il est arrivé à m'apaiser sans dire un mot, mais voilà. Il y des gens dont la seule présence suffit à calmer l'atmosphère et il en fait partie. Complètement à l'opposé de mon père.

On est restés assis un moment, jusqu'à ce que je voie la lumière de ma chambre s'allumer.

« Tu devrais y aller », m'a-t-il murmuré.

On voyait ma mère aller et venir derrière la fenêtre comme si elle me cherchait. À ce moment, je me suis rendu compte à quel point on voyait ce qui se passait chez moi.

En rentrant à la maison, j'ai essayé de réfléchir à ce que j'avais pu faire au vu et au su d'Atlas depuis qu'il était là. M'étais-je baladée la nuit devant la fenêtre allumée ? Parce que je ne porte qu'un tee-shirt pour dormir.

Le plus dingue, Ellen, c'est que j'en venais à l'espérer.

– Lily

Je ferme le journal quand l'analgésique commence à agir. J'en lirai davantage demain. *Peut-être.* Parce que si je revis les horreurs que mon père a pu infliger à ma mère, ça va me faire bouillir.

Alors que l'évocation d'Atlas me rend triste.

J'essaie de m'endormir en pensant à Ryle, mais là ça me fait bouillir et me rend triste à la fois.

Je ferais mieux de me concentrer sur Allysa, sur ma joie d'avoir fait sa connaissance. J'aurai bien besoin d'une amie – sans parler d'une aide – au cours des mois à venir. J'ai l'impression que cette période sera beaucoup plus stressante que je n'aurais pu l'imaginer.

CHAPITRE 5

Ryle avait raison. Il n'a fallu que quelques jours à ma cheville pour se rétablir, du moins ce qu'il faut pour me permettre de marcher. J'ai quand même laissé passer toute une semaine avant d'oser quitter mon appartement. Il ne manquerait plus que la douleur revienne.

Bien sûr, j'ai commencé par me rendre dès aujourd'hui à la boutique. Allysa s'y trouvait et, le moins qu'on puisse dire, c'est que j'ai ressenti un choc en franchissant la porte d'entrée. J'avais l'impression de pénétrer dans un endroit totalement différent de ce à quoi je m'attendais. Bien sûr, il reste encore énormément de boulot à faire mais, avec Marshall, ils se sont débarrassés de tout ce qu'on avait décidé de jeter. Le reste est entassé dans un coin. Les vitres ont été lavées, le sol nettoyé. Sans compter l'arrière-boutique où je compte installer mon bureau.

J'ai commencé par lui donner un coup de main pendant quelques heures, mais elle n'a pas voulu me laisser prendre en charge les tâches qui exigeaient trop de déplacements. Alors j'ai surtout dessiné des plans pour la décoration. On a choisi les peintures murales et fixé une date pour l'ouverture, à peu près dans cinquante-quatre jours. Une fois qu'elle est partie, j'ai fait tout ce qu'elle ne m'a pas laissé faire en sa présence. Ça faisait du bien de me retrouver là. Mais, bon sang, je suis crevée…

C'est pourquoi je me demande maintenant si je vais me lever du canapé pour répondre à la personne qui frappe à la porte. Lucy est retournée chez Alex ce soir, et je viens de raccrocher le téléphone avec ma mère. Donc c'est quelqu'un d'autre.

Je vais vérifier à l'œilleton mais ne reconnais pas tout de suite sa silhouette, car il baisse la tête. Et puis il la relève soudain. Mon cœur bondit.

Qu'est-ce qu'il fiche ici ?

Ryle frappe de nouveau et je me passe la main dans les cheveux, comme si ça pouvait me coiffer un peu. J'ai trop bossé aujourd'hui, je dois avoir une tête épouvantable. Il me faudrait au moins une heure pour prendre une douche, me maquiller, m'habiller avant d'ouvrir cette porte ; alors tant pis, il devra se contenter de ma sale gueule.

J'ouvre et sa réaction me laisse sans voix.

– La vache ! souffle-t-il en laissant tomber sa tête sur le châssis.

Il est à bout de souffle et ne paraît pas en meilleure forme que moi, aussi décoiffé et débraillé, avec en plus une barbe de deux jours que je ne lui avais jamais vue. Son regard éperdu trahit une véritable confusion.

– Tu te rends compte à combien de portes j'ai dû frapper pour te trouver ?

Je fais non de la tête mais, maintenant qu'il le dit… *D'abord, comment sait-il où j'habite ?*

– Vingt-neuf, dit-il.

Et il lève les mains en répétant ces chiffres dans un murmure :

– Deux… neuf.

Je m'aperçois alors qu'il est en blouse blanche et ça me terrifie. C'est cent fois mieux que son foutu pyjama et dix fois mieux que la chemise Burberry.

– Pourquoi as-tu frappé à vingt-neuf portes, d'abord ?

– Tu ne m'avais pas dit où se trouvait ton appartement. Tu m'as juste indiqué l'immeuble, mais je ne me rappelais pas à quel étage tu vivais. Dire que j'ai failli commencer au deuxième… J'aurais gagné une heure si j'avais suivi mon intuition.

– Qu'est-ce que tu fais là ?

Il se passe une main sur le visage, puis tend le doigt.

– Je peux entrer ?

– Dis-moi d'abord ce que tu veux.

Je le laisse quand même passer et ferme derrière lui. Il inspecte les lieux du regard, se tourne vers moi, les mains sur les hanches. Il a l'air un peu déçu, sauf que je ne sais pas trop si c'est à cause de moi ou de lui.

– Je vais t'asséner la vérité toute nue, dit-il, essoufflé. Prépare-toi.

Je croise les bras tandis qu'il inspire profondément, s'apprête à parler.

– Les deux mois qui viennent seront sans doute les plus importants de ma carrière. Il va falloir que je reste très concentré. J'arrive à la fin de mon internat. Ensuite, je passerai mes examens.

Il va et vient dans le salon, soulignant chacune de ses paroles d'un geste de la main.

– Mais, depuis la semaine dernière, je n'arrive plus à te chasser de ma cervelle. Je ne sais pas pourquoi. Au boulot comme au repos. Je ne pense qu'à cette folie quand je suis près de toi, et il faut que tu empêches ça, Lily.

Il s'immobilise devant moi.

– Je t'en prie, empêche ça ! Juste une fois… Ce sera tout. Juré.

Mes doigts s'enfoncent dans mon bras. Il halète encore un peu, les yeux toujours hagards, mais il m'implore du regard.

– Depuis combien de temps n'as-tu pas dormi ?

Ma question semble l'exaspérer. Comme si je ne pigeais rien.

– Je sors de quarante-huit heures de garde. Je t'en prie, Lily !

Pour un peu, je croirais presque qu'il est… J'inspire un grand coup pour me calmer.

– Ryle. Tu as vraiment frappé à vingt-neuf portes, tout ça pour me dire que ta vie était devenue un enfer tellement tu pensais à moi ? Et qu'on devrait coucher ensemble pour me chasser de ton esprit ? Tu te fiches de moi, là ?

Serrant les dents, il finit par hocher la tête.

– Bon… Il y a de ça, mais… Ça paraît bien pire quand c'est toi qui le dis.

J'éclate d'un rire exaspéré.

– Tu es trop lamentable, Ryle !

Il se mord les lèvres, regarde autour de lui, comme s'il cherchait soudain à s'évader. Je rouvre la porte, lui fais signe de sortir. C'est là qu'il regarde mon pied.

– Ta cheville a l'air bien. Ça va ?

– Oui, mieux. Pour la première fois, j'ai pu aider Allysa aujourd'hui, à la boutique.

Il hoche la tête et fait mine de sortir mais, à l'instant où il passe devant moi, il bloque les deux bras autour de ma tête et claque la porte. Je pousse un soupir exaspéré.

– Je t'en prie ! insiste-t-il.

Je refuse, malgré l'émotion qui s'empare de tout mon corps.

– Je suis vraiment doué, tu sais, dit-il dans un sourire. Tu n'auras presque rien à faire.

J'essaie de ne pas rire, mais son insistance est aussi charmante qu'exaspérante.

– Bonne nuit, Ryle.

Sa tête retombe en arrière. Il s'accroche à la porte pour se redresser puis la rouvre, s'apprête à sortir quand, tout d'un coup, il tombe à genoux, m'enveloppe la taille de ses bras.

– Lily, s'il te plaît ! marmonne-t-il d'un air misérable. Allez, on passe la nuit ensemble.

Il lève sur moi un regard de chien battu.

– Je te désire tellement… Je te jure, dès qu'on aura baisé, tu n'entendras plus jamais parler de moi. Promis.

Pour un peu, il me ferait pitié, ce malheureux neurochirurgien en train de supplier. Lamentable.

– Debout, dis-je en le repoussant. Tu es ridicule.

Il se lève lentement, remontant ses mains contre la porte jusqu'à m'y enfermer.

– Ça veut dire oui ?

Sa poitrine effleure la mienne. Je m'en veux de trouver plutôt agréable d'être tant désirée. Je devrais être révulsée, pourtant j'ai du mal à respirer en le regardant, surtout avec ce petit sourire aguicheur.

– Je n'en ai pas envie pour le moment, Ryle, dis-je. J'ai travaillé toute la journée, je suis épuisée, je pue la sueur et la poussière. Laisse-moi le temps de prendre une douche, peut-être que je me sentirai plus sexy pour coucher avec toi.

C'est à peine s'il me laisse achever ma phrase.

– Vas-y, prends ta douche. Tout le temps qu'il te faudra. J'attendrai.

Je l'éloigne de moi, referme la porte. Il me suit dans la chambre et je lui dis de patienter sur le lit.

Heureusement que j'ai nettoyé ma chambre hier soir. D'habitude, j'ai des vêtements qui traînent partout, des livres entassés sur la table de nuit, des chaussures et des soutiens-gorge qui n'entrent pour ainsi dire jamais dans mon placard. Mais, là, tout est propre. J'ai même fait mon lit, avec les horribles coussins capitonnés que ma grand-mère a fabriqués pour toute la famille.

Je vérifie tout de même qu'il ne reste pas un truc gênant dans les parages. Il s'assied sur le lit et je reste sur le seuil de la salle de bains, dans l'espoir de le faire encore changer d'avis.

– Tu dis qu'il faut que j'empêche ça, mais je te préviens, Ryle, j'agis comme une drogue. Si on passe la nuit ensemble, ça ne fera qu'aggraver les choses pour toi. Sauf que tu n'auras droit qu'à une fois. Je refuse de devenir l'une de ces filles qui servent juste à… comment tu as dit l'autre soir ? À *satisfaire* tes *désirs* ?

Il s'allonge sur ses coudes.

– Ce n'est pas ton genre, Lily. Et je n'ai pas besoin de plus d'un coup avec la même personne. Inutile de nous en faire.

Je ferme la porte derrière moi en me demandant comment il a réussi à m'entraîner là-dedans.

C'est sa blouse. Ma faiblesse. Cela n'a rien à voir du tout avec lui.

Je me demande s'il pourrait la garder au lit ?

***

Il ne m'a jamais fallu plus d'une demi-heure pour me préparer, pourtant là, j'ai mis presque une heure à sortir de la salle de bains. Je me suis rasée pour ainsi dire partout, avant de passer une bonne vingtaine de minutes à flipper. J'ai dû me dissuader d'ouvrir la porte pour lui dire de s'en aller. Mais, maintenant que mes cheveux sont secs et que je suis plus propre que jamais, je pense être prête. Je peux très bien m'offrir un coup d'un soir. J'ai vingt-trois ans, quoi.

Il est toujours sur mon lit quand j'ouvre la porte. Je découvre avec un rien de déception qu'il a laissé tomber sa blouse par terre, mais je ne vois pas son pantalon, qu'il doit donc avoir gardé ; seulement, comme il est sous la couverture, je n'en sais rien.

Je ferme la porte et m'attends à le voir rouler sur le côté pour me regarder. Il n'en fait rien. Je me rapproche un peu et là, je me rends compte qu'il ronfle.

Et pas qu'un peu. À mon avis, ça tient plutôt du sommeil paradoxal.

– Ryle ?

Je le secoue, mais il ne réagit pas.

Ce n'est pas vrai.

Je me laisse tomber sur le lit. Je viens de passer une heure entière à me préparer après m'être crevé le cul toute la journée, et voilà comment il entame notre nuit ?

D'un autre côté, comment lui en vouloir ? Surtout quand il a l'air si paisible. Je ne me vois pas travailler quarante-huit heures d'affilée. Sans compter que mon lit est des plus confortables. Au point qu'on peut s'y rendormir après une bonne nuit de sommeil. *J'aurais dû le prévenir.*

Je vérifie l'heure sur mon téléphone. Presque vingt-deux heures trente. Je le mets en mode silencieux puis m'allonge. Ryle a déposé le sien sur l'oreiller, près de sa tête, alors je le saisis, appuie sur la fonction photo. Ensuite je l'oriente au-dessus de nous, vérifie que mon décolleté apparaît bien visible, bien serré, et prends une photo, afin qu'il voie au moins ce qu'il aura manqué. Puis j'éteins en riant intérieurement car je vais m'endormir à côté d'un homme à moitié nu que je n'ai même pas embrassé une seule fois.

***

Avant d'ouvrir les yeux, je sens ses doigts remonter le long de mon bras. Je réprime un sourire tout en faisant mine de dormir encore. Sa main se promène sur mon épaule, s'arrête juste au bord du cou, à hauteur du petit tatouage que je porte depuis la fac. Juste le tracé d'un cœur entrouvert sur le haut. Il le contourne puis y pose les lèvres. Mes paupières se crispent.

– Lily.

Tout en murmurant mon nom, il m'enveloppe la taille d'un bras. Je geins un peu en essayant de me réveiller, roule sur le dos afin de le regarder. Quand j'ouvre les yeux, c'est pour constater qu'il me fixe lui aussi. Rien qu'à la lumière du soleil qui se faufile par la fenêtre et lui éclaire le visage, je peux dire qu'il n'est même pas sept heures.

– Je suis le mec le plus nul que tu aies sans doute jamais rencontré, n'est-ce pas ?

Je ris, hoche un peu la tête.

– Il y a de ça.

Dans un sourire, il écarte quelques mèches de mon visage puis se penche, pose les lèvres sur mon front et ça m'embête énormément. Parce que, maintenant, c'est moi qui vais passer des nuits blanches à essayer de me remémorer sans cesse ces instants.

– Il faut que j'y aille, dit-il. Je suis en retard. Mais, primo… pardon. Deuzio… je ne recommencerai jamais. C'est vraiment la dernière fois que tu entendras parler de moi. Tertio… pardon, pardon et encore pardon.

Je m'efforce de sourire, mais j'ai plutôt envie de faire la gueule parce que j'ai détesté son deuzio. Ça m'irait très bien s'il essayait encore. Sauf qu'on attend deux choses très différentes de la vie. Alors tant mieux s'il s'est endormi et si on ne s'est jamais embrassés, parce que si on s'était envoyés en l'air avec lui en blouse, c'est moi qui aurais fini à genoux devant sa porte, à le supplier de recommencer.

Alors voilà. On arrache le pansement et je le laisse partir.

– Je te souhaite une belle vie, Ryle, et toute la réussite du monde.

Sans tout de suite répondre à mon adieu, il me contemple longuement, l'air sombre, avant de dire :

– Oui, toi aussi, Lily.

Après quoi il se lève. Je préfère ne plus le regarder, alors je me retourne vers le mur. Je l'entends mettre ses chaussures puis prendre son téléphone.

Un moment s'écoule avant qu'il ne bouge de nouveau ; je sais qu'il me contemple. Mais je garde les yeux fermés jusqu'à ce que j'entende claquer la porte d'entrée.

Et là, mon visage s'échauffe ; je refuse de me laisser envahir par les idées noires. Je sors du lit car j'ai plein de choses à faire. Je ne vais pas non plus m'offusquer à l'idée de ne pas être assez renversante pour pousser un mec à complètement revoir ses objectifs de vie.

D'autant que j'ai les miens, et qu'ils ont déjà de quoi m'occuper. Au risque de m'interdire de consacrer du temps à un homme dans ma vie.

Pas le temps.

Non.

Trop de boulot.

Je suis une femme d'affaires très motivée qui n'a pas de temps à perdre avec les hommes en blouse blanche.

CHAPITRE 6

Voilà cinquante-trois jours que Ryle a quitté mon appartement, ce matin-là. Autrement dit cinquante-trois jours que je n'ai pas de nouvelles de lui.

Mais c'est bon car j'étais tellement occupée que je n'ai pas vraiment eu le temps de penser à lui. J'avais un événement à préparer.

– Prête ? demande Allysa.

Sur mon signe de tête, elle tourne l'enseigne sur *ouvert* et on se serre dans les bras en couinant comme des gamines.

On se précipite vers le comptoir en attendant notre premier client. C'est juste une pré-inauguration et je n'ai donc pas encore effectué de campagne de promotion, mais on voudrait déjà s'assurer qu'il n'y a pas de problèmes avant l'inauguration officielle.

– C'est vraiment joli ici ! s'exclame Allysa.

Moi aussi, j'explose de fierté. Mais à ce point, je ne suis pas certaine que ça compte vraiment. Je me suis déjà défoncée pour réaliser mon rêve. Ce qui pourra arriver ensuite ne sera que la cerise sur le gâteau.

– Ça sent trop bon, ici, dis-je. J'adore cette odeur.

Je ne sais pas si on aura un seul client aujourd'hui, mais on fait toutes les deux comme si c'était la plus belle chose qui nous soit arrivée dans la vie, alors peu importe.

Et puis Marshall va venir, ainsi que ma mère après son travail. Deux clients sûrs. Déjà ça.

Allysa me serre le bras quand la porte s'ouvre. Prise d'une légère panique, je me demande soudain ce qu'on ferait si quelque chose ne tournait pas rond.

Et puis je panique vraiment parce que quelque chose ne tourne effectivement pas rond. Pas rond du tout. Mon tout premier client n'est autre que Ryle Kincaid.

Il s'arrête quand la porte se ferme derrière lui, regarde autour de lui, l'air stupéfait.

– Quoi ? dit-il en tournant sur lui-même. C'est fou ! On se croirait à une autre adresse.

Bon, finalement, ce n'est peut-être pas si mal de l'avoir pour premier client.

Il lui faut quelques minutes pour atteindre le comptoir car il s'arrête à chaque pas pour toucher les vases, les bouquets, les objets de décoration. Quand il arrive enfin, Allysa le serre dans ses bras.

– C'est beau, n'est-ce pas ? dit-elle en me désignant de la main. Toutes ces idées viennent d'elle. Moi, j'ai juste aidé à nettoyer.

Il se met à rire.

– Arrête ! Tu es toi-même trop douée !

– Exactement, dis-je. Elle a eu au moins la moitié de nos bonnes idées.

Ryle me sourit, ce qui me fait l'effet d'un coup de poignard dans le cœur. Ouf !

Il tape des mains sur le comptoir.

– Je suis bien le premier client ?

Allysa lui tend un dépliant.

– Pour ça, il faut acheter quelque chose.

Il examine les photos et les explications, puis repose le papier avant d'aller chercher, dans un vase, un bouquet de lys mauves.

– Voilà ce que je prends.

– On te les livre quelque part ? demande sa sœur.

– Parce que vous livrez, aussi ?

– Pas Allysa ni moi, dis-je. Mais on a un livreur au garde-à-vous. On ne pensait pas le faire travailler dès aujourd'hui.

– Tu achètes vraiment ça pour une fille ? s'enquiert Allysa.

Elle semble le surveiller comme le ferait tout naturellement une sœur, mais je ne peux m'empêcher de me rapprocher d'elle pour entendre sa réponse.

– Exact, dit-il en me regardant. En même temps, je ne pense pas trop à elle. Presque jamais.

– La pauvre, dit sa sœur en lui tendant une carte. Tiens, pauvre con, écris-lui un message dessus et mets au dos l'adresse où tu souhaites qu'on envoie ces fleurs.

Je le regarde faire sans parvenir à réprimer un pincement de jalousie.

– Tu l'amènes à ma soirée d'anniversaire, vendredi ? reprend Allysa.

J'observe la réaction de Ryle. Il ne relève pas la tête.

– Non. Tu y vas, Lily ?

Je ne perçois pas, à son ton, s'il souhaite que je vienne ou non. Étant donné son état de stress, je dirais que non.

– Je ne sais pas encore.

– Elle viendra, dit Allysa avant de se tourner vers moi. Tu entends ? Tu viens, sinon je démissionne.

Quand Ryle a fini ses devoirs, il glisse le message dans une enveloppe épinglée aux fleurs. Allysa calcule le total et il paie en espèces tout en me regardant.

– Lily, tu sais que, quand on ouvre une boutique, c'est la coutume d'encadrer le premier billet qu'on touche ?

Bien sûr que je le sais. Aussi bien que lui. Il agite le dollar qui sera ainsi exposé tout le temps que vivra cette boutique.

Je pousserais presque Allysa à le rembourser, mais les affaires sont les affaires. Ce n'est pas le moment de jouer les effarouchées.

Une fois qu'il a son reçu, il tapote le comptoir pour attirer mon attention, me sourit.

– Félicitations, Lily.

Puis il tourne les talons et s'en va. Dès que la porte se referme derrière lui, Allysa attrape l'enveloppe.

– À qui est-ce qu'il les envoie, ces fleurs ? dit-elle en sortant la carte. Ce n'est pas son genre.

Elle lit à haute voix : « Pour empêcher ça. »

Merde alors.

L'air intrigué, elle marmonne :

– *Pour empêcher ça ?* Qu'est-ce que ça veut dire ?

Là, je n'y tiens plus. Je lui arrache la carte des mains, la retourne. Elle se penche pour la lire avec moi.

– Quel idiot ! s'esclaffe-t-elle. Il a écrit l'adresse de la boutique au dos.

Ouah !

Ryle qui vient de m'acheter des fleurs… Allysa sort son téléphone.

– Je lui envoie un texto pour lui dire qu'il s'est fichu dedans. Franchement, pour un neurochirurgien, quel imbécile !

Et moi, je ris intérieurement. Encore heureux qu'elle regarde les fleurs et pas moi, sinon, elle risquerait de comprendre.

– Je vais les garder dans l'arrière-boutique jusqu'à ce qu'il indique ce qu'il faut en faire, dis-je en emportant mes fleurs.

CHAPITRE 7

– Arrête de gigoter ! dit Devin.

– Je ne gigote pas.

Il m'attrape par le bras et m'emmène vers l'ascenseur.

– Mais si. Et si tu remontes encore ce décolleté, tu vas massacrer cette jolie petite robe noire.

Il tire sur mon corsage puis remet mon soutien-gorge en place.

– Devin ! dis-je en lui tapant sur la main.

– Détends-toi, Lily. J'ai touché des seins bien avant les tiens et je suis toujours gay.

– Oui, mais je parie que ces seins appartenaient à des gens que tu vois plus souvent qu'une fois tous les six mois.

– C'est sûr ! s'esclaffe-t-il. Ne t'en prends qu'à toi-même. Tu nous as tous bien lâchés pour t'occuper de tes fleurs.

Devin faisait partie de mes plus chers collègues dans la société de marketing où je travaillais, mais on n'était pas proches au point de devenir amis. Cependant, quand il est passé dans ma boutique cet après-midi, Allysa est presque aussitôt tombée sous le charme. Elle l'a invité à sa soirée et, comme je ne tenais pas vraiment à y aller seule, j'ai fini par l'en prier moi aussi.

Je me passe la main dans les cheveux en essayant d'apercevoir mon reflet dans la paroi de l'ascenseur.

– Tu as l'air d'avoir le trac, observe-t-il.

– Non, mais je n'aime pas aller à des soirées où je ne connais personne.

Il me décoche un sourire entendu.

– Comment s'appelle-t-il ?

Je pousse un soupir. *Suis-je à ce point transparente ?*

– Ryle. C'est un neurochirurgien. Et il ne rêve que de me faire l'amour.

– Comment le sais-tu ?

– Parce qu'il s'est littéralement jeté à mes genoux pour me dire : « Lily, s'il te plaît ! Allez, on passe la nuit ensemble. »

Devin hausse un sourcil.

– Il t'a suppliée ?

– Oui, enfin, ce n'était pas aussi pitoyable que ça en a l'air. D'habitude, il est plus réservé.

L'ascenseur tinte et les portes s'ouvrent. J'entends de la musique retentir jusque sur le palier. Devin me saisit les deux mains.

– Alors, me demande-t-il. Que fait-on ? Tu veux que je le rende jaloux ?

– Non. Ce ne serait pas sympa.

Pourtant… Ryle s'arrange pour me dire, chaque fois qu'on se rencontre, qu'il espère ne jamais me revoir. Du coup, j'ajoute :

– Peut-être juste un peu ? Un tantinet ?

– Pas de souci, dit-il en plaquant une paume au creux de mes reins pour me pousser sur le palier.

Il n'y a qu'une porte sur le palier, il suffit donc d'aller y sonner.

– Pourquoi il n'y a qu'une porte ? demande Devin.

– Parce qu'elle possède tout le dernier étage.

Il pouffe de rire.

– Et elle travaille pour toi ? Eh bien ! La vie devient intéressante, avec toi.

Je suis soulagée en constatant que c'est Allysa qui nous ouvre la porte. Derrière elle retentissent des rires et de la musique. Elle tient une coupe de champagne à la main et une cravache dans l'autre. Voyant ma surprise, elle jette la cravache, me prend par le bras.

– C'est une longue histoire, dit-elle en riant. Mais entrez, entrez !

Elle nous entraîne à travers toute une foule d'invités jusqu'au bout du salon, attrape Marshall par le coude. Il se retourne, me sourit puis m'embrasse. Je regarde autour de nous, mais pas trace de Ryle. *Avec un peu de chance, il aura eu une urgence ce soir.*

Marshall serre la main de Devin.

– Bonsoir, content de faire votre connaissance.

Devin me prend la taille en criant par-dessus la musique :

– Je suis Devin, le partenaire sexuel de Lily !

J'éclate de rire, lui donne un coup d'épaule puis lui souffle à l'oreille :

– C'est Marshall. Un autre mec, mais merci d'avoir essayé !

Allysa m'entraîne déjà vers ses amis, tandis que Marshall continue de parler avec Devin. Je la suis dans la cuisine où elle me sert une coupe de champagne.

– Tiens, dit-elle. Tu l'as méritée.

J'avale une gorgée mais ne peux pas l'apprécier tant je suis impressionnée par la taille de cette cuisine avec ses deux plans de cuisson et son réfrigérateur plus grand que mon appartement.

– La vache ! Tu habites vraiment là ?

– Je sais. Et dire que je ne l'ai même pas épousé pour son argent ! Marshall possédait sept dollars et une Ford Pinto quand je suis tombée amoureuse de lui.

– Mais il roule toujours en Ford Pinto ?

– Oui, soupire-t-elle, cette voiture nous rappelle tant de bons souvenirs…

– Trop nul.

Elle hausse les sourcils.

– En attendant, Devin est plutôt mignon.

– Et sans doute plus attiré par Marshall que par moi.

– Houlà ! Pas de chance. Moi qui croyais jouer les entremetteuses en l'invitant ce soir.

La porte de la cuisine s'ouvre sur Devin.

– Votre mari vous demande, dit-il à Allysa.

Elle se faufile dehors en pouffant de rire.

– Elle me plaît cette nana, observe-t-il alors.

– Elle est géniale, n'est-ce pas ?

– Tout à fait. Je crois que je viens de rencontrer le mendiant.

Mon cœur bat un peu plus vite. Je pense qu'il doit faire allusion à Ryle. J'avale rapidement une gorgée de champagne.

– Comment sais-tu que c'était lui ? Il s'est présenté ?

– Non, mais il a entendu Marshall me présenter à quelqu'un comme « le petit ami de Lily » et m'a fusillé du regard. C'est pour ça que je suis venu me réfugier ici. Je t'aime bien, mais pas au point de mourir pour toi.

– T'inquiète. Je suis sûre qu'en fait il te trouvait très sympa. C'est juste qu'il a un sourire mortel.

La porte s'ouvre de nouveau et je me crispe, mais ce n'est qu'un serveur. Alors que je pousse un soupir, Devin lâche un « Lily » excédé.

– Quoi ?

– On dirait que tu vas vomir. Il te plaît tant que ça ?

Je lève les yeux au ciel, puis laisse retomber mes épaules, comme si je pleurais.

– C'est vrai, Devin. Sauf que je ne préférerais pas.

Saisissant ma coupe, il la vide avant de me reprendre par le bras.

– Viens, qu'on aille faire la fête.

Et il m'entraîne dans le salon malgré moi. Il y a encore plus de monde que tout à l'heure, au moins cent personnes. Je ne suis même pas sûre de connaître autant de gens dans ma vie.

On se mêle aux invités et je laisse Devin parler pour moi. Il se présente à tout le monde, bavarde tant et si bien qu'au bout d'une demi-heure, il a dû se trouver des amis communs avec chacun. Pendant ce temps, j'inspecte la salle à la recherche d'une trace de Ryle. Je ne le vois nulle part et commence à me demander si c'est bien lui que Devin a vu.

– Comme c'est étrange ! s'exclame une femme. De quoi peut-il donc s'agir ?

Je regarde le tableau qu'elle désigne. On dirait une photo agrandie sur une toile. Je l'examine sous tous ses angles tandis que la femme commente :

– Comment on peut traiter ce genre de photo comme une œuvre d'art ? C'est horrible, complètement flou. On ne voit même pas ce que ça représente.

À mon grand soulagement, elle s'éloigne, l'air irrité. Après tout, je ne suis pas qualifiée pour juger les goûts d'Allysa.

– Qu'en penses-tu ?

Cette voix… grave, profonde, juste derrière moi… Je ferme les yeux, respire longuement en espérant qu'il n'a pas remarqué l'effet qu'il produit sur moi.

– J'aime bien. Je ne sais pas trop ce que c'est, mais je trouve ça intéressant. Ta sœur a bon goût.

Il vient se placer à côté de moi, si près que nos bras se touchent.

– Tu as amené un rencard ?

Il pose la question comme si de rien n'était, mais je sais que ça compte pour lui. Comme je ne réponds pas, il se penche pour me murmurer de nouveau à l'oreille :

– Tu as amené un rencard ?

Je trouve le courage de lever les yeux sur lui, mais le regrette aussitôt. Il porte un costume noir à côté duquel sa blouse n'était qu'une plaisanterie de gamin. Je commence par avaler la boule qui vient de se former dans ma gorge, fais vite semblant de m'intéresser de nouveau à la photo, puis demande :

– Quoi ? Ça te dérange ? Moi qui voulais te mettre à l'aise… Tu sais, pour que ça s'arrête.

Avec un sourire narquois, il vide son verre de vin.

– Que d'attentions, Lily ! dit-il en le jetant vers une poubelle dans un coin.

Il atteint son but, mais le verre se casse en atteignant le fond. Je regarde autour de moi. Personne n'a rien remarqué. Quand je me retourne, Ryle est déjà dans le couloir voisin. Il disparaît dans une chambre et je reste là, devant le tableau.

C'est alors que je remarque quelque chose.

Certes, il paraît trop flou pour qu'on y repère quoi que ce soit d'emblée. Mais ces cheveux-là, je les reconnaîtrais n'importe où. Ce sont les miens. Maintenant, ça me saute aux yeux. De même que le transat en polymère marin sur lequel je suis allongée. *C'est donc la photo qu'il a prise sur la terrasse le soir de notre première rencontre.* Il a dû la flouter, l'agrandir et la distordre assez pour qu'on ne voie pas ce qu'elle représente. Je porte une main à mon cou de peur de m'étrangler. *Il fait une chaleur, ici !*

Allysa vient me rejoindre.

– Bizarre, hein ? dit-elle en regardant le tableau.

– Il fait terriblement chaud. Tu ne trouves pas ?

– Ah bon ? Je n'ai pas remarqué. Mais j'ai un peu bu. Je vais dire à Marshall de baisser un peu.

Elle disparaît de nouveau et plus je regarde ce tableau, plus j'étouffe. Il a osé accrocher un portrait de moi dans cet appartement. Il m'achète des fleurs. Il me fait la gueule parce que j'ai amené un type à la soirée de sa sœur. À croire qu'il se passe quelque chose entre nous alors qu'on ne s'est même pas embrassés !

Tout ça me frappe d'un seul coup. Cette colère… Cette irritation… Cette demi-coupe de champagne que j'ai prise à la cuisine. Je suis trop furieuse ; je n'arrive même plus à réfléchir. Si ce type tient tellement à s'envoyer en l'air avec moi… il n'avait qu'à pas s'endormir ! S'il ne veut pas que je me pâme devant lui, il n'a qu'à pas m'offrir de fleurs ! Et encore moins accrocher des tableaux énigmatiques de moi chez lui !

Là, j'ai juste besoin d'air frais. Il faut que je respire. Heureusement, je sais où aller pour ça.

Quelques instants plus tard, je jaillis sur le toit terrasse. Quelques invités y traînent déjà, trois d'entre eux sont assis au milieu du patio. Sans rien leur dire, je passe devant eux pour me diriger vers le rebord qui surplombe la ville, je me penche et respire à plusieurs reprises en essayant de me calmer. J'ai envie de redescendre pour lui dire de se décider une fois pour toutes, mais il vaudrait mieux que je mette d'abord un peu d'ordre dans mes idées.

Soudain, l'air me paraît trop froid et, sans savoir pourquoi, j'en accuse Ryle. Tout est sa faute, cette nuit. *Tout.* Les guerres, la famine, la violence armée – c'est à cause de Ryle, tout ça.

– Vous pourriez nous laisser seuls quelques minutes ?

Je fais volte-face et l'aperçois près des autres invités. Aussitôt, les trois hommes se lèvent pour nous laisser la place. J'essaie de les arrêter d'un geste de la main, mais aucun ne regarde dans ma direction.

– Ce n'est pas la peine, dis-je quand même. Restez !

Les mains dans les poches, Ryle ne bouge pas tandis que quelqu'un murmure :

– C'est bon, on y va.

Ils partent en file vers l'escalier et moi je me remets à regarder la ville en lui tournant ostensiblement le dos.

– Tout le monde fait toujours ce que tu veux ?

Il ne répond pas, mais j'entends ses pas s'approcher lentement. Les battements de mon cœur s'accélèrent et je me gratte de nouveau le cou.

– Lily, souffle-t-il derrière moi.

Je me retourne en m'agrippant au rebord des deux mains. Ses yeux se posent sur mon décolleté. Aussitôt, je remonte le haut de ma robe, puis resserre les mains sur la balustrade. Il se rapproche en riant. Je ne peux plus respirer. C'est nul. Je suis nulle.

– Je suis sûr que tu as des tas de choses à dire, commence-t-il. Alors je voudrais te donner l'occasion de me lâcher ta vérité toute nue.

– Ha, ha ! Tu es sûr ?

Comme il hoche la tête, je m'apprête à la lui asséner, en commençant par me coller contre lui pour le forcer à se tourner, de façon qu'il se retrouve adossé au rebord.

– Je ne sais pas ce que tu veux, Ryle ! Et, chaque fois que j'arrive au point de m'en ficher éperdument, il faut que tu ressurgisses dans ma vie. Tu te pointes à mon boulot, à la porte de mon appartement, aux soirées de ta sœur, tu…

– J'habite ici, me rappelle-t-il.

Ce qui m'énerve encore plus. Je serre les poings.

– Tu me rends folle ! Tu veux de moi ou pas ?

Il se redresse, fait un pas vers moi.

– Oh oui, Lily ! N'en doute pas une seconde. Mais je ne veux pas vouloir de toi.

Je pousse un soupir d'exaspération, mais aussi parce que chacune de ses paroles me fait frémir et que j'ai horreur de me sentir à ce point vulnérable.

– Tu ne comprends vraiment rien, on dirait, dis-je à voix basse car je n'ai plus le courage de crier. Tu me plais, Ryle. Alors quand je pense que tu ne cherches qu'un coup d'un soir avec moi, ça me rend malade. Peut-être que si ça s'était passé il y a quelques mois, on n'en parlerait même plus. Tu serais parti de ton côté, et moi j'aurais repris ma vie normale. Mais tu as trop attendu, et maintenant tu m'obsèdes. S'il te plaît, arrête de flirter avec moi. Arrête d'accrocher des photos de moi dans ton appartement. Et arrête de m'envoyer des fleurs. Parce que ça ne me fait pas de bien du tout. Au contraire.

Je me sens anéantie, il faut que je m'en aille. Il me dévisage silencieusement et je lui laisse le temps de se défendre. Mais non, il se retourne, se penche sur le rebord et regarde la rue comme s'il n'avait pas entendu un mot de ce que j'ai dit.

Je regagne l'escalier en espérant plus ou moins l'entendre me rappeler, mais j'ai tout le temps de descendre avant de laisser tomber cet espoir. Je traverse la foule, entre dans une, puis deux, puis trois chambres avant de trouver Devin. Quand il voit mon expression, il se lève et me rejoint.

– Prête à partir ? demande-t-il en me prenant par le bras.

– Oui, tout à fait.

On retrouve Allysa dans le grand salon. Je lui souhaite bonne nuit, ainsi qu'à Marshall, en disant pour excuse que je suis épuisée, que j'aimerais dormir un peu avant de reprendre le travail demain. Allysa m'étreint et m'accompagne à la porte.

– Je serai là lundi, promet-elle en m'embrassant.

– Joyeux anniversaire.

Devin ouvre la porte mais à l'instant où nous allons déboucher sur le palier, j'entends quelqu'un m'appeler par mon nom.

Et je vois Ryle foncer à travers les invités.

– Lily, attends !

J'en ai le cœur retourné. Il arrive à grands pas, l'air de plus en plus agacé par les gens qui se trouvent sur son chemin. Jusqu'à ce que nos regards se croisent. Il ne ralentit pas, au point qu'Allysa doit s'écarter pour le laisser passer. Au début, je crois qu'il va m'embrasser, ou au moins répondre à tout ce que je lui ai dit en haut. Mais non, il me soulève dans ses bras. Je suis tellement surprise que ça me fait crier.

– Ryle ! Lâche-moi !

D'un bras il me tient sous les jambes, de l'autre sous la taille.

– Je t'emprunte Lily pour la nuit, lance-t-il à Devin. D'accord ?

Je fais non de la tête, mais ce traître lui décoche un sourire malicieux.

– Je t'en prie !

Ryle revient déjà dans le grand salon, devant une Allysa qui semble ne pas comprendre. Et moi de crier :

– Je vais le tuer, ton frère !

Tout le monde nous regarde. Je suis tellement gênée que je cache mon visage contre la poitrine de Ryle tandis qu'il m'emmène dans sa chambre. Une fois que la porte s'est refermée derrière nous, il me repose doucement sur le sol. Aussitôt, je lui crie de me ficher la paix, j'essaie de l'écarter de mon chemin, mais il me plaque contre le mur, me saisit les poignets qu'il tient au-dessus de ma tête.

– Lily ?

Il me regarde si intensément que j'arrête de me débattre et retiens mon souffle. Il m'immobilise toujours de son corps pressé contre le mien. Et puis sa bouche se pose sur la mienne, tiède et insistante.

Malgré la force qu'il y met, ses lèvres me semblent douces comme de la soie. Je suis tout de même choquée de m'entendre émettre un gémissement, et encore plus d'accueillir sa langue avec une telle gourmandise. Il me lâche les mains et me saisit le visage. Son baiser devient plus ardent et je lui attrape les cheveux, l'attirant encore plus près de moi, comme si son baiser m'emplissait tout le corps.

On se met à gémir tous les deux, submergés par la force de notre baiser, tandis que nos corps réclament déjà davantage. Je sens ses mains m'attraper les jambes, les soulever pour les accrocher à sa taille.

Mon Dieu, ce mec sait embrasser ! À croire que c'est aussi important pour lui que son métier. Alors qu'il m'éloigne de la porte, je me rends compte que sa bouche est capable de bien des miracles… Sauf qu'elle n'a pas répondu à ce que j'ai dit sur la terrasse.

Bon, en tout cas, j'ai fini par céder. Je lui donne ce qu'il voulait – un coup d'un soir. Ce qu'il ne mérite certainement pas.

Je me dégage, le repousse par les épaules.

– Lâche-moi.

Mais il continue à marcher vers son lit, alors je répète :

– Ryle, lâche-moi immédiatement !

Il s'arrête, me dépose sur le sol. Je repars vers la porte tout en essayant de mettre de l'ordre dans mes idées. Impossible de le regarder alors que je sens encore ses lèvres sur les miennes.

De nouveau, je le sens qui m'entoure la taille de ses bras, appuie la tête sur mon épaule.

– Désolé, murmure-t-il en me tournant pour me caresser le visage. C'est mon tour, maintenant, d'accord ?

Les bras croisés, je ne réponds pas à cette invite, mais guette ce qu'il va me dire.

– J'ai fait faire ce tableau le lendemain du jour où j'ai pris la photo, commence-t-il. Voilà des mois qu'il était chez moi car tu es l'être le plus beau que j'aie jamais vu et que je voulais te voir tous les jours.

Oh.

– Et le soir où je me suis pointé chez toi ? Je venais te chercher parce que jamais je n'avais eu quelqu'un à ce point dans la peau, et je ne pouvais plus t'en chasser. Je ne savais plus que faire. Et si je t'ai offert ces fleurs, c'était par admiration, parce que tu avais réalisé ton rêve. Mais si je t'en avais offert chaque fois que j'en ai eu envie, tu ne pourrais même plus entrer dans ton appartement. Parce que je n'arrête pas de penser à toi. Eh oui, Lily. Tu as raison. Je te fais du mal, mais à moi aussi. Jusqu'à ce soir… je ne comprenais pas pourquoi.

Je ne sais pas où je trouve la force de lui répondre.

– Mais pourquoi tu souffres ?

Il pose son front sur le mien.

– Parce que je ne sais pas quoi faire. Tu me pousses à devenir quelqu'un de différent de ce que je suis, sauf que je ne sais pas ce dont tu as besoin. C'est tellement nouveau pour moi… Et je voudrais te prouver que je te désire beaucoup plus que pour un soir.

Il me paraît trop vulnérable en ce moment. J'aimerais croire à la sincérité de son regard mais, jusque-là, il m'a catégoriquement indiqué vouloir le contraire de ce qui me tenterait. Je suis terrifiée à l'idée que, si je cède, il ne disparaisse ensuite à jamais.

– Comment te le prouver, Lily ? Dis-le moi, et je ferai ce que tu voudras.

Je ne sais pas. Je le connais à peine. Juste assez pour savoir au moins qu'un rapport sexuel avec lui ne me suffira jamais.

Je lève les yeux vers lui.

– Alors on ne baise pas.

Son expression devient complètement indéchiffrable, puis il se met à hocher la tête.

– Entendu. Je ne coucherai pas avec toi, Lily Bloom.

Là-dessus, il s'en va fermer la porte à double tour, éteint toutes les lampes sauf une, ôte sa chemise.

– Qu'est-ce que tu fais ?

Il jette la chemise sur une chaise, puis il enlève ses chaussures.

– On va dormir.

– Là, maintenant ?

Il vient vers moi et, d'un geste vif, soulève ma robe qu'il me passe par-dessus la tête ; je me retrouve alors en slip et soutien-gorge devant lui, et ne peux m'empêcher de me couvrir de mes bras. Mais il ne me regarde même plus, m'attire seulement vers le lit, soulève les couvertures pour m'y faire entrer.

– Après tout, dit-il en allant s'installer de l'autre côté, on a déjà dormi ensemble sans coucher. Rien de plus normal.

Je ris tandis qu'il branche son téléphone sur le chargeur. J'en profite pour regarder autour de moi. Ce n'est certainement pas le genre de chambre à laquelle je suis habituée.

On pourrait en mettre trois comme la mienne dans celle-ci. Sur l'un des côtés, un canapé et un fauteuil font face à une télévision ; il y a aussi un bureau entouré d'une bibliothèque qui occupe tout un pan de mur, du sol au plafond. Finalement, la lumière s'éteint.

– Ta sœur est vraiment riche, dis-je alors qu'il remonte la couverture sur nous deux. Qu'est-ce qu'elle a à faire de mes dix dollars de l'heure ?

Dans un petit rire, il me prend la main, entrecroise nos doigts.

– À mon avis, elle ne dépose même pas tes chèques. Tu as vérifié ?

Non. Mais il pique ma curiosité.

– Bonne nuit, Lily.

Je ne peux retenir un sourire discret devant cette situation hautement ridicule. Et géniale.

– Bonne nuit, Ryle.

***

Je dois être perdue.

Tout est si blanc, immaculé, que c'en est aveuglant. Je me traîne à travers les salons en cherchant le chemin de la cuisine. J'ignore où est passée ma robe depuis hier, alors j'ai enfilé une chemise de Ryle. Elle me tombe sous les genoux et je me dis qu'il en achète de trop grandes juste pour pouvoir y enfiler les bras.

Il y a trop de fenêtres et trop de soleil, ce qui m'oblige à me couvrir les yeux pour aller me chercher du café.

Je pousse les portes de la cuisine, trouve une cafetière.

Dieu merci.

Je l'allume, me mets en quête d'un mug. C'est alors que les portes se rouvrent derrière moi. Je fais volte-face. À mon grand soulagement, c'est Allysa qui entre, pour une fois pas couverte de bijoux ni impeccablement coiffée et maquillée, mais les cheveux relevés en un chignon emmêlé, les paupières maculées de mascara jusqu'aux joues. Elle désigne la cafetière.

– J'en boirais bien une tasse, dit-elle.

Elle se hisse sur le comptoir, se penche en avant.

– Je peux te poser une question ?

En guise de réponse, c'est à peine si elle a la force de hocher la tête. Je désigne la cuisine d'un geste circulaire :

– Comment as-tu fait ? Ta maison s'est nettoyée toute seule entre la fin de ta soirée et notre réveil ? Tu as passé la nuit à ranger ?

– Mais non, on a des gens qui viennent pour ça.

– Des gens ?

– Oui, il y a toujours des gens pour tout. Vas-y, cherche. Tout ce que tu voudras. On a sûrement du personnel pour ça.

– Pour le marché ?

– Du personnel.

– Les décorations de Noël ?

– Oui, du personnel aussi.

– Et les cadeaux de Noël ? Par exemple pour la famille ?

– Oui, oui, du personnel. Chaque membre de ma famille reçoit un cadeau et une carte à chaque occasion, je n'ai même pas besoin de lever le petit doigt.

– Ouah ! Ça fait combien de temps que tu es si riche ?

– Trois ans. Marshall a vendu à Apple des applications de son invention pour beaucoup d'argent.

Tous les six mois, il crée des mises à jour et les vend également.

Le café commence à couler goutte à goutte. Je me hâte de placer une tasse en dessous.

– Tu veux que je remplisse la tienne ou tu as du personnel pour ça ?

– Oui, dit-elle en riant. Je t'ai, toi. Et je veux bien du sucre, s'il te plaît.

Je lui apporte sa tasse puis m'en sers une. Le silence retombe, le temps de rajouter un peu de lait. Je m'attends à ce qu'elle m'interroge sur Ryle et moi. C'est inévitable.

– On peut répondre aux questions qui fâchent ? demande-t-elle.

Je pousse un soupir de soulagement.

– Oh oui, je déteste les situations gênantes.

Elle pose sa tasse à côté d'elle, s'agrippe au comptoir.

– Comment est-ce arrivé ?

Je fais mon possible pour ne pas me laisser aller à un sourire éperdument amoureux. Je ne veux pas qu'elle me croie faible ou idiote.

– Je l'ai rencontré avant de te connaître.

Elle penche la tête de côté.

– Attends… Avant qu'on apprenne à mieux se connaître ou avant qu'on fasse connaissance ?

– Je l'ai rencontré un soir, environ six mois avant de faire ta connaissance.

– Un soir ? Et… Un coup d'un soir ?

– Non. En fait, on ne s'était encore jamais embrassés avant hier soir. Je ne sais pas pourquoi, je ne peux pas te l'expliquer. On n'a jamais fait que flirter jusqu'à hier, où la situation a un peu explosé. C'est tout.

Elle reprend sa tasse, boit lentement. Je ne peux m'empêcher de remarquer qu'elle a l'air un peu triste.

– Allysa, j'espère que tu ne m'en veux pas ?

– Non, Lily, je… Enfin voilà, je connais mon frère. Et je l'aime. Vraiment. Mais…

– Mais quoi ?

On se retourne toutes les deux en direction de la voix. Ryle se tient dans l'embrasure de la porte, les bras croisés. Il porte un pantalon de jogging gris à peine serré sur ses hanches. Il est torse nu. *Je vais ajouter cette image à toutes celles déjà cataloguées dans ma tête.*

Il vient me prendre ma tasse des mains, se penche et m'embrasse sur le front, avale une gorgée avant de s'appuyer au comptoir.

– Je ne voulais pas vous déranger, dit-il à Allysa. Poursuivez votre conversation.

– Arrête ! maugrée-t-elle en levant les yeux au ciel.

Il me rend ma tasse, en prend une et se verse du café.

– J'ai eu l'impression que tu allais donner un avertissement à Lily. Je suis curieux de savoir ce que tu voulais lui dire.

Allysa saute du comptoir, porte sa tasse dans l'évier pour la laver.

– C'est mon amie, Ryle. Tu n'es pas vraiment bien placé pour parler de relations. En tant qu'amie, j'ai le droit de lui donner mon avis sur les garçons avec qui elle sort. C'est normal.

Tout d'un coup, je me sens mal à l'aise car la tension grandit entre eux. Sans rien boire, Ryle se dirige vers Allysa et vide sa tasse dans l'évier. Puis il s'arrête face à elle, mais elle ne lui jette pas un regard.

– Eh bien, en tant que frère, j'aimerais que tu me fasses davantage confiance !

Là-dessus, il sort de la cuisine et laisse la porte ouverte. Une fois qu'il est parti, Allysa pousse un soupir, se passe une main sur le visage.

– Désolée, dit-elle avec un sourire forcé. Bon, je vais prendre une douche.

– Tu n'as pas de personnel pour ça ?

Elle sort en riant. À mon tour, je lave ma tasse puis retourne dans la chambre de Ryle. Je l'y trouve, assis sur le canapé, en train de manipuler son téléphone. Il ne réagit pas à mon entrée. Lui aussi doit m'en vouloir. Et puis non, il le lâche, s'adosse aux coussins.

– Viens ici, me dit-il.

Il me prend la main et m'attire vers lui, si bien que je me retrouve en train de le chevaucher. Il attire ma bouche sur la sienne et m'embrasse si violemment que je me demande s'il n'essaie pas de me prouver que sa sœur se trompe.

Il se détache de moi, promène lentement les yeux sur mon corps.

– J'aime bien te voir dans mes vêtements.

Je souris.

– Malheureusement, il va falloir que j'aille travailler ; je ne peux donc les garder sur moi.

– Et moi j'ai une opération importante qui m'attend ; je dois m'y préparer. Ça veut dire qu'on ne se verra sans doute pas avant plusieurs jours.

J'essaie de cacher ma déception, mais il faut que je m'habitue s'il veut vraiment que ça marche entre nous. Il m'a déjà prévenue qu'il travaillait trop.

– Moi aussi, je suis prise. L'inauguration officielle a lieu vendredi.

– Oh, mais on se verra avant vendredi, promis !

Cette fois, je ne réprime pas mon sourire.

– Entendu.

Il m'embrasse encore, d'un long et doux baiser, commence à m'allonger sur le canapé, se ravise.

– Non, je t'apprécie trop pour faire ça à la va-vite.

Alors je reste là, à le regarder s'habiller.

Pour ma plus grande joie, il enfile une blouse.

CHAPITRE 8

– Il faut que je te parle, me dit Lucy.

Elle est assise sur le canapé et son mascara lui a coulé sur les joues.

Et merde.

Lâchant mon sac, je me précipite vers elle. Dès que je m'assieds, elle fond en larmes.

– Qu'est-ce qu'il y a ? Alex a rompu avec toi ?

Comme elle secoue la tête, je commence à paniquer. *Pitié, pas un cancer !* Je lui prends la main et c'est là que je vois…

– Lucy ! Tu es fiancée ?

– Oui, pardon. Je sais que mon bail dure encore six mois, mais il veut que je m'installe avec lui.

Et c'est pour ça qu'elle pleure ? Parce qu'elle veut résilier son bail ? Elle prend un mouchoir, se tapote les yeux.

– Je m'en veux horriblement, Lily. Tu vas te retrouver toute seule. Je déménage et toi, tu n'auras plus personne.

Qu'est-ce que…

– Lucy ? Euh… ça ira. Je t'assure.

Elle lève sur moi un regard plein d'espoir.

– C'est vrai ?

Qu'est-ce qui a pu lui donner une telle image de moi ?

– Oui. C'est bon, je suis très contente pour toi.

Elle se jette dans mes bras.

– Oh, merci, Lily !

Et elle rit entre ses larmes, avant de me lâcher pour bondir vers la sortie.

– Il faut que j'aille prévenir Alex ! Il avait si peur que tu ne lâches pas mon bail !

Attrapant son sac et ses chaussures, elle ouvre déjà la porte d'entrée.

Et moi je m'allonge sur le canapé, songeuse. *Elle ne m'aurait pas roulée dans la farine ?*

J'éclate de rire parce que, jusque-là, je ne me rendais pas compte à quel point je guettais cet instant. *L'appart' entier pour moi toute seule !*

Au moins, quand je voudrai coucher avec Ryle, on aura toute la place et tout le temps qu'on voudra, sans risquer d'être dérangés.

La dernière fois que je lui ai parlé remonte à samedi, quand j'ai quitté son appartement. On s'était mis d'accord pour tenter une période d'essai. Sans engagement. Juste une ébauche de liaison pour voir si ça correspondait à nos attentes. On est maintenant lundi et je suis un peu déçue qu'il ne m'ait pas encore donné de nouvelles. Je lui ai transmis mon numéro de téléphone avant de partir, mais je ne connais pas trop l'étiquette des SMS, surtout pour les *périodes d'essai*.

En tout cas, il n'est pas question que je lui écrive la première.

Je décide de me changer les idées en replongeant dans mes angoisses d'ado avec Ellen DeGeneres. Je ne vais quand même pas guetter le signal d'un mec avec qui je n'ai encore jamais couché. Sauf que je ne sais pas trop pourquoi je me précipite sur mes récits concernant le premier mec avec qui j'ai fait l'amour pour oublier celui avec qui je ne l'ai pas fait.

Chère Ellen,

Mon arrière-grand-père s'appelait Ellis. Toute ma vie, j'ai trouvé que c'était cool pour un vieux monsieur. À sa mort, j'ai lu sa nécrologie. Vous ne me croirez pas, pourtant ce n'était même pas son vrai nom ! En fait, il s'appelait Levi Sampson et je l'ignorais.

J'ai demandé à ma grand-mère d'où venait ce nom d'Ellis. Elle a dit que c'étaient ses initiales, L.S. Tout le monde l'avait si longtemps appelé ainsi qu'elles ont fini par devenir son nom.

C'est votre prénom qui m'y a fait penser. Ellen. Vous n'auriez pas fait comme mon arrière-grand-père en utilisant juste vos initiales ?

L.N.

Je vous ai à l'œil, « Ellen ».

À propos, vous ne trouvez pas qu'Atlas est un drôle de prénom ? Ça fait trop bizarre.

Hier, alors qu'on regardait ensemble votre talk-show, je lui ai demandé d'où ça venait. Il n'en savait rien. Étourdiment, je lui ai dit qu'il devrait interroger sa mère et il m'a jeté un drôle de regard.

« C'est un peu tard pour ça. »

Je n'ai pas trop compris ce qu'il entendait par là. J'ignore si sa maman est morte ou si elle l'a fait adopter. On est amis depuis quelques semaines et je ne sais toujours rien sur lui, même pas pourquoi il n'a nulle part où aller. Je lui poserais bien la question, mais je ne suis pas certaine qu'il me fasse confiance. Il semble avoir des problèmes de ce côté-là et je suppose qu'il a de bonnes raisons pour ça.

Je m'inquiète pour lui. Cette semaine, le froid s'est vraiment intensifié et je crains que ce ne soit encore pire la semaine prochaine. S'il n'a pas d'électricité, il n'a pas de quoi se chauffer. J'espère qu'il a au moins des couvertures. Vous savez à quel point je m'en voudrais s'il mourait de froid ! Ce serait vraiment terrible, Ellen.

Je vais lui trouver des couvertures cette semaine et les lui donner.

– Lily

Chère Ellen,

Il va bientôt se mettre à neiger, alors j'ai décidé de tout récolter dans mon jardin aujourd'hui. J'ai déjà pris les radis, du coup je voulais juste couvrir mes plantations de paillis et de compost, ce qui ne m'aurait pas pris longtemps, mais Atlas a insisté pour m'aider.

Il m'a posé plein de questions sur le jardinage et j'ai bien aimé qu'il semble s'intéresser à mes passe-temps. Je lui ai montré comment étaler le compost et le paillis pour protéger le sol de la neige. Mon jardin est petit comparé à la plupart, dans les trois mètres sur quatre. Mais c'est tout ce que mon père me laisse utiliser sur son terrain.

Atlas s'est chargé du travail et je le regardais, assise en tailleur sur la pelouse ; ce n'était pas par paresse mais parce qu'il tenait à le faire lui-même. Je suppose que ça lui faisait du bien de s'occuper, que ça lui permettait d'oublier d'autres choses.

Quand il a terminé, il est venu s'asseoir en tailleur à côté de moi.

« Pourquoi aimes-tu cultiver des plantes ? » m'a-t-il demandé.

Je me suis rendu compte que c'était sans doute mon meilleur ami, alors qu'on ne savait pratiquement rien l'un de l'autre. J'ai des amis au lycée mais ils n'ont jamais pu entrer chez moi, pour des raisons évidentes. Ma mère a toujours peur qu'il se passe quelque chose avec mon père et que tout le monde sache. Et moi je ne vais jamais chez les autres, sans bien savoir pourquoi, d'ailleurs. Peut-être que mon père ne veut pas que j'aille voir chez les autres comment un bon mari devrait traiter sa femme. Il doit vouloir me faire croire que sa conduite envers ma mère est normale.

Atlas est le seul de mes amis qui soit jamais entré dans ma maison. Et aussi le seul à savoir combien j'aime le jardinage. Et en plus, le seul à me demander pourquoi.

Tout en réfléchissant à sa question, j'ai cueilli un brin d'herbe que j'ai déchiré en plusieurs morceaux.

« Quand j'avais dix ans, ma mère m'a inscrite sur un site appelé Graines Anonymes. Tous les mois, je recevais par la poste un paquet de graines sans nom, avec les instructions pour savoir comment les planter et les cultiver. Je ne saurais ce que c'était que lorsque ça sortirait de terre. Tous les jours après l'école, je me précipitais vers le jardin pour voir comment ça tournait. Ça me donnait quelque chose à guetter. Pour moi, ça devenait une sorte de récompense. »

J'ai senti le regard d'Atlas sur moi quand il m'a demandé : « Une récompense pour quoi ? »

« Pour aimer les plantes comme il faut, sans doute. Les plantes vous récompensent de l'amour que vous leur donnez. Si vous êtes cruel, si vous les négligez, elles ne donnent rien. Mais si vous y faites attention, si vous les aimez, elles vous récompensent sous forme de légumes, de fruits ou de fleurs. »

Et puis j'ai vu que j'avais réduit en bouillie l'herbe dans mes mains. J'en ai fait une boule que j'ai envoyée promener.

Je ne voulais pas relever la tête vers Atlas parce que je sentais encore son regard sur moi. Alors j'ai détourné mon attention vers mon jardin si bien protégé.

« On se ressemble », a-t-il dit.

Là, je l'ai regardé dans les yeux. « Toi et moi ? »

« Non, les plantes et les humains. Les plantes ont besoin d'amour pour survivre. Les humains aussi. Dès la naissance, on a besoin de l'amour de nos parents pour survivre. S'ils nous accordent assez d'attention, on devient de meilleurs humains. Mais s'ils nous négligent… »

Il s'est interrompu, l'air triste, s'est essuyé les mains sur ses genoux comme pour en ôter les dernières traces de terre. « S'ils nous négligent, on se retrouve S.D.F. et incapable d'accomplir aucune action valable. »

Ses paroles m'ont mis le cœur à l'envers. Je ne savais pas quoi répondre. Était-ce ainsi qu'il se voyait ?

Il allait se relever quand j'ai prononcé son nom.

Du coup, il s'est rassis dans l'herbe et je lui ai désigné la rangée d'arbres qui longeaient la clôture gauche du jardin. « Tu vois le plus haut de tous ? »

Au milieu se dressait un chêne qui dominait les autres.

« Il a poussé tout seul. La plupart des plantes ont besoin de beaucoup de soins pour survivre. Mais d'autres, comme les arbres, sont assez fortes pour ne se fier qu'à elles-mêmes. »

Je ne savais pas trop s'il comprenait où je voulais en venir, mais il devait comprendre qu'il était assez fort pour survivre à tout ce qui avait pu lui arriver dans l'existence. Je ne le connaissais pas bien, mais je voyais qu'il était résistant. Infiniment plus que je ne le serais sans doute à sa place.

Il ne quittait plus l'arbre des yeux, au point de ne plus cligner des paupières. Quand, enfin, il les a remuées, ça n'a été que très légèrement, avant de se remettre à considérer la pelouse. À la façon dont sa bouche se tordait, j'ai cru qu'il allait faire la grimace, et puis non, il a souri légèrement.

J'ai soudain eu l'impression que mon cœur venait de faire un bond.

« On se ressemble, » a-t-il répété.

« Les plantes et les humains ? »

« Non. Toi et moi. »

Ellen, j'en suis restée le souffle coupé. J'espère qu'il ne s'en est pas aperçu mais, d'un autre côté, que répondre à ça ?

Alors j'ai patienté le temps qu'il finisse par se relever, qu'il commence à s'éloigner.

« Atlas, attends ! »

Il s'est retourné. J'ai montré ses mains. « Tu veux peut-être prendre une douche rapide avant de rentrer, non ? Le compost est fait à partir de bouse de vache. »

Il a regardé ses mains, puis ses vêtements maculés.

« De la bouse de vache ? C'est vrai ? »

J'ai hoché la tête en souriant et, tout d'un coup, il est revenu pour s'essuyer les mains sur moi. On a tous les deux éclaté de rire, jusqu'à ce qu'il replonge une main dans le sac à compost pour en répandre une poignée sur moi.

Ellen, je suis sûre que la phrase qui va suivre n'a jamais été écrite, encore moins prononcée à haute voix.

Je n'ai jamais été aussi excitée de ma vie qu'alors qu'il étalait cette merde sur moi.

Au bout de quelques minutes, on était tous les deux écroulés par terre, morts de rire. Il a fini par se relever, m'a aidée à me mettre debout, conscient qu'il n'y avait plus une minute à perdre s'il voulait prendre une douche avant le retour de mes parents.

Pendant qu'il se lavait, je me suis rincé les mains dans l'évier en me demandant ce qu'il voulait dire quand il prétendait qu'on se ressemblait.

Était-ce un compliment ? En tout cas, je le prenais comme ça. Est-ce qu'il me trouvait forte moi aussi ? Parce que, la plupart du temps, ce n'était pas le cas. En cet instant, le seul fait de penser à lui me rendait toute faible. Comment supporter l'effet qu'il produisait sur moi chaque fois qu'il arrivait dans les parages ?

Je me demandais combien de temps je pourrais encore le cacher à mes parents, et combien de temps il allait rester dans cette maison. Les hivers dans le Maine sont terriblement froids, il n'y survivrait pas sans chauffage. Ou sans couvertures.

Aussitôt, je suis partie à la recherche de toutes les couvertures en rab que je pourrai trouver. Je les lui donnerai quand il sortira de la douche. Sauf qu'il était déjà dix-sept heures et qu'il est parti aussitôt.

Tant pis, je les lui donnerai demain.

– Lily

Chère Ellen,

Harry Connick Jr. est trop marrant. Je ne sais pas si vous l'avez déjà fait venir dans votre talk-show, parce que je dois avouer que j'ai sans doute raté un ou deux épisodes depuis que vous passez à la télé, mais si vous ne l'avez jamais invité, vous devriez. Il pourrait chaque fois s'installer sur votre canapé. Il sort les meilleurs bons mots qui soient et, vous deux ensemble, ce serait trop génial.

Mais je voudrais vous dire merci. Je sais que vous ne passez pas cette émission dans le seul but de me faire rire, mais, parfois, c'est l'impression que ça me donne. Parfois, ma vie devient tellement sinistre que je me demande si je pourrai encore rire, et puis je mets votre talk-show et tout me semble aller mieux.

Alors, oui. Merci.

Vous voudriez sans doute des nouvelles d'Atlas, et je vais vous en donner dans une seconde. Mais, d'abord, il faut que je vous raconte ce qui s'est passé hier.

Ma mère est professeure adjointe à l'école élémentaire de Brimer. Ce n'est pas tout près, du coup, elle ne rentre jamais avant dix-sept heures. Quant à mon père, il travaille à trois kilomètres d'ici, donc il arrive à peu près en même temps qu'elle.

On a un garage mais qui ne reçoit qu'une voiture à cause de tout le bordel de mon père. Du coup, celle de ma mère reste garée dehors, devant la maison.

Hier, elle est rentrée un peu plus tôt et Atlas était encore à la maison. On avait presque fini de regarder votre talk-show quand j'ai entendu la porte du garage se soulever. Il a couru vers la sortie du fond, tandis que je rangeais à toute vitesse nos sodas et notre goûter.

La neige s'était mise à tomber sérieusement depuis la veille en début d'après-midi, et ma mère avait plein de choses à rentrer, si bien qu'elle avait emprunté le garage, histoire de tout transporter directement par la porte de la cuisine. C'était du matériel pour son boulot et quelques provisions. Je l'aidais quand mon père s'est garé devant la maison. Il s'est mis à klaxonner, furieux qu'elle ait pris le garage. Je suppose qu'il n'avait aucune envie de sortir sous la neige. Je ne vois pas pour quelle autre raison il l'aurait obligée à bouger immédiatement sa voiture au lieu d'attendre qu'elle ait fini de la décharger. Maintenant que j'y pense, pourquoi est-ce qu'il prendrait toujours le garage ? Normalement, un homme qui aime sa femme ne la laisserait pas se garer dans le coin le plus pourri.

Toujours est-il que j'ai aussitôt repéré l'expression effrayée de ma mère quand elle a entendu le klaxon ; alors elle m'a dit de tout déposer sur la table pendant qu'elle sortait sa voiture.

Je ne sais pas trop ce qui s'est passé une fois qu'elle s'est retrouvée dehors, mais j'ai entendu un grand bruit et puis elle s'est mise à crier. Alors je me suis précipitée dans le garage, pensant qu'elle avait peut-être glissé sur la glace.

Ellen… Je n'ai pas envie de raconter ce qui s'est passé ensuite. Je suis encore sous le choc.

Voilà, je n'ai pas tout de suite aperçu maman, juste mon père, penché derrière la voiture. Je me suis approchée et là, j'ai compris pourquoi je ne la voyais pas. Il lui tenait la tête plaquée sur le capot, les deux mains sur sa gorge.

Il était en train de l'étrangler, Ellen.

Rien que d'y penser, ça me donne encore envie de pleurer. Il hurlait, la regardait, la haine dans les yeux. Il braillait je ne sais quoi, disant qu'il travaillait dur. J'ignore ce qui le mettait dans cet état parce qu'elle ne disait rien, cherchant juste à respirer. Les moments suivants se sont passés comme dans un cauchemar ; je crois que je me suis mise à crier, que je lui ai sauté sur le dos, que je l'ai frappé sur le côté de la tête.

Et puis plus rien.

Je ne sais pas trop ce qui s'est passé mais j'imagine qu'il a commencé par se débarrasser de moi. Je ne vois plus que deux choses : un instant j'étais sur son dos, la seconde suivante par terre, avec le front qui me faisait un mal pas possible. Ma mère était assise à côté de moi, à me tenir en me disant qu'elle était désolée. J'ai cherché mon père des yeux, mais il n'était pas là. Il avait regagné sa voiture et il était parti.

Ma mère m'a tendu un mouchoir en me disant de le garder contre ma tête parce que ça saignait, et puis elle m'a aidée à monter dans sa voiture et m'a emmenée à l'hôpital. En chemin, elle ne m'a dit qu'une seule chose. « Quand on te demandera ce qui t'est arrivé, dis que tu as glissé sur la glace. »

Je regardais par la fenêtre et j'ai fondu en larmes. C'était la goutte d'eau qui faisait déborder le vase. J'aurais juré qu'elle allait le quitter maintenant qu'il m'avait blessée, et là, je comprenais qu'elle ne le lâcherait jamais. J'en étais totalement abattue, mais je n'ai rien osé lui répondre.

On a dû me faire neuf points de suture, et je ne sais toujours pas sur quoi je me suis cogné la tête, mais ça n'a pas d'importance. Tout ce que je vois, c'est que ça m'est arrivé à cause de mon père et qu'il n'est même pas resté pour voir comment j'allais. Il nous a juste plaquées toutes les deux dans le garage.

Cette nuit, je suis rentrée tard et me suis endormie aussitôt car on m'avait donné des calmants.

Ce matin, en me rendant à l'arrêt du bus, j'ai essayé de ne pas regarder Atlas dans les yeux, afin qu'il ne remarque pas mon front. Je m'étais coiffée de façon à cacher le pansement et, sur le moment, il ne s'est aperçu de rien. Quand on s'est assis l'un à côté de l'autre, nos mains se sont touchées alors qu'on posait nos sacs par terre.

Les siennes étaient glacées, Ellen.

Là, j'ai compris que j'avais oublié de lui donner les couvertures préparées pour lui, parce que ma mère était rentrée plus tôt que prévu. L'incident du garage m'a fait manquer tout le reste. Il avait neigé et gelé toute la nuit et Atlas s'était retrouvé tout seul, dans le noir. Et maintenant, il était tellement glacé que je me demandais comment il pouvait encore fonctionner. « Tu es gelé, » ai-je dit en lui prenant les mains.

Il n'a pas répondu, alors je les ai frottées pour les réchauffer un peu. Puis j'ai posé la tête sur son épaule et là, j'ai eu la réaction la plus gênante de la terre. Je me suis mise à pleurer. Ça ne m'arrive pas souvent, mais j'étais encore si bouleversée par ce qui s'était passé hier, je me sentais si coupable d'avoir oublié les couvertures, que ça m'a bouffée jusqu'à l'arrivée au lycée. Il n'a rien dit. Il a juste retiré ses paumes des miennes pour que je cesse de les frotter, et il les a posées sur mes mains. On est restés ainsi, nos têtes appuyées l'une contre l'autre.

J'aurais presque trouvé ça mignon si ça n'avait pas été aussi triste. Le soir, en rentrant à la maison, il a finalement remarqué ma blessure.

Pour tout dire, je l'avais oubliée. Personne, en cours, ne m'avait posé de question et quand il est venu s'asseoir près de moi, je n'essayais plus de la cacher. « Que t'est-il arrivé ? » m'a-t-il demandé.

Je ne savais pas quoi lui répondre. Je l'ai juste effleurée des doigts et j'ai regardé par la fenêtre. Moi qui cherchais tant à susciter sa confiance afin qu'il me dise pourquoi il n'avait nulle part où aller, je refusais de lui mentir. Mais je refusais également de lui dire la vérité.

Alors que le bus redémarrait, il a expliqué : « Hier, en quittant ta maison, j'ai entendu qu'il se passait quelque chose. Des cris, tes cris à toi ; et puis j'ai vu ton père s'en aller. J'allais venir demander ce qui t'arrivait quand je t'ai vue partir dans la voiture de ta maman. »

Il avait donc entendu l'altercation dans le garage, il avait vu ma mère m'emmener à l'hôpital. Je n'arrivais pas à croire qu'il ait pu revenir chez nous. Vous savez ce que mon père lui aurait fait s'il l'avait surpris, revêtu de ses habits ? Je me suis inquiétée pour lui parce que je ne crois pas qu'il se rende compte de quoi mon père est capable.

« Atlas, ne fais jamais ça ! Tu ne dois pas venir chez moi quand mes parents sont là ! »

Après une pause, il a répondu : « Je t'ai entendue crier, Lily. » Comme si rien au monde ne comptait davantage que de voler à mon secours.

Je m'en voulais un peu parce qu'il voulait juste m'aider, mais ça n'aurait fait qu'empirer les choses.

« Je suis tombée », lui ai-je dit. Aussitôt, je me suis reprochée ce mensonge. D'ailleurs, il semblait un peu déçu, car on savait aussi bien l'un que l'autre que ça ne se résumait pas à ça.

Alors, il a levé la manche de son tee-shirt pour me montrer son bras.

Ellen, j'en ai eu le cœur retourné. C'était horrible. Rempli de petites cicatrices. Des brûlures de cigarette.

Il a tourné le bras et j'ai vu que c'était pareil sur le dessus. « Moi aussi, je tombais souvent, Lily. » Puis il a rabaissé sa manche sans plus rien dire.

Sur le moment, j'ai eu envie de lui dire que ce n'était pas la même chose – que mon père ne s'en prend jamais à moi, qu'il voulait juste se débarrasser de moi. Et puis je me suis rendu compte que j'allais utiliser les mêmes excuses que ma mère.

Ça m'a un peu gênée qu'il sache ce qui se passe à la maison. Tout le reste du chemin, je n'ai plus fait que regarder par la fenêtre parce que je ne savais plus que dire. En arrivant, j'ai vu que la voiture de maman était là. Devant, bien sûr, pas dans le garage.

Autrement dit, Atlas ne pourrait pas entrer et regarder le talk-show avec moi. J'allais lui dire que je lui apporterais des couvertures, mais il est descendu du bus sans vraiment me dire au revoir. Il a juste suivi la rue comme s'il était furieux.

La nuit est tombée maintenant, et j'attends que mes parents aillent se coucher. Mais, bientôt, je vais lui apporter des couvertures.

– Lily

Chère Ellen,

Je suis complètement sonnée.

Il vous arrive de faire des trucs qu'il ne faudrait pas tout en sachant que vous avez raison ? Je ne sais pas comment expliquer ça plus simplement.

Je veux dire que j'ai juste quinze ans et que je ne devrais pas laisser des garçons passer la nuit dans ma chambre. Mais quand on sait que quelqu'un a besoin d'un refuge, est-ce qu'il ne faut pas l'aider ?

Cette nuit, une fois que mes parents sont allés se coucher, je suis sortie en douce par la porte du fond pour apporter les couvertures à Atlas. J'ai pris une lampe torche avec moi parce qu'on ne voyait rien. Il neigeait encore très fort, alors, le temps que j'arrive à cette maison en ruines, j'étais gelée. J'ai frappé à la porte et dès qu'elle s'est ouverte, j'ai bousculé Atlas pour m'éloigner du froid.

Sauf… Sauf que je ne m'en suis pas éloignée du tout. En fait, il faisait presque plus froid à l'intérieur de cette maison. J'ai braqué ma lampe à travers le salon puis la cuisine. Il n'y avait strictement rien dedans, Ellen !

Pas de canapé, pas de siège, pas de matelas. Je lui ai tendu les couvertures tout en continuant de regarder autour de moi. Il y avait un grand trou dans le plafond de la cuisine et la neige y tombait directement. Dans le salon, j'ai découvert le coin qu'il utilisait. Son sac à dos, mais aussi celui que je lui avais donné, ainsi que les autres trucs, bien en pile, comme les vêtements de mon père. Au sol, il y avait deux serviettes. Il devait s'allonger sur l'une et prendre l'autre comme couverture.

Horrifiée, je me suis plaqué une main sur la bouche. Voilà des semaines qu'il vivait ainsi !

Il m'a posé une main dans le dos comme pour doucement me pousser dehors. « Il ne faut pas rester là, Lily. Tu pourrais avoir des ennuis. »

« Toi non plus, tu ne devrais pas être là. » J'ai voulu l'entraîner avec moi sur le perron, mais il a résisté, alors j'ai insisté : « Tu n'as qu'à dormir par terre chez moi, cette nuit. Je fermerai ma porte à clef. Tu ne peux pas rester ici. Il fait trop froid, tu vas finir par mourir d'une pneumonie. »

Il avait l'air de ne plus savoir quoi faire. Je suis sûre que l'idée de se faire surprendre dans ma chambre le terrifiait autant que d'attraper une pneumonie. Pourtant, il a fini par hocher la tête. « D'accord. »

Alors dites-moi, Ellen. Ai-je eu tort de l'amener dormir dans ma chambre cette nuit ? Ça ne m'avait pas l'air mal quand même. C'était la chose à faire. En même temps, je risquais les pires ennuis si je me faisais prendre. Il a dormi par terre, je ne faisais rien d'autre que lui donner un endroit chauffé où dormir.

Cette nuit, j'en ai appris davantage sur lui. Après l'avoir fait entrer chez moi par la porte de derrière, j'ai tiré le verrou de ma chambre et je lui ai préparé une paillasse, au pied de mon lit. J'ai mis la sonnerie sur six heures en lui disant qu'il devrait se lever et partir avant le réveil de mes parents, car il arrive que ma mère vienne me dire bonjour le matin.

Puis je me suis blottie dans mon lit en jetant un coup d'œil vers le bas pour le regarder à mes pieds ; on a un peu bavardé. Je lui ai demandé combien de temps il pensait passer ici et il a dit qu'il ne savait pas. Du coup, j'ai voulu savoir comment il était arrivé ici. Ma lampe était toujours allumée et on ne faisait que murmurer, mais là, il n'a plus rien dit. Il m'a juste dévisagée un bon moment, les mains derrière la tête, avant de finir par répondre : « Je ne connais pas mon vrai père. Il ne s'est jamais occupé de moi. J'ai toujours vécu seul avec ma mère, mais elle s'est remariée, voilà maintenant cinq ans, avec un mec qui ne m'a jamais aimé. On s'est souvent disputés. Quand j'ai eu dix-huit ans, il y a quelques mois, ça a mal tourné et je me suis fait jeter dehors. »

Il a poussé un profond soupir, comme s'il ne voulait pas en dire davantage. Sauf qu'il a fini par préciser : « J'ai d'abord vécu chez un ami, mais son père a été nommé dans le Colorado et ils ont déménagé. Ils ne pouvaient pas m'emmener, évidemment. Ses parents avaient déjà été très sympas de me garder chez eux tout ce temps, alors je leur ai dit que j'allais en parler avec ma mère et retourner à la maison. Le jour où ils sont partis, je n'avais nulle part où aller. Finalement, je suis reparti chez moi, j'ai dit à ma mère que j'aimerais qu'elle me reprenne jusqu'à la fin de mes études secondaires. Elle n'a pas voulu. Selon elle, ça risquait d'irriter mon beau-père. »

Il a tourné la tête vers le mur. « Alors j'ai erré dans les parages pendant quelques jours, jusqu'à ce que je découvre cette maison. Je me disais que j'allais y rester jusqu'à ce que les choses s'arrangent ou jusqu'à mon diplôme. Je me suis engagé dans les Marines à partir du mois de mai. Il faut que je tienne jusque-là. »

Mai, c'est dans six mois, Ellen.

J'avais les yeux pleins de larmes quand il a fini de parler. Je voulais savoir pourquoi il n'avait demandé à personne de l'aider. Il a dit qu'il avait essayé, mais c'est plus compliqué pour un adulte que pour un enfant, et qu'il a déjà dix-huit ans. Quelqu'un lui a juste donné l'adresse d'un refuge où on pourrait sans doute le recevoir. Des refuges, il y en a dans les trente kilomètres autour de la ville, sauf que deux d'entre eux étaient réservés aux femmes battues. Un troisième était bien pour les S.D.F., mais se trouvait beaucoup trop loin du lycée. Sans compter qu'il faut chaque soir faire longtemps la queue avant d'y trouver un lit. Il a essayé une fois, finalement il se sent plus à l'abri dans cette vieille maison.

En bonne fille naïve devant ce genre de situation, j'ai demandé : « Mais il n'y a pas d'autre possibilité ? Tu ne peux pas dire au psy de l'école ce qu'a fait ta mère ? »

Secouant la tête, il explique être trop vieux pour être placé en famille d'accueil. Il est adulte et sa mère ne risque donc rien pour avoir refusé de le reprendre. Il a aussi demandé des tickets repas la semaine dernière, seulement il n'avait pas les moyens de se payer les transports afin d'arriver au rendez-vous. Bien entendu, il n'a pas de voiture, ce qui rend difficile toute recherche de travail. Bien sûr, il a cherché. En fin d'après-midi, chaque fois qu'il quitte ma maison, il va se présenter dans divers endroits, mais comme il n'a ni adresse ni numéro de téléphone où le joindre, ça complique les choses.

Je vous jure, Ellen, chaque fois que je lui posais une question, il y répondait. On dirait bien qu'il a tout fait pour ne pas se retrouver coincé dans cette situation, mais il n'y a pas assez d'aides pour les gens comme lui. Ça m'a rendue folle ; je lui ai dit qu'il était dingue de vouloir devenir militaire. Et là, je ne murmurais plus du tout en demandant : « Mais pourquoi tu veux servir un pays qui n'a rien fait pour te sortir de cette situation ? »

Vous savez ce qu'il a répondu, Ellen ? Il avait l'air tout triste en disant : « Ce n'est pas la faute de ce pays si ma mère n'en a rien à foutre de moi. » Après quoi, il a éteint la lampe. « Bonne nuit, Lily. »

Je n'ai pas beaucoup dormi. J'étais trop furieuse. Je ne sais même pas trop après qui. J'ai juste pensé à ce pays et au monde entier, et à tous ces gens dingues qui ne font rien pour les autres. Je ne sais pas quand les humains ont commencé à ne plus s'occuper que d'eux-mêmes. Peut-être que ça a toujours été comme ça. Je me suis demandé alors combien de gens se retrouvaient dans une situation semblable à celle d'Atlas et s'il n'y avait pas d'autres élèves de notre lycée dans le même cas.

Chaque jour, je me rends au lycée en râlant intérieurement d'y être obligée, mais je n'aurais jamais cru que c'était le seul abri qui pouvait rester à certains d'entre nous. C'est le seul endroit où Atlas puisse se rendre et trouver de la nourriture.

Désormais, je ne pourrai plus jamais respecter les gens riches qui dépensent leur argent pour tant de biens matériels plutôt que pour aider les autres.

Pardon, Ellen. Je sais que vous êtes riche, mais je ne fais pas vraiment référence aux gens comme vous. J'ai vu tout ce que vous avez fait pour les autres dans votre talk-show et toutes les œuvres auxquelles vous coopérez. Seulement, je sais qu'il y a beaucoup de riches trop égoïstes, de même que les gens de la classe moyenne, d'ailleurs. Il suffit de voir mes parents. Nous ne sommes pas riches, mais certainement pas trop pauvres pour pouvoir aider les autres. Pourtant, je ne crois pas que mon père ait jamais donné quoi que ce soit à une œuvre.

Je me rappelle, dans un centre commercial, un vieil homme s'était installé avec une clochette de l'Armée du Salut. J'ai demandé à mon père si on pourrait lui donner un peu d'argent et il m'a dit non, qu'il travaillait dur pour faire vivre la famille et qu'il n'allait rien me laisser gaspiller. Que ce n'était pas sa faute si d'autres gens ne veulent pas travailler. Il a passé tout le reste des courses à me parler de ces gens qui profitaient des aides gouvernementales et continueraient à en pomper tant qu'elles existeraient.

Ellen, je l'ai cru. Ça remonte à trois ans et tout ce temps-là, j'ai cru que les S.D.F. n'étaient que des paresseux ou des drogués, qui refusaient de travailler comme les autres. Bon, il y a du vrai là-dedans, mais il ne regardait que le pire aspect de la situation. Tout le monde n'est pas S.D.F. par choix, mais parce qu'il n'y a pas assez d'aides pour eux.

Et ce sont les gens comme mon père qui en sont responsables. Au lieu d'aider les autres, ils se servent des pires scénarios pour justifier leur égoïsme et leur cupidité.

Je ne serai jamais comme ça. Je vous jure qu'une fois adulte, je ferai tout ce que je pourrai pour aider les autres. Je serai comme vous, Ellen. Peut-être en un peu moins riche.

– Lily

CHAPITRE 9

Je repose le journal sur ma poitrine, surprise de sentir des larmes me couler sur les joues. Chaque fois que je le reprends, je me dis que ça ira – que tout ça s'est passé il y a si longtemps que je n'éprouverai plus les mêmes émotions.

Quelle idiote, aussi ! Ça me donne envie de serrer dans mes bras tous les gens que j'ai connus autrefois. Surtout ma mère, car l'année dernière je n'ai pas beaucoup pensé à tout ce qu'elle a dû subir avant la mort de mon père. Je sais que ça doit encore la faire souffrir.

J'attrape mon téléphone, regarde l'écran. Quatre textos manqués de Ryle. Mon cœur se serre. *Je n'y crois pas, je l'avais mis en silencieux !* Et puis je me reproche de me mettre dans un tel état.

Ryle : Tu dors ?

Ryle : On dirait.

Ryle : Lily…

Ryle. :(

Cet émoticône triste m'est arrivé il y a dix minutes. J'appuie sur répondre et tape : Non. Dors pas. Dans les dix secondes qui suivent, je reçois un autre SMS :

Ryle : Bon. Je grimpe l'escalier. J'arrive dans dix secondes.

Je saute du lit en souriant, fonce vers la salle de bains pour vérifier ma tête. Ça va. Je cours vers la porte d'entrée, l'ouvre dès que j'aperçois Ryle par l'œilleton. Il se hisse avec difficulté sur la dernière marche, s'arrête pour reprendre son souffle devant ma porte. Il a l'air épuisé, les yeux rouges, cernés de noir. Ses bras m'entourent la taille, il m'attire contre lui, enfouit le visage dans mon cou.

– Tu sens trop bon, murmure-t-il.

Je l'entraîne dans l'appartement.

– Tu as faim ? Je peux te préparer quelque chose à manger.

Comme il fait non de la tête, je passe devant la cuisine pour filer directement vers ma chambre. Il me suit, pose son manteau sur le dossier de la chaise, ôte ses chaussures qu'il repousse contre le mur.

Il porte une blouse.

– Tu as l'air épuisé, lui dis-je.

Il pose en souriant les mains sur mes hanches.

– C'est vrai. Je viens d'assister à une opération qui a duré dix-huit heures.

Il se penche, embrasse le cœur tatoué sur mon épaule.

Pas étonnant qu'il soit épuisé.

– Ce n'est pas vrai, dis-je. Dix-huit heures ?

Il m'entraîne vers le lit, me fait allonger près de lui et on s'installe de façon à se faire face sur un même oreiller.

– Oui, mais c'était extraordinaire. Révolutionnaire. Il va y avoir des articles dessus dans les journaux spécialisés, et je tenais à y assister. Alors je ne me plains surtout pas. Je suis juste fatigué.

Je lui donne un petit baiser sur les lèvres, mais d'une main douce, il écarte ma tête de la sienne.

– Je sais que tu rêves d'une brûlante séance d'amour mais je n'en aurai pas la force ce soir. Désolé. Seulement, tu me manquais et, je ne sais pas pourquoi, mais je dors beaucoup mieux près de toi. Ça te dérange si je reste ?

– Pas de souci, dis-je en souriant.

Il m'embrasse le front, me prend la main et la pose entre nous, sur l'oreiller. Ses yeux se ferment, et je garde les miens ouverts pour le regarder. Il possède le genre de visage qui fait fuir les gens de peur de s'y perdre. Quand j'y pense, ça me donne envie de le regarder encore plus longtemps. Pas besoin de jouer les timides et de me détourner alors qu'il est à moi.

Enfin, peut-être.

Nous sommes juste en phase d'essai. Ne pas l'oublier.

Au bout d'une minute, il enlève ma main, ferme les doigts. Je me demande ce que ça peut faire… de rester debout si longtemps à piétiner pendant dix-huit heures d'affilée. Je n'imagine pas ce qui pourrait se comparer à un tel degré d'épuisement.

Je sors du lit, vais chercher une lotion dans la salle de bains, reviens et m'assieds en tailleur devant lui. Je chauffe quelques gouttes entre mes paumes et pose son bras sur mes genoux. Il rouvre les yeux.

– Qu'est-ce que tu fais ? marmonne-t-il.

– Rien. Rendors-toi.

J'appuie les pouces sur sa paume, les tourne vers le haut puis vers l'extérieur. Ses paupières se referment et il gémit dans l'oreiller. Je continue à lui masser la main à peu près cinq minutes, puis je passe à l'autre. Il ne rouvre pas les yeux une seule fois. Quand j'ai fini, je le fais rouler sur le ventre, enfourche ses reins. Il m'aide en ôtant sa chemise, quoique ses bras semblent à peu près inertes.

Je lui masse les épaules, la nuque, puis le dos et les bras. Quand j'ai fini, je le retourne et m'allonge près de lui.

Je lui passe les doigts dans les cheveux, lui masse le cuir chevelu, quand il rouvre les yeux.

– Lily ? Je crois que je n'ai jamais rencontré quelqu'un d'aussi fabuleux que toi.

Ces paroles m'enveloppent comme une couverture tiède. Je ne sais pas quoi lui répondre. Il lève une main, prend doucement ma joue en coupe, et je sens son regard s'infiltrer au plus profond de moi. Lentement, il se penche, pose ses lèvres sur les miennes. Je m'attends à un petit bisou mais non, la pointe de sa langue se glisse entre mes lèvres, les sépare en douceur. Et moi, je soupire de délice.

À son tour, il m'installe sur le dos puis glisse les mains sur mon corps, droit jusqu'à mes hanches. Il se rapproche, promène une paume sur ma cuisse, se colle contre moi et je me sens traversée d'une onde de chaleur. Lui attrapant une poignée de cheveux, je murmure contre sa bouche :

– Je crois qu'on a assez patienté. J'aimerais beaucoup que tu me baises.

Pris d'un nouvel élan d'énergie, il se met à gronder en m'ôtant mon chemisier et on se retrouve dans un interlude de mains, de gémissements, de langues et de sueur. Ça me donne l'impression que pour la première fois de ma vie, un homme me touche enfin. Il n'y en a pas eu beaucoup avant lui, et c'étaient tous des gamins – mains nerveuses, bouches timides. Alors que Ryle transpire la confiance en lui. Il sait exactement où me toucher, exactement comment m'embrasser.

La seule fois où il n'accorde pas toute son attention à mon corps, c'est pour aller chercher un préservatif dans son portefeuille. Une fois qu'il m'a rejointe sous les couvertures, il n'hésite pas une seconde et me prend avec ardeur, d'un seul mouvement qui me fait crier dans sa bouche.

Il m'embrasse partout, d'une bouche gourmande, et ça me donne un tel vertige que je ne peux que succomber. Il ne s'excuse pas de me baiser ainsi. Sa main se pose sous ma tête, et il s'enfonce de plus en plus fort, heurtant le lit contre le mur à chaque poussée.

Mes ongles se plantent dans son dos quand il enfouit le visage dans mon cou. Et moi je murmure :

– Ryle…

Je dis :

– Oh mon Dieu !

Je crie :

– Ryle !

Et je lui mords l'épaule pour étouffer les autres sons qui me viennent ensuite. Tout mon corps le ressent, de la tête aux pieds, des pieds à la tête.

Sur le coup, j'ai presque peur de m'évanouir alors je resserre les jambes autour de lui, le sens se tendre.

– Oh, Lily !

Son corps ondule sur moi et il s'immobilise après une dernière poussée en rugissant. Son corps sursaute tandis que ma tête retombe sur l'oreiller.

Il nous faut une bonne minute avant que l'un de nous ne puisse de nouveau remuer. Pourtant, nous n'en faisons rien. Il enfouit le visage dans l'oreiller, pousse un profond soupir.

– Peux pas…

Il se redresse, me regarde, les yeux emplis d'un je-ne-sais-quoi, pose ses lèvres sur les miennes et murmure :

– Tu avais bien raison.

– À quel propos ?

Avec lenteur, il se redresse, se détache de moi, s'appuie sur ses coudes.

– Tu m'avais prévenu. Tu m'as dit un jour que je ne pourrais me lasser, que tu agissais comme une drogue. Mais tu as oublié de préciser que tu étais la plus addictive.

CHAPITRE 10

– Je peux te poser une question personnelle ?

Allysa hoche la tête tout en continuant de préparer le bouquet qui va partir en livraison. Nous sommes à trois jours de l'inauguration officielle et le travail s'accumule.

– Alors ? insiste-t-elle en s'adossant au comptoir.

– Tu n'es pas obligée d'y répondre si tu n'en as pas envie.

– Je ne pourrai pas si tu ne me la poses pas.

Bien vu.

– Marshall et toi, vous faites des dons aux bonnes œuvres ?

Elle paraît ne pas saisir.

– Oui. Pourquoi ?

– Juste par curiosité. Ce n'est pas du tout pour te juger. Je commençais à me demander comment je pourrais y participer moi aussi.

– Quel genre de bonne œuvre d'abord ? Nous, on en a plusieurs maintenant qu'on a de l'argent, mais ma préférée est celle à laquelle on a souscrit l'année dernière. Ils bâtissent des écoles dans d'autres pays. On en a financé trois rien que l'année dernière.

Je savais que j'avais de bonnes raisons de l'aimer.

– Bon, je ne pourrai pas en faire autant, tu t'en doutes, mais je voudrais faire quelque chose. Je ne sais pas encore quoi.

– On s'occupe d'abord de notre inauguration et après on parlera philanthropie. Un rêve à la fois, Lily.

Elle contourne le comptoir et attrape la corbeille, en sort le sac, le noue. Décidément, je me demande pourquoi – si elle a du personnel pour tout ce qu'elle veut – elle a pris un emploi qui lui fait vider les poubelles et se salir les mains.

– Pourquoi travailles-tu ici ?

Elle me sourit.

– Parce que je t'aime bien.

Mais je vois bien que son sourire la quitte à l'instant où elle se retourne vers le fond pour aller jeter le sac. Quand elle revient, je l'observe encore avec curiosité.

– Allysa ? Pourquoi travailles-tu ici ?

Elle s'arrête, pousse un petit soupir comme si elle décidait de tout me raconter, et retourne vers le comptoir, s'y adosse, croise les chevilles.

– Parce que je ne peux pas avoir d'enfant. Voilà deux ans qu'on essaie, rien n'a marché. J'en avais marre de rester pleurer à la maison, alors j'ai décidé de m'occuper l'esprit.

Elle se redresse, s'essuie les mains sur son jean.

– Et toi, Lily Bloom, tu sais très bien m'occuper.

Là-dessus, elle se remet à perfectionner son bouquet, puis prend une carte qu'elle glisse parmi les fleurs et me tend le pot.

– Au fait, c'est pour toi.

– Comment ça ?

– C'est écrit sur la carte, va la lire dans ton bureau.

À sa réaction, je comprends que ça vient de Ryle. Je me précipite vers l'arrière-boutique, m'assieds et prends la carte.

Lily,
Je suis en grave état de manque.
Ryle

Je range la carte dans son enveloppe en souriant, saisis mon téléphone et prends un selfie où je tire la langue devant les fleurs. Puis je l'envoie à Ryle.

Moi : Je t'avais prévenu.

Il me répond aussitôt. Et les messages se succèdent :

Ryle : J'ai besoin de mon prochain shoot. Je termine ici dans environ une demi-heure. Je t'emmène dîner ensuite ?

Moi : Peux pas. Maman veut essayer un nouveau restaurant avec moi ce soir. C'est une terrible fine gueule. :(

Ryle : J'aime bien la bonne bouffe moi aussi. Où l'emmènes-tu ?

Moi : Ça s'appelle Bab's, sur Marketson.

Ryle : Tu aurais une place supplémentaire ?

J'examine un instant la question. *Il veut rencontrer ma mère ?* On ne sort même pas officiellement ensemble. Enfin… Ça m'est égal s'il la voit, au fond. Et puis elle l'aimerait sûrement. Mais il est passé du refus de toute relation suivie à l'accord d'un essai contrôlé, à la rencontre des parents, tout ça en cinq jours ? *Mon Dieu !* Je suis vraiment une drogue.

Moi : D'accord. On se retrouve dans une demi-heure.

Je sors de mon bureau et rejoins aussitôt Allysa, lui montre mon écran.

– Il veut rencontrer ma mère.

– Qui ?

– Ryle.

– Mon frère ? dit-elle, apparemment aussi choquée que moi.

– Ton frère. *Ma mère.*

Elle attrape le téléphone, lit les textos.

– Hou là ! Trop bizarre !

Je reprends mon appareil.

– Merci quand même pour le vote de confiance.

– Tu sais ce que je veux dire ! s'esclaffe-t-elle. C'est de Ryle qu'on parle, ici. Jamais, de toute sa vie de Ryle Kincaid, il n'a rencontré les parents d'une fille.

Bon, ce genre de remarque me ferait plutôt sourire ; mais après tout, s'il ne cherche qu'à me faire plaisir ? S'il se lance dans des trucs auxquels il ne tient pas vraiment, c'est sans doute parce qu'il sait que je vise une relation suivie.

Alors mon sourire s'agrandit parce que c'est bien de ça qu'il s'agit. Se sacrifier pour la personne à laquelle on tient afin de lui faire plaisir.

– Ton frère doit vraiment bien m'aimer, dis-je sur le ton de la plaisanterie.

Je m'attends à la voir rire, mais elle reste de marbre.

– Oui, c'est bien ce que je crains, répond-elle en prenant son sac sous le comptoir. Bon, je m'en vais, maintenant. Tu me raconteras ?

Là-dessus, elle passe devant moi et se dirige vers la porte. Je la suis des yeux un moment alors qu'elle s'éloigne dans la rue.

Apparemment, elle n'a pas l'air très emballée que je sorte avec Ryle. Du coup, je me demande si c'est plutôt dû à ses sentiments envers moi ou envers lui.

***

Vingt minutes plus tard, je tourne l'enseigne sur *fermé. Plus que quelques jours.* Je boucle la porte et me dirige vers ma voiture, mais m'arrête net en apercevant une silhouette adossée contre. Il me faut un certain temps pour le reconnaître car il regarde dans l'autre direction, son téléphone collé à l'oreille.

Je croyais qu'on se retrouvait au restaurant. Enfin, bon.

Mon klaxon retentit quand je bipe l'ouverture des portières et Ryle sursaute. Il me sourit en m'apercevant.

– Oui, d'accord, dit-il à son interlocuteur.

En même temps, il me passe un bras sur l'épaule et me serre contre lui, me dépose un baiser sur la tête.

– On en reparle demain, continue-t-il. Il vient de m'arriver quelque chose de très important.

Il raccroche, glisse l'appareil dans sa poche, puis m'embrasse. Pas d'un petit bisou, plutôt d'un baiser genre je-n'ai-pas-cessé-de-penser-à-toi. Il m'entoure de ses bras, me plaque contre la voiture et continue de m'embrasser jusqu'à ce que je sois prise de vertige. Quand il se redresse, il me dévisage d'un air ravi.

– Tu sais ce qui me rend fou chez toi ? dit-il en traçant mes lèvres de l'index. Ça. Ta bouche. Grâce à tes cheveux roux, tu n'as pas besoin de rouge à lèvres.

– Alors là, je vais te surveiller quand tu verras ma mère parce que tout le monde dit qu'on a la même bouche.

L'air soudain sérieux, il me fait taire d'un doigt.

– Lily. Écoute… *Non.*

– Quoi ? dis-je en ouvrant ma portière. On prend deux voitures ?

– Non, je suis venu du travail avec un Uber. On y va ensemble.

***

Quand on arrive, ma mère est déjà assise à table, tournant le dos à l'entrée.

Je suis très impressionnée par ce restaurant aux murs d'une couleur douce et neutre, avec un arbre apparemment entier au beau milieu de la salle. On dirait que l'établissement a été construit autour. Ryle me suit de près, la main posée au creux de mes reins. Une fois arrivée, j'ouvre ma parka.

– Bonjour, maman.

Elle lève la tête de son téléphone.

– Oh, bonjour, ma chérie !

Elle range l'appareil dans son sac, l'air ravi.

– J'adore déjà cet endroit. Regarde-moi cet éclairage. Ces installations pourraient décorer n'importe quel jardin.

C'est là qu'elle aperçoit Ryle qui attend patiemment à côté de moi, alors que je me glisse dans le box. Ma mère lui sourit.

– Nous commencerons par deux bouteilles d'eau, s'il vous plaît.

– Maman, il est avec moi. Ce n'est pas le serveur.

Elle lui jette un regard gêné mais, déjà, il lui tend la main en souriant.

– Ce n'est rien, Madame. Ryle Kincaid.

Elle lui serre la main, nous dévisage l'un et l'autre. Il la lâche, s'assied à côté de moi.

– Jenny Bloom. Enchantée. Un de tes amis, Lily ?

Je n'arrive pas à croire que j'étais si mal préparée à cet instant. Comment le lui présenter ? Mon coup d'essai ? Je ne peux pas dire *petit ami*, car on n'est même pas amis. *Mon promis* ferait un peu vieux jeu.

Ryle remarque mon hésitation, alors il me pose une main sur le genou, le serre.

– Ma sœur travaille pour Lily, annonce-t-il. Vous la connaissez, peut-être, Allysa ?

Maman se penche un peu vers lui.

– Ah oui ! Bien sûr ! Vous vous ressemblez tant que j'aurais dû m'en douter. Vous avez les mêmes yeux, et la même bouche.

– Nous tenons tous les deux de notre mère.

Elle me sourit.

– Les gens disent aussi que Lily tient de moi.

– Tout à fait, renchérit-il. Même bouche. C'est incroyable.

Il me serre encore le genou alors que je réprime un rire.

– Mesdames, si vous voulez bien m'excuser, il faut que j'aille aux toilettes.

Avant de se lever, il m'embrasse sur la tempe.

– Si le serveur arrive, ajoute-t-il, je prendrai juste de l'eau.

Maman le suit des yeux avant de se tourner vers moi.

– Comment se fait-il que tu ne m'aies jamais parlé de ce garçon ?

– Euh… c'est que… ce n'est pas vraiment…

Je ne vois pas comment lui expliquer la situation.

– Il travaille beaucoup, alors on ne se voit pas souvent. En fait, c'est la première fois qu'on va dîner ensemble.

Elle hausse un sourcil.

– Vraiment ? Il ne semble pas du tout voir les choses comme ça. Je veux dire qu'il a l'air de bien t'aimer. Ce n'est pas un comportement normal pour quelqu'un qu'on vient de rencontrer.

– On ne vient pas de se rencontrer. Ça remonte à presque un an, maintenant. On s'est vu souvent. Mais on ne sortait pas ensemble. Il travaille beaucoup.

– Où ça ?

– À l'hôpital général du Massachusetts.

Elle se penche encore en avant, les yeux écarquillés.

– Lily ! Il est médecin ?

– En fait, neurochirurgien.

– Ces dames voudront-elles boire quelque chose ? demande un serveur.

– Oui, dis-je. Nous allons prendre trois…

Et là, je ferme la bouche.

La gorge sèche, je dévisage l'homme debout près de nous. Je n'arrive plus à émettre un son.

– Lily ? dit maman. Il attend ta commande.

Je secoue la tête et parviens enfin à balbutier :

– Je… euh…

– Trois bouteilles d'eau, intervient-elle.

Le serveur sort de sa transe le temps d'inscrire la commande sur son carnet.

– Trois bouteilles d'eau, répète-t-il. Entendu.

Il s'éloigne, mais je le vois jeter un regard vers nous avant de pousser les portes de la cuisine.

– Que se passe-t-il ? demande maman.

– Le serveur. Il ressemblait tellement à…

Je m'apprêtais à dire *Atlas Corrigan* quand Ryle revient se glisser sur la banquette.

– J'ai raté quelque chose ? demande-t-il.

Je déglutis en faisant non de la tête. *Ce ne devait pas être Atlas.* Pourtant, ces yeux… cette bouche. Je sais que je ne l'ai pas vu depuis des années, mais je n'oublierai jamais son apparence. Ce ne pouvait être que lui. Je le sais, d'ailleurs il m'a reconnue lui aussi, car à l'instant où nos regards se sont croisés, on aurait dit qu'il voyait un fantôme.

– Lily ? dit Ryle en me serrant la main. Ça va ?

Je m'efforce de sourire, puis m'éclaircis la gorge.

– Oui. On parlait de toi. Maman, Ryle a participé à une opération qui a duré dix-huit heures, cette semaine.

Elle se penche vers lui, l'air intéressé, et il se met à lui expliquer en quoi consistait cette opération. Notre serveur arrive, mais ce n'est plus le même. Il demande si nous avons fait notre choix, nous présente les spécialités du chef. On commande alors chacun un plat et je fais mon possible pour me concentrer sur le sujet, mais je ne peux m'empêcher de parcourir la salle des yeux, à la recherche d'Atlas. *Il faut que je me ressaisisse.*

– Je vais aux toilettes, dis-je à Ryle.

Il se lève pour me laisser passer et, en marchant, j'examine le visage de chacun des serveurs. Dès que je me retrouve seule dans le couloir, je m'adosse au mur, me plie en deux pour mieux respirer. Il faut absolument que je me calme. Les mains sur le front, je ferme les yeux.

Voilà neuf ans que je me demandais ce qui lui était arrivé. *Neuf ans.*

– Lily ?

Je relève la tête, tâche de respirer. Il se tient au bout du couloir, tel un fantôme surgi de mon passé. Je vérifie que ses pieds touchent bien le sol. Non, il ne flotte pas dans les airs. Il est bien vivant et il est là, juste en face de moi.

– Atlas ?

À peine ai-je prononcé son nom qu'il pousse un énorme soupir de soulagement et arrive à grands pas. J'en fais autant dans sa direction. On se jette dans les bras l'un de l'autre.

– Putain de merde ! s'exclame-t-il en m'étreignant.

– Comme tu dis, putain de merde !

Posant les mains sur mes épaules, il m'examine un instant.

– Tu n'as pas changé du tout.

Toujours sous le choc, je me couvre la bouche d'une main et l'observe à mon tour. Son visage me paraît le même, mais il n'a plus rien de l'ado maigrichon que je connaissais.

– Je ne peux pas en dire autant pour toi.

– Ouais, répond-il en riant. Huit années de vie militaire, ça vous change un homme.

Et on reste là, sans pouvoir en dire davantage. Finalement, il me lâche, croise les bras.

– Qu'est-ce qui t'amène à Boston ? demande-t-il.

Il a lâché ça si tranquillement que je lui en serais presque reconnaissante. Il ne doit pas se rappeler notre conversation d'il y a quelques années sur Boston, et ça vaut mieux pour moi.

– Je vis ici, dis-je d'un ton aussi décontracté que possible. Je tiens une boutique de fleurs sur Park Plaza.

Il a l'air de connaître, pas étonné le moins du monde. Je regarde la porte en me disant que je ferais mieux d'y aller et il s'en aperçoit, recule. Il soutient encore mon regard un instant, et puis tout revient à la normale. Trop normal. Alors qu'on a tant de choses à se dire, sans savoir par où commencer.

– Tu devrais sans doute aller retrouver tes amis, suggère-t-il. Je passerai te voir un de ces jours. Tu as bien dit Park Plaza ?

Je hoche la tête.

Il hoche la tête.

La porte s'ouvre sur une femme qui porte un enfant dans ses bras. Elle passe au milieu, ce qui met encore plus de distance entre nous. Je me dirige vers la salle, sans me décider à y rentrer.

– Ça m'a vraiment fait plaisir de te revoir, Atlas.

Il sourit un peu, mais son regard reste sérieux.

– Oui. À moi aussi, Lily.

***

Je ne dis pas grand-chose jusqu'à la fin du repas ; encore que ni Ryle ni maman ne semblent s'en apercevoir, car elle n'a aucun mal à le bombarder de questions. Et il se débrouille comme un chef. Il lui fait un charme d'enfer.

Cette rencontre inattendue avec Atlas m'a bouleversée mais, dès le dessert, Ryle a su me rendre ma belle humeur.

Maman s'essuie la bouche avec sa serviette avant de laisser tomber :

– Mon nouveau restaurant préféré. Incroyable !

– Je suis d'accord, dit Ryle. Il va falloir que j'y amène Allysa. Elle adore essayer de nouveaux restaurants.

La cuisine y est en effet excellente, mais je préférerais ne jamais remettre les pieds ici.

– Ça allait, dis-je.

Bien entendu, il paie l'addition puis insiste pour qu'on raccompagne maman à sa voiture. Je sais qu'elle va m'appeler pour me parler de lui cette nuit, ça se voit rien qu'à son expression ravie.

Après son départ, Ryle me ramène à ma voiture.

– J'ai commandé un Uber, comme ça, tu n'auras pas besoin de faire un détour pour me déposer chez moi. Il nous reste à peu près une minute et demie pour nous faire des bisous.

Je ris et il m'enveloppe de ses bras, m'embrasse dans le cou puis sur la joue.

– Je m'inviterais bien, dit-t-il, mais j'ai une opération très tôt demain matin et je suis sûr que mon patient préférerait que je ne passe pas la moitié de ma nuit en toi.

Je l'embrasse à mon tour, à la fois déçue et soulagée.

– Moi, j'ai mon inauguration dans quelques jours. Je ferais mieux de dormir aussi.

– C'est quand, ton prochain jour de congé ?

– Jamais. Et toi ?

– Jamais.

– On est maudits. Trop attirés l'un par l'autre et en même temps trop occupés à réussir notre vie.

– Ça veut dire que notre phase lune de miel va durer jusqu'à nos quatre-vingts ans. En attendant, je viendrai à ton inauguration, vendredi, et on ira ensuite fêter ça tous les quatre ensemble.

Comme une voiture s'arrête devant moi, il me passe la main dans les cheveux, m'embrasse.

– Au fait, ta maman est géniale. Merci de m'avoir laissé assister à ce dîner.

Il grimpe dans la voiture et je la regarde s'éloigner.

Il me plaît trop, ce type.

Souriante, je regagne ma voiture mais porte une main à ma gorge en le voyant là.

Atlas, debout près du capot.

– Pardon, je ne voulais pas te faire peur.

– Raté, dis-je en soupirant.

On se trouve à quelques pas l'un de l'autre. Il examine la rue.

– Alors ? demande-t-il. C'est qui, l'heureux veinard ?

– C'est…

Ma voix s'altère. Cette situation est trop bizarre. J'ai la gorge nouée et je ne sais pas si c'est à cause du baiser de Ryle ou de la présence d'Atlas.

– Il s'appelle Ryle. On s'est rencontrés il y a à peu près un an.

Je regrette aussitôt d'avoir dit ça. Il pourrait en conclure que je sors avec Ryle depuis longtemps alors que rien n'est pour ainsi dire commencé entre nous. Je me hâte d'ajouter :

– Et toi ? Tu es marié ? Tu as une fiancée ?

Je ne sais pas trop si je pose ces questions pour poursuivre la conversation qu'il a entamée ou par pure curiosité.

– Oui, elle s'appelle Cassie. On est ensemble depuis à peu près un an, maintenant.

Je ressens comme une brûlure d'estomac. *Un an ?*

– Tant mieux, tu as l'air très heureux.

En a-t-il seulement l'air ? Aucune idée.

– Bon. Alors… Je suis très content de t'avoir vue, Lily.

Il tourne les talons mais, avant de s'éloigner, il me fait de nouveau face, les mains dans les poches.

– Je dois dire… J'aurais préféré que ceci se passe il y a un an.

Ces mots me font frémir, j'essaie de ne pas les laisser pénétrer en moi. Cette fois, il retourne vers le restaurant.

Je cherche mes clefs, ouvre la voiture, me glisse à l'intérieur, claque la portière, agrippe le volant. Sans trop savoir pourquoi, je sens une grosse larme couler sur ma joue. Lamentable. Je l'essuie puis démarre.

Je n'aurais pas cru me sentir si bouleversée de le voir.

Mais bon. Quelque part, c'était nécessaire. Mon cœur avait besoin de cette dernière conversation, afin que je puisse enfin pleinement me consacrer à Ryle.

C'est bien.

Oui, je sais, je pleure.

En même temps, je me sens mieux. C'est juste un effet de ma nature humaine, lorsqu'une ancienne blessure se ferme pour préparer une nouvelle expérience.

C'est tout.

CHAPITRE 11

Je me blottis dans mon lit pour mieux le regarder. J'ai presque terminé. Il ne me reste pas beaucoup de pages.

Je pose le journal sur l'oreiller, à côté de moi, en murmurant :

– Je ne vais pas te lire.

Si je le faisais, je le finirais. Après avoir vu Atlas, ce soir, après avoir appris qu'il a une copine, un emploi et sans aucun doute un logement, j'ai plutôt envie de me consacrer à la clôture de cet épisode.

Finalement, je reprends le journal et roule sur le dos.

– Ellen DeGeneres, vous n'êtes qu'une garce.

Chère Ellen,

« Nage droit devant toi. »

Cette phrase vous dit quelque chose, Ellen ? C'est ce que Dory dit à Marlin dans Le Monde de Nemo.

« Nage droit devant toi, devant toi, devant toi. »

Je ne suis pas très fan de films d'animation, mais je suis de votre avis pour celui-ci qui me fait bien rire, tout en donnant aussi des sensations. Désormais, je dirai que c'est mon film préféré. Parce que ces derniers temps, j'avais un peu l'impression de me noyer et que, parfois, on doit se souvenir qu'il faut juste nager droit devant soi.

Atlas est tombé malade. Gravement malade.

Voilà quelques soirs qu'il se faufile par la fenêtre dans ma chambre, pour dormir par terre, mais cette nuit, j'ai eu l'impression que quelque chose n'allait pas. On était dimanche, je ne l'avais donc pas vu depuis la veille, et il avait une mine affreuse, les yeux injectés de sang, le teint blafard, les cheveux trempés par la sueur alors qu'il avait froid. Je ne lui ai même pas demandé s'il se sentait bien, je savais déjà que non. J'ai posé une main sur son front et il était si chaud que j'ai failli appeler ma mère.

« Ça ira, Lily, » m'a-t-il dit.

Et il a préparé sa paillasse par terre. Je lui ai dit d'attendre là, puis je suis allée à la cuisine lui préparer un verre d'eau. J'ai trouvé des médicaments contre la grippe dans l'armoire à pharmacie, sans trop savoir s'il pouvait y être allergique ou non.

Une demi-heure plus tard, il s'était roulé en boule sur le sol quand il a dit :

« Lily ? Il va me falloir une cuvette. »

J'ai bondi pour prendre la corbeille sous mon bureau et la lui ai tendue. Juste à temps pour qu'il y vomisse.

Le voir comme ça me dévastait. Comment supporter d'être aussi malade sans le refuge d'une salle de bains ou l'abri d'un toit ni le secours d'une mère ? Il n'avait que moi et je ne savais que faire pour lui.

Quand il a terminé, je lui ai redonné de l'eau et lui ai dit de grimper dans le lit. Il a refusé, mais j'étais inflexible. J'ai rangé la corbeille près du lit et l'ai fait monter.

Il tremblait de tous ses membres, il était brûlant ; ça me faisait trop peur de le laisser par terre. Je me suis allongée près de lui et il s'est remis à vomir toutes les heures, jusqu'au petit matin. J'allais régulièrement vider la corbeille aux toilettes. Sans mentir, c'était dégoûtant. La nuit la plus dégoûtante de ma vie. Mais que faire d'autre ? Il avait besoin de moi, il n'avait personne d'autre que moi.

Au matin, à l'heure du lever, je lui ai dit de regagner sa maison, que je viendrais le voir avant l'école. J'étais étonnée qu'il trouve encore l'énergie de se glisser par la fenêtre pour sortir. J'ai laissé la corbeille près de mon lit, en attendant que maman vienne me réveiller. En entrant, elle a aussitôt pensé que j'étais malade.

« Ça ne va pas, Lily ? »

J'ai grommelé d'une voix cassée :

« Non, j'ai dû me relever toute la nuit. Je crois que c'est fini maintenant, mais je n'ai pas dormi. »

Elle a pris la corbeille et m'a dit de rester au lit en promettant d'appeler l'école pour les informer que je ne viendrais pas. Une fois qu'elle est partie travailler, je suis allée chercher Atlas en lui annonçant qu'il pourrait passer la journée avec moi à la maison. Il était encore malade, alors je lui ai laissé ma chambre pour dormir. J'allais le voir toutes les demi-heures, jusqu'à ce qu'il cesse de vomir, en début d'après-midi. Iil a pris une douche et je lui ai préparé de la soupe.

Il était trop fatigué pour pouvoir en avaler. J'ai pris une couverture et on s'est glissés dessous sur le canapé. Je ne sais pas quand j'ai commencé à me sentir assez bien pour me pelotonner contre lui, mais ça ne m'a plus gênée. Quelques minutes plus tard, il m'embrassait au creux de l'épaule, d'un rapide baiser vraisemblablement sans arrière-pensée. C'était plutôt un merci muet. Mais moi, ça m'a mise dans tous mes états. Ça remonte à quelques heures et je continue à passer les doigts à cet endroit parce que j'y sens encore ses lèvres.

Je sais que c'était sans doute la pire journée de sa vie, Ellen. Mais pour moi, ça a été l'une des meilleures.

Et je m'en veux beaucoup.

On a regardé Le Monde de Nemo et, arrivés au passage où Marlin cherche Nemo et se sent démoralisé, Dory lui dit : « Tu sais ce qu'il faut faire quand la vie te joue un sale tour ? Nage droit devant toi, nage droit devant toi, devant toi, devant toi. » Atlas m'a pris la main. Il ne la tenait pas comme un gamin, il la serrait, comme s'il disait que c'était nous. Il était Marlin et moi Dory, et je l'aidais à nager.

« Nage droit devant toi, » lui ai-je murmuré.
– Lily

Chère Ellen,

J'ai peur. Terriblement peur.

Je l'aime beaucoup. Je ne pense qu'à lui lorsqu'on est ensemble, et je meurs d'angoisse quand il n'est pas là. Ma vie commence à tourner autour de lui, et il ne faut pas, je sais. Mais je ne peux pas m'en empêcher et je ne sais pas quoi faire, et maintenant, il pourrait s'en aller.

Il est parti après la fin du Monde de Nemo, hier soir, et quand mes parents sont allés se coucher, il s'est de nouveau glissé dans ma chambre par la fenêtre. La nuit précédente, il avait dormi dans mon lit parce qu'il était malade et je sais que je n'aurais pas dû faire ça, mais j'ai mis ses couvertures dans la machine à laver avant de me coucher. Il a demandé où se trouvait sa paillasse et je lui ai répondu qu'il devrait encore dormir dans mon lit parce que je voulais laver ses couvertures pour qu'il ne retombe pas malade.

Sur le moment, j'ai cru qu'il allait repartir mais, finalement, il a fermé la fenêtre, ôté ses chaussures et il est venu me rejoindre.

Il n'était plus malade mais, quand il s'est allongé, j'ai cru que ça m'arrivait à moi, parce que j'avais l'estomac barbouillé. En fait non. Ça m'arrivait souvent quand il s'approchait de moi.

On se regardait et il a dit : « Quand est-ce que tu auras seize ans ? »

« Dans deux mois. » J'avais le cœur qui battait de plus en plus fort. « Et toi, quand est-ce que tu auras dix-neuf ans ? »

Je demandais ça juste pour faire la conversation, pour qu'il n'entende pas combien j'avais du mal à respirer.

« Pas avant octobre. »

Je ne voyais pas trop pourquoi il m'avait demandé mon âge et je ne savais pas trop ce qu'il pensait de mes quinze ans. Me considérait-il comme une gamine ? Une petite sœur ? J'ai presque seize ans. Deux ans et demi de différence, ce n'est pas grand-chose, sauf peut-être quand c'est entre quinze et dix-huit ans. Mais dès que j'aurai seize ans, personne ne se formalisera plus.

« Je voudrais te dire quelque chose », a-t-il repris.

J'ai retenu mon souffle sans trop savoir où il voulait en venir.

« Aujourd'hui, j'ai pris contact avec mon oncle. Maman vivait avec lui à Boston. Il m'a dit un jour que dès son retour de déplacement professionnel, je pourrais habiter chez lui. »

J'aurais dû éclater de joie pour lui, sourire, le féliciter. Mais je me suis laissée submerger par l'immaturité de mon âge en songeant juste à mon désarroi.

« Alors tu vas t'en aller ? »

« Je ne sais pas. Je voulais d'abord t'en parler. »

Il était si près de moi que je percevais la chaleur de son souffle. Je trouvais qu'il sentait la menthe et je me suis demandé s'il utilisait de l'eau en bouteille pour se brosser les dents avant de venir chez moi. Je lui en donne toujours quand il part d'ici.

J'ai tiré une plume de l'oreiller pour la caresser en tous sens.

« Je ne sais pas quoi dire, Atlas. Je suis contente que tu aies un endroit où te réfugier. Mais comment ça va se passer pour le lycée ? »

« Je pourrais terminer là-bas. »

Apparemment, il avait déjà pris sa décision.

« Quand est-ce que tu t'en vas ? »

Je me demandais à quelle distance nous étions de Boston. Sans doute quelques heures, mais c'est tout un monde quand on n'a pas de voiture.

« Je ne suis pas certain d'y aller. »

J'ai reposé la plume sur l'oreiller. « Qu'est-ce qui t'en empêche ? Ton oncle t'offre un toit. C'est génial, non ? »

Il a hoché la tête en serrant les dents, puis saisi la plume avec laquelle je jouais pour la tordre entre ses doigts. Après quoi, il l'a reposée et fait une chose à laquelle je ne m'attendais pas. Il m'a caressé les lèvres. Mon Dieu, Ellen ! J'ai cru que j'allais mourir sur place. Jamais je n'avais rien ressenti de plus fort. Il n'a laissé que quelques instants ses doigts sur ma bouche avant de dire : « Merci, Lily. Pour tout. » Et puis il a promené sa main dans mes cheveux, m'a embrassé le front. Je respirais si fort que j'ai dû ouvrir la bouche pour capter un peu plus d'air. Et je voyais sa poitrine monter et descendre aussi fort que la mienne. On s'est regardés dans les yeux, jusqu'à ce qu'il examine ma bouche. « Tu as déjà embrassé, Lily ? »

J'ai fait non de la tête avant de lui offrir mes lèvres parce que j'avais envie de changer immédiatement cette situation, sinon je ne pourrais plus jamais respirer.

Et là – comme si j'étais d'une fragilité mortelle – il a posé sa bouche sur la mienne et l'y a laissée. Je ne savais pas que faire, mais ça m'était égal. Je serais bien restée comme ça toute la nuit, sans plus bouger d'un pouce. Ça m'allait très bien.

Ses lèvres se sont fermées sur les miennes et j'ai senti sa main trembler. Imitant ses gestes, je me suis mise à remuer les lèvres comme lui, mais quand le bout de sa langue s'est mis à les parcourir, j'ai cru tourner de l'œil. Il a recommencé, et puis une troisième fois, alors j'en ai fait autant. Ensuite nos langues se sont rencontrées, alors j'ai esquissé un sourire car j'avais beaucoup songé à mon premier baiser. Où il aurait lieu, avec qui. Jamais, en un million d'années, je n'aurais imaginé que ça pourrait me faire cet effet.

Il m'a poussée sur le dos, posant la main sur ma joue, sans cesser de m'embrasser. Ça allait de mieux en mieux. Mon moment préféré s'est produit quand il s'est redressé une seconde pour me regarder, avant de revenir avec encore plus d'ardeur. Je ne sais pas combien de temps ça a duré. Longtemps. Si longtemps que ma bouche commençait à me faire mal et que je ne pouvais plus ouvrir les yeux. Quand on s'est endormis, je suis sûre que nos bouches se touchaient encore.

On n'a pas reparlé de Boston.

Je ne sais toujours pas s'il s'en va.

– Lily

***

Chère Ellen,

Je dois vous présenter mes excuses.

Voilà une semaine que je ne vous ai pas écrit et que je n'ai pas regardé votre talk-show. Ne vous inquiétez pas, je l'enregistre toujours, donc votre taux d'audience ne baissera pas ; mais tous les jours, on descend du bus, Atlas prend une douche rapide et on s'embrasse.

Tous les jours.

C'est fantastique.

Je ne sais pas ce qu'il en pense, mais je me sens trop bien avec lui. Il est trop gentil, trop attentionné. Il ne fait jamais un truc que je ne voudrais pas, mais jusqu'ici, il n'a même pas essayé.

Je ne sais pas jusqu'à quel point je peux raconter ça puisqu'on ne s'est jamais rencontrées, vous et moi. Alors disons que s'il s'est un jour demandé à quoi pouvaient ressembler mes seins…

Maintenant il le sait.

Je ne suis pas capable de savoir comment réagir d'un jour sur l'autre avec une personne qu'on aime tant. Si ça ne dépendait que de moi, on s'embrasserait toute la journée et toute la nuit, en ne nous interrompant que de temps en temps pour parler un peu. Il raconte des histoires très drôles. J'aime bien quand il se met à parler, d'abord parce que ça n'arrive pas souvent, mais il se sert beaucoup de ses mains. Il sourit aussi, et j'aime encore plus son sourire que ses baisers. Parfois, je lui dis juste de la fermer et d'arrêter de sourire, de m'embrasser ou de bavarder, pour que je puisse simplement le regarder. J'aime regarder ses yeux. Ils sont si bleus qu'on le distinguerait de loin au milieu d'une foule. La seule chose que je n'aime pas quand on s'embrasse, c'est qu'il ferme les yeux.

Et non. On n'a toujours pas parlé de Boston.

– Lily

Chère Ellen,

Hier après-midi, Atlas m'a embrassée dans le bus. Ça n'avait rien de nouveau pour nous car on s'était déjà beaucoup embrassés, mais c'était la première fois qu'il le faisait en public. Quand on est ensemble, tout le reste semble disparaître, alors je ne crois pas qu'il ait pensé aux passagers autour de nous. Mais Katie l'a bien remarqué. Elle était assise derrière nous et je l'ai entendue articuler « Dégueulasse » dès qu'il s'est penché vers moi.

Elle a précisé à sa voisine : « Tu te rends compte que Lily le laisse la toucher. Il porte les mêmes habits presque tous les jours. »

Ellen, j'étais furieuse. Mais aussi, j'en étais malade pour Atlas. Il s'est détaché de moi, parce qu'il l'avait entendue et que ça le gênait, j'en suis sûre. J'allais me retourner pour l'engueuler de critiquer des gens qu'elle ne connaît même pas, mais il m'a pris la main en secouant la tête.

« Arrête, Lily. »

Alors j'ai arrêté.

Le reste du trajet, j'étais folle de rage après Katie. Pourquoi se permettait-elle de critiquer quelqu'un qu'elle croyait inférieur ? J'étais aussi vexée qu'Atlas paraisse habitué à recevoir ce genre de critique.

Je ne voulais pas qu'il me croie gênée qu'on l'ait vu m'embrasser. Je connais Atlas mieux qu'aucun d'entre eux, c'est quelqu'un de bien, malgré ses vêtements ou sa mauvaise odeur avant qu'il se mette à prendre des douches chez moi.

Du coup, c'est moi qui l'ai embrassé sur la joue avant de poser ma tête sur son épaule.

« Tu sais quoi ? » lui ai-je dit.

Il a entremêlé ses doigts avec les miens.

« Quoi ? »

« Tu es ma personne préférée. »

Je l'ai senti rire un peu et ça m'a soulagée.

« Sur combien de gens ? » a-t-il demandé.

« Tout le monde. »

Il m'a embrassée sur la tête avant de répondre : « Toi aussi tu es ma préférée, Lily. Et de loin. »

Quand le bus s'est arrêté dans ma rue, Atlas ne m'a pas lâchée pour descendre.

Il marchait devant moi, si bien qu'il ne m'a pas vue quand je me suis retournée pour faire un doigt d'honneur à Katie.

Je n'aurais sans doute pas dû faire ça, mais j'ai été récompensée par son regard.

En arrivant chez moi, il a pris la clef que je tenais à la main pour ouvrir lui-même la porte. Ça me faisait drôle de voir à quel point il s'y sent à l'aise. Il a refermé derrière nous. Et là, on s'est aperçus que la lumière ne fonctionnait pas. J'ai regardé par la fenêtre et vu un camion au bout de la rue, arrêté devant les lignes électriques. Du coup, on ne pouvait pas regarder votre talk-show. Je n'en étais pas plus dérangée que ça, ainsi on pourrait flirter pendant une heure et demie.

« Ton four fonctionne au gaz ou à l'électricité ? » a-t-il demandé.

« Au gaz. »

Il a enlevé ses chaussures (qui provenaient aussi de mon père) avant de se diriger vers la cuisine. « Je vais te préparer quelque chose. »

« Tu sais faire la cuisine ? »

Il a ouvert le réfrigérateur pour se mettre à fouiller dedans. « Ouais. Ça me plaît sans doute autant que toi le jardinage. » Il a sorti plusieurs aliments, allumé le four pour le mettre en préchauffage. Adossée au comptoir, je le regardais. Il n'a même pas consulté une recette. Il ne faisait que verser des trucs dans des bols et les mélanger, sans rien mesurer. Je n'ai jamais vu mon père lever le petit doigt dans la cuisine. Je suis à peu près sûre qu'il ne saurait seulement pas préchauffer un four. Je croyais que la plupart des hommes étaient comme ça, mais Atlas me prouvait le contraire.

« Qu'est-ce que tu fais ? » lui ai-je demandé.

« Des cookies. » Trempant une cuillère dans le mélange, il l'a remplie puis portée à ma bouche. Moi qui raffole des cookies, je n'avais jamais rien mangé d'aussi bon.

« Ouah ! » ai-je dit en me léchant les lèvres.

Il a reposé le bol près de moi pour m'embrasser. La pâte à cookies et la bouche d'Atlas… Un paradis. J'ai laissé échapper un gémissement, il a ainsi compris quel plaisir il me procurait et ça l'a fait rire. Mais il n'a pas arrêté de m'embrasser pour autant. J'étais trop émue de le voir si heureux. Ça me donnait envie de découvrir tout ce qu'il aimait dans ce monde et de le lui offrir. Je commençais à me demander si je l'aimais. Je n'avais jamais eu de petit copain avant lui, je n'avais donc rien à quoi comparer mes sensations. En fait, je n'avais jamais cherché ce genre de relation avant Atlas. Sans doute car le foyer dans lequel j'évolue ne me donne pas un exemple très tentant de la façon dont un homme devrait traiter sa compagne ; si bien que, jusqu'ici, je ne croyais pas beaucoup aux bonnes relations avec les autres.

Je ne savais pas si je ferais un jour confiance à un garçon. La plupart du temps, je déteste les hommes car l'exemple que m'en donne mon père n'a rien de séduisant. Mais, à présent que je passe tout ce temps avec Atlas, je commence à changer d'avis. Pas à fond, je ne me fie toujours pas à la plupart des gens. Mais lui me permet de croire qu'il existe peut-être des exceptions.

Il a cessé de m'embrasser pour reprendre son bol et aller en étaler le contenu sur deux plaques couvertes de papier sulfurisé. « Tu veux que je te montre un truc avec les fours à gaz ? » m'a-t-il demandé.

Je ne suis pas certaine d'avoir beaucoup aimé la cuisine jusque-là mais, quelque part, il me donnait envie d'apprendre tout ce qu'il savait. Ça devait venir de son bonheur apparent quand il en parlait.

« Il y a des coins plus chauds dans les fours à gaz », a-t-il dit en glissant les plaques à l'intérieur. « Il faut donc retourner les plaques pour offrir une cuisson régulière. Tandis qu'avec une pierre à pizza, tu obtiendras une cuisson plus uniforme. »

Revenant vers moi, il a placé ses mains sur mes hanches. L'électricité est revenue alors qu'il ouvrait le col de mon chemisier. Il m'a embrassée sur l'épaule, toujours au même endroit, en laissant glisser ses mains dans mon dos. Juré, quelquefois, même quand il n'est pas là, je sens ses lèvres se promener à cet endroit.

Il allait m'embrasser sur la bouche quand on a entendu une voiture s'approcher et la porte du garage se soulever. Je me suis mise à inspecter la cuisine comme une malade, mais il a posé les mains sur mes joues pour récupérer mon attention.

– Surveille les cookies. Ils seront prêts dans vingt minutes.

Là-dessus, il m'a embrassée sur les lèvres et puis m'a lâchée, avant de se précipiter dans le salon pour y récupérer son sac à dos. Il franchissait la porte du fond quand le moteur de la voiture de mon père s'est arrêté.

Je rassemblais tous les ingrédients lorsqu'il est entré directement du garage à la cuisine. Il a regardé autour de lui, aperçu la lumière du four.

« Tu prépares quelque chose ? » a-t-il demandé.

J'ai fait oui de la tête car mon cœur battait trop fort ; je mourais de peur qu'il n'entende ma voix trembler. J'ai ainsi nettoyé le comptoir alors qu'il était parfaitement propre, avant de m'éclaircir la gorge pour répondre : « Des cookies. Je prépare des cookies. »

Posant sa serviette sur la table de la cuisine, il est allé se servir une bière dans le réfrigérateur.

« Il y a eu une coupure d'électricité », ai-je encore dit. « Comme je m'ennuyais, j'ai décidé de faire des gâteaux en attendant qu'elle revienne. »

Mon père s'est assis devant la table et m'a bombardée de questions sur le lycée au cours des dix minutes qui ont suivi ; il voulait savoir si je m'y plaisais et si j'envisageais d'aller ensuite à l'université. Il y avait de ces moments, quand on se retrouvait seuls tous les deux, où j'imaginais ce que ce pouvait être d'avoir un père normal. Si je le détestais la plupart du temps, j'appréciais ces rares moments avec lui. Si seulement il se comportait toujours comme ça ! Les choses seraient bien différentes. Pour nous tous.

J'ai tourné les cookies comme me l'a conseillé Atlas et, à la fin de la cuisson, je les ai sortis du four. J'en ai pris un et l'ai tendu à mon père. Je n'aimais pas me montrer aussi gentille avec lui. J'avais presque l'impression de gâcher l'un des gâteaux d'Atlas.

« Eh bien ! Ils sont excellents, Lily. »

« Je les ai préparés pour l'école. Tu n'en auras donc qu'un seul. » Ensuite, je les ai laissés refroidir afin de les déposer dans un Tupperware et de les emporter dans ma chambre. Je n'avais même pas envie de les goûter en l'absence d'Atlas. J'ai donc attendu un peu plus tard dans la soirée, quand il est arrivé.

« Tu aurais dû en déguster un pendant qu'ils étaient chauds », m'a-t-il dit. « C'est là qu'ils sont meilleurs. »

« Je ne voulais pas en manger sans toi. » On était assis sur mon lit, adossés au mur, et on a avalé la moitié de la boîte. Je lui ai dit qu'ils étaient délicieux, sans préciser que c'étaient les meilleurs de ma vie. Je ne voulais pas trop le flatter non plus. J'aimais bien sa modestie.

Alors que je voulais en prendre un autre, il a écarté la boîte du lit, fermé le couvercle. « Si tu en manges trop, tu vas te rendre malade et tu n'aimeras plus mes cookies. »

« Impossible ! » ai-je répondu en riant.

Il a bu une gorgée d'eau et s'est levé.

« J'ai préparé quelque chose pour toi, » a-t-il dit en fouillant dans sa poche.

« Encore des cookies ? »

Dans un sourire, il a ressorti son poing fermé, j'ai ouvert ma paume dessous et il y a jeté quelque chose de dur. C'était un petit anneau de bois en forme de cœur, de la taille d'un pendentif.

Je l'ai caressé en essayant de garder mon calme. Cet objet ne ressemblait en rien aux cœurs tels qu'on les représentait habituellement. Il était juste un peu incurvé, avec un espace ouvert sur le dessus. Je ne savais pas quoi dire. J'ai laissé Atlas s'asseoir sur le lit, sans me retourner ; j'étais tellement fascinée que je n'arrivais même pas à le remercier.

« Je l'ai sculpté dans une branche », a-t-il murmuré. « Une branche du chêne de ton jardin. »

Juré, Ellen, je n'aurais jamais cru aimer quelque chose à ce point. À moins que je n'aie pas ressenti ça pour ce cadeau, mais pour lui. Tout en serrant ce cœur au creux de ma main, j'ai embrassé Atlas si fort qu'il en est tombé sur le lit. D'un coup de jambe, je l'ai enfourché et il m'a attrapé la taille en souriant contre mes lèvres.

« Je vais te creuser une maison dans ce chêne », a-t-il alors dit, « si c'est le genre de remerciement que j'en tirerai. »

Ça m'a fait pouffer de rire.

« Arrête d'être si parfait ! Tu es déjà ma personne préférée, mais maintenant tu enlèves toute chance aux autres humains, car aucun ne pourra te rattraper. »

Je regardais encore le cœur en me disant que c'était un cadeau sans arrière-pensée ; pourtant, quelque part, j'avais peur que ce soit pour que je me souvienne de lui quand il sera parti à Boston. Je ne voulais pas me souvenir de lui ; ça signifierait qu'il ne ferait plus partie de ma vie. Je ne veux pas qu'il parte pour Boston, Ellen. Je sais que c'est très égoïste de ma part parce qu'il ne va pas vivre éternellement dans cette maison. Je ne sais pas ce qui me fait le plus peur. Le voir partir ou égoïstement le supplier de rester.

Il faudrait qu'on en parle. Je vais lui demander ce qu'il compte faire à Boston dès ce soir, quand il reviendra. Je ne voulais pas aborder ce sujet avant, cette journée était trop parfaite.

– Lily

Chère Ellen,

Nage droit devant toi. Nage droit devant toi.

Il part pour Boston.

Je n'ai pas trop envie d'en parler.

– Lily

Chère Ellen,

Cette fois, ma mère aura du mal à le cacher.

Mon père sait en général où la frapper pour que ça ne laisse aucun bleu visible. Il serait le premier embêté si les gens apprenaient ce qu'il lui fait. Je l'ai vu lui balancer des coups de pied tout en faisant mine de l'étrangler et de la cogner dans le dos ou dans le ventre, lui tirer les cheveux.

Les rares fois où il la frappe au visage, c'est pour lui donner une gifle, ainsi la trace ne reste pas longtemps.

Mais je ne l'ai jamais vu faire ce qu'il a fait cette nuit.

Ils sont rentrés assez tard. Ils avaient passé le week-end à des réunions de collectivités. Mon père possède une société immobilière et c'est le maire de la ville, ça leur donne quelques obligations, à commencer par les repas de charité. Ce qui est plutôt drôle en soi car il a horreur des bonnes œuvres. Mais il doit sauver la face.

Atlas était déjà dans ma chambre quand ils sont arrivés. Je les ai entendus se disputer dès l'instant où ils ont franchi la porte d'entrée ; ils chuchotaient la plupart du temps, mais j'ai aussi entendu mon père l'accuser d'avoir flirté avec un homme.

Bon, je connais ma mère, Ellen. Jamais elle ne ferait une chose pareille. Peut-être qu'un type l'a regardée, car elle est très belle ; et ça aura rendu mon père jaloux.

Il l'a traitée de putain et le premier coup est parti. J'ai voulu sortir du lit, mais Atlas m'a retenue en me disant de ne pas m'en mêler, que je pourrais prendre un coup. Je lui ai répondu que ça le calmait parfois.

Atlas a insisté, mais finalement, je suis partie vers le salon.

Ellen.

Je…

Il était sur elle.

Ça se passait sur le canapé ; d'une main il lui tenait le cou, de l'autre il soulevait sa robe. Elle essayait de se débattre et moi je restais là, paralysée. Elle le suppliait de la laisser, jusqu'à ce qu'il la frappe en plein visage en lui disant de la fermer. Je n'oublierai jamais ses paroles : « Tu veux qu'on s'occupe de toi ? Je vais m'occuper de toi, moi, tu vas voir ! » Là, elle s'est immobilisée, et je ne l'ai plus entendue que pleurer et supplier : « S'il te plaît, tais-toi, Lily est ici. »

Elle a dit, « S'il te plaît, tais-toi. »

S'il te plaît, tais-toi quand tu me violes, mon chéri.

Ellen, je ne savais pas qu'un être humain était capable de ressentir une telle haine. Et là, je ne parle pas de mon père, mais de moi.

Je me suis rendue à la cuisine, j'ai ouvert un tiroir, j'y ai pris le plus grand couteau que j'ai trouvé… Je ne sais pas comment expliquer ça. C'était comme si je n'habitais plus mon corps. Je me voyais revenir vers le salon, un couteau à la main ; je savais que j'allais m'en servir. Je voulais juste lui faire vraiment peur, pour qu'il la lâche. Mais, à l'instant où j'allais sortir de la cuisine, deux bras m'ont encerclée la taille pour me faire reculer. J'ai lâché le couteau. Mon père ne l'a pas entendu mais ma mère, si. Nos regards se sont croisés à l'instant où Atlas me ramenait vers ma chambre. Une fois à l'intérieur, je me suis mise à le frapper sur la poitrine pour me libérer et y retourner.

Je pleurais, je faisais tout ce que je pouvais pour l'écarter de mon chemin, mais il ne bougeait pas.

« Lily, calme-toi ! » Il n'arrêtait pas de répéter ça et il m'a tenue assez longtemps pour que je comprenne qu'il ne me laisserait pas repartir ni reprendre ce couteau.

Il est passé par-dessus le lit pour récupérer son manteau et mettre ses chaussures. « On va partir par-derrière », a-t-il dit. « On va appeler la police. »

La police.

Ma mère m'avait plusieurs fois prévenue de ne jamais appeler la police ; parce que ça pourrait compromettre la carrière de mon père. Mais franchement, là, ça m'était bien égal. Je me fichais qu'il soit le maire ou que les gens qui l'aiment apprennent cette tendance immonde. Tout ce qui comptait pour moi, c'était ma mère. Alors j'ai enfilé mon manteau, je suis allée chercher des chaussures dans le placard. Quand j'en suis sortie, Atlas regardait la porte de ma chambre.

En train de s'ouvrir.

Ma mère est entrée puis a vivement refermé la porte derrière elle. Je n'oublierai jamais son apparence à ce moment-là, ce sang qui lui coulait du coin de la lèvre, cet œil déjà gonflé, cette touffe de cheveux arrachés qui s'accrochait à son épaule. Elle a regardé Atlas, puis moi.

Je n'ai pas eu peur qu'elle me surprenne ici avec un garçon. Ça n'avait aucune importance. Je m'inquiétais juste pour elle. Je me suis précipitée pour lui prendre les mains et l'amener vers mon lit. J'ai écarté ses cheveux de son épaule et de son front.

« Il va appeler la police, maman. D'accord ? »

Elle a écarquillé les yeux puis s'est mise à secouer la tête. « Non ! Surtout pas, non ! »

Il était déjà devant la fenêtre, sur le point de partir, quand il s'est arrêté net, m'a interrogée du regard.

« Il est ivre, Lily », a-t-elle expliqué. « Il a entendu ta porte se fermer, alors il est allé dans notre chambre. Il a arrêté. Lily, si tu appelles la police, ça ne fera qu'aggraver les choses, crois-moi. Laisse-le dormir un peu, il sera calmé demain. » J'ai senti les larmes me couler des yeux. « Maman, il a voulu te violer ! » Quand j'ai dit ça, elle a baissé la tête en frémissant. « Ce n'est pas ça, Lily. On est mariés et parfois, le mariage, c'est… Tu es trop jeune pour comprendre. » Je n'ai pas répondu tout de suite, jusqu'à ce que je marmonne : « J'espère bien que ça ne m'arrivera jamais. »

Là, elle s'est mise à pleurer. Elle s'est pris la tête entre les mains en sanglotant et tout ce que j'ai pu faire, ça a été de me jeter dans ses bras pour pleurer avec elle. Je ne l'avais jamais vue dans cet état. Bouleversée, si blessée, si effrayée. Ça m'a brisé le cœur, Ellen.

Ça m'a brisée.

Quand elle a commencé à se calmer, j'ai regardé autour de nous. Atlas était parti. On est allées à la cuisine et je l'ai aidée à nettoyer sa bouche et son œil. Elle n'a rien dit pour Atlas. Pas un mot. Je me suis rendu compte qu'elle ne s'en était sans doute même pas aperçue. Parce que c'est ainsi qu'elle fonctionne. Ce qui lui fait mal, elle le balaie sous le tapis pour l'oublier.

– Lily

Chère Ellen,

Je crois que je suis enfin prête à parler de Boston, maintenant.

Il est parti aujourd'hui. J'ai tellement battu mes cartes que j'en ai mal aux mains. J'ai peur, si je n'arrive pas à exprimer ce que je ressens sur le papier, de devenir folle à garder tout ça pour moi. Notre dernière nuit ne s'est pas bien passée. Au début, on s'est beaucoup embrassés, mais on était tous les deux trop tristes pour y faire attention. Pour la deuxième fois en deux jours, il m'a dit qu'il avait changé d'avis et qu'il ne partait plus. Il ne voulait pas me laisser seule dans cette maison. Mais j'ai vécu avec mes parents pendant presque seize ans. C'était idiot de sa part de refuser un toit pour rester S.D.F., surtout à cause de moi. On le savait tous les deux mais ça fait mal quand même.

J'essayais de ne pas me sentir trop triste, si bien qu'on était là, allongés tous les deux, quand je lui ai demandé de me parler de Boston. Je lui ai dit qu'un jour, après mes études, j'irais peut-être là-bas.

Il m'a soudain dévisagée d'un regard que je ne lui avais jamais vu ; comme s'il allait parler du paradis. Il m'a raconté comment, là-bas, les gens s'exprimaient avec un accent fabuleux, et quand il l'a imité, j'ai failli lui dire qu'il l'avait, parfois, lui aussi. En fait, il y avait vécu de neuf ans à quatorze ans. Rien d'étonnant à ce qu'il l'ait capté lui aussi. Il m'a parlé de son oncle, qui habite dans un immeuble avec un super toit terrasse.

« Il y en a beaucoup, là-bas. Parfois on y trouve même des piscines. »

Plethora, dans le Maine, ne comptait pas un seul immeuble assez grand pour s'offrir un toit terrasse. Je ne savais pas quel effet ça pouvait faire de grimper aussi haut. Je lui ai demandé s'il était déjà allé sur l'un d'eux, et il a dit oui. Que ça lui était arrivé parfois, quand il était petit. Il aimait bien s'y asseoir et admirer la ville en contrebas.

Il m'a aussi parlé de la nourriture. Je savais déjà qu'il aimait faire la cuisine, mais j'ignorais à quel point ça le passionnait. Sans doute parce qu'il n'avait plus accès à un four depuis longtemps, si bien qu'il ne m'en avait rien dit avant de me préparer ces cookies.

Il m'a également parlé du port et comment, avant que sa mère ne se remarie, elle l'emmenait parfois pêcher. « À vrai dire, Boston n'est sans doute pas différente d'autres grandes villes. Il n'y a pas grand-chose pour l'en distinguer. C'est juste que… je ne sais pas. Il y a une sorte de vibration, une belle énergie. Les gens qui habitent Boston en sont fiers. Parfois, ça me manque. »

« À t'entendre, on dirait que c'est la plus belle ville du monde. À croire que tout va bien à Boston. »

« Tout y va beaucoup mieux qu'ailleurs. Sauf les filles, puisque tu n'y es pas. »

Ça m'a fait rougir. Alors il m'a embrassée avec tendresse et je lui ai répondu :

« Attends que j'y mette les pieds. Un jour, j'irai vivre là-bas et je te retrouverai. »

Il me l'a fait promettre, en disant que si je m'y installais, tout deviendrait complètement génial là-bas et que ce serait vraiment la plus extraordinaire ville du monde. On s'est encore embrassés, et on a fait d'autres choses avec lesquelles je ne vais pas vous ennuyer. Encore qu'elles n'avaient rien d'ennuyeux.

Pas vraiment.

Mais, ce matin, il a bien fallu que je lui dise au revoir. Et là, il m'a trop embrassée ; sûr, s'il partait, j'en mourrais.

Mais je ne suis pas morte. Parce qu'il est parti et que je suis toujours là. Toujours vivante. Toujours à respirer.

À peine.

– Lily

Je passe à la page suivante mais finis par fermer brusquement le cahier. Il ne me reste qu'un épisode à lire et je n'en ai pas trop envie pour le moment. Ni jamais. Je range le journal dans mon placard ; mon histoire avec Atlas s'achève là. Il est heureux, maintenant.

Je suis heureuse, maintenant.

Le temps finit toujours par guérir les blessures.

Enfin, la plupart.

J'éteins ma lampe, prends mon téléphone.

Je m'aperçois que j'ai manqué deux messages de Ryle et un de ma mère.

Ryle : Salut. La vérité toute nue commence dans 3... 2...

Ryle : Je craignais qu'une relation n'ajoute à mes responsabilités. C'est pourquoi je les ai fuies toute ma vie. J'avais déjà trop à faire, et quand je vois dans quel stress le mariage a plongé mes parents, sans compter les amis qui ont raté le leur, je n'avais aucune envie de me laisser piéger à mon tour. Mais, depuis ce soir, je me rends compte que c'est sans doute la faute des gens eux-mêmes. Parce que ce qui se passe entre nous ne me donne aucune impression de responsabilité, plutôt d'une récompense. Et je vais m'endormir en me demandant ce que j'ai pu faire pour la mériter.

Je pose le téléphone sur ma poitrine en souriant. Puis je fais une capture d'écran pour garder ce texto. Après quoi j'ouvre le troisième message.

Maman : Un médecin, Lily ? ET ta propre entreprise ? Quand je serai grande, je voudrais être toi.

Je capture également celui-ci.

CHAPITRE 12

– Que fais-tu à ces pauvres fleurs ? demande Allysa derrière moi.

Je boucle un autre anneau argenté sur la tige.

– Steampunk.

On recule pour admirer le bouquet. Du moins… j'espère qu'elle l'admire. Il s'avère beaucoup plus beau que je ne l'aurais cru. J'ai utilisé de la teinture de fleuriste pour colorer des roses en mauve foncé, puis j'ai décoré les tiges avec des éléments steampunk, comme de fines rondelles de métal, et aussi collé une petite montre sur la courroie de cuir qui retient le bouquet.

– *Steampunk* ?

– C'est une mode. Une sorte de sous-genre de fiction mais qui intervient aussi dans d'autres domaines, l'art, la musique. Et maintenant… les fleurs.

Allysa prend le bouquet, le tient devant elle.

– Ça fait très… étrange. J'adore. Je peux le prendre ?

– Non, dis-je en le récupérant. C'est notre inauguration demain. Il n'est pas à vendre.

Je le dépose dans le vase que j'ai fabriqué hier à partir d'anciennes bottes à boutons achetées la semaine dernière à un marché aux puces. Elles me rappelaient le style steampunk et ce sont elles, d'ailleurs, qui m'ont donné cette idée de bouquet. J'ai lavé les bottes, les ai séchées puis collées avec des pièces de métal. Ensuite, je les ai vernies et j'ai pu y glisser un vase où verser l'eau des fleurs.

– Allysa ? dis-je en les plaçant au milieu de la vitrine. J'ai l'impression que j'ai trouvé ma vocation.

– Steampunk ?

Je me retourne en riant :

– La création !

Et je tourne l'enseigne sur *ouvert* avec un quart d'heure d'avance.

On passe une journée beaucoup plus occupée que prévu. Entre les commandes par téléphone, par Internet et les clients venus choisir sur place, on n'a même pas le temps de déjeuner.

– Il te faudrait d'autres employés, dit Allysa à treize heures avec deux bouquets dans les bras.

– Il te faudrait d'autres employés, me dit-elle à quatorze heures en prenant une commande au téléphone tout en rendant la monnaie à un client.

Marshall passe nous voir vers quinze heures et demande comment ça va.

– Il lui faudrait d'autres employés, répond Allysa.

J'aide une femme à porter un bouquet dans sa voiture à seize heures et, en rentrant, je croise Allysa qui sort armée d'un autre bouquet.

– Il te faudrait d'autres employés, lance-t-elle encore, exaspérée.

À dix-huit heures, elle ferme et retourne l'enseigne, s'adosse à la porte et se laisse glisser par terre, les yeux levés sur moi.

– Je sais, lui dis-je, il me faudrait d'autres employés.

Elle hoche la tête.

On éclate de rire. Je viens m'asseoir près d'elle et on penche la tête l'une vers l'autre, puis on regarde le magasin. Les fleurs steampunk occupent toujours le centre et, bien que j'aie refusé de vendre ce bouquet-là, on a reçu huit précommandes pour quelque chose d'équivalent.

– Tu es géniale, Lily !

– Je n'aurais rien pu faire sans toi, Issa.

On reste là encore quelques minutes, contentes de pouvoir enfin reposer nos pieds. Franchement, je viens de passer l'une des plus belles journées de ma vie, mais je ne peux m'empêcher d'éprouver une certaine tristesse à l'idée que Ryle ne soit pas venu. Il n'a même pas envoyé de SMS.

– Tu as eu des nouvelles de ton frère aujourd'hui ?

– Non, mais je suis sûre qu'il était trop occupé.

Oui… je m'en doute.

On relève la tête ensemble quand on entend frapper à la porte. C'est lui, les mains collées autour des yeux pour tâcher de distinguer quelque chose à l'intérieur de la boutique. Finalement, il nous aperçoit, toujours assises par terre.

– Quand on parle du loup… dit Allysa.

Je saute sur mes pieds pour lui ouvrir et il entre aussitôt, me prend dans ses bras.

– J'ai raté la fête ? Ah oui, désolé. J'ai fait de mon mieux pour arriver au plus vite.

À mon tour, je le serre contre moi.

– C'est bon, tu es là. Journée parfaite.

Je suis folle de joie qu'il ait pu venir.

– C'est toi qui es parfaite, dit-il en m'embrassant.

Allysa passe devant nous en nous imitant :

– *C'est toi qui es parfaite*… Hé, Ryle, devine ?

– Quoi ?

Elle attrape la poubelle, la vide sur le comptoir.

– Lily a besoin d'autres employés.

Je me mets à rire et Ryle me serre la main.

– On dirait que les affaires marchent.

– Je ne peux pas me plaindre ; enfin… je ne suis pas chirurgien du cerveau, mais je me débrouille bien dans mon domaine.

– Vous voulez que je vous aide à faire le ménage ? plaisante-t-il.

On le prend au mot et il participe au nettoyage, si bien qu'on a vite fini de tout préparer pour demain. Marshall arrive à l'instant où l'on s'apprête à partir. Il apporte un sac, l'ouvre sur le comptoir et en sort plusieurs grosses pièces d'étoffe qu'il dépose devant chacun de nous.

Des pyjamas.

Imprimés de chatons.

– Match des Bruins. Bière gratos. On s'habille, les gars !

– Marshall, maugrée Allysa, tu as gagné six millions de dollars cette année. Tu crois qu'on a besoin de bière gratuite ?

Il lui pose un doigt sur les lèvres et l'entraîne à l'écart.

– Chut ! Ne parle pas comme une gosse de riche, Issa. C'est du blasphème.

Elle rit et il lui prend le pyjama une pièce des mains, le lui ouvre pour l'aider à entrer dedans. Une fois qu'on est tous habillés, on ferme la boutique à clef et on se dirige vers le bar.

Incroyable. Je n'ai jamais vu autant d'hommes en pyjama de ma vie. Allysa et moi sommes les seules femmes mais, quelque part, j'aime ça. Ils parlent fort, font du bruit, hurlent chaque fois que les Bruins effectuent une belle phase de jeu. Allysa et moi devons plusieurs fois nous couvrir les oreilles. Au bout d'une demi-heure, un box se libère au premier étage et on se précipite tous pour en profiter.

– Beaucoup mieux, commente Allysa.

L'ambiance y est nettement plus calme, même si elle reste assez bruyante.

Une serveuse vient prendre nos commandes. Je choisis du vin rouge, faisant sursauter Marshall.

– Du vin ? Ils ne font pas de verre de vin gratos !

Il dit à la serveuse de m'apporter de la bière. Ryle intervient en commandant du vin pour moi. Allysa veut de l'eau, ce qui ne fait qu'énerver encore plus Marshall. Il dit à la serveuse d'apporter quatre bouteilles de bière, et là, Ryle lance :

– Deux bières, un verre de vin et une bouteille d'eau.

La serveuse n'y comprend plus rien mais finit par s'éloigner.

Marshall prend Allysa dans ses bras, l'embrasse.

– Comment je te mets en cloque ce soir si tu n'es pas un peu bourrée ?

L'expression d'Allysa change brusquement et je me sens gênée pour elle. Je sais que Marshall voulait juste plaisanter, mais ça doit la déranger. Il y a quelques jours, elle me racontait combien elle était désespérée de ne pas avoir d'enfant.

– Je ne peux pas prendre de bière, Marshall.

– Alors bois au moins du vin. Tu m'aimes encore plus quand tu es pompette.

Il s'esclaffe, mais pas Allysa.

– Je ne peux pas non plus prendre de vin. Ni une goutte d'alcool en fait.

Marshall ne rit plus.

Mon cœur fait un bond.

Marshall se tourne vers elle, la prend par les épaules.

– Allysa ?

Elle se met à hocher la tête et je ne sais pas qui commence à pleurer le premier, moi, Marshall ou Allysa.

– Je vais être papa ? crie-t-il.

Elle hoche toujours la tête et je me plie en deux comme une idiote. Marshall bondit sur la banquette en hurlant :

– Je vais être papa !

Je n'ai pas de mots pour dire à quoi tout ça ressemble : cet adulte en pyjama une pièce, en train de sautiller dans son box en braillant. Il la prend dans ses bras et tous deux se retrouvent debout sur la banquette. Il l'embrasse, nous offrant la plus charmante scène que j'aie jamais vue.

Jusqu'à ce que je regarde Ryle, en train de se mordiller la lèvre et de ravaler ses larmes. Il se tourne vers moi, voit que je le regarde, se détourne.

– La ferme, c'est ma sœur.

Je l'embrasse sur la joue.

– Félicitations, oncle Ryle !

Une fois que les futurs parents arrêtent de s'embrasser, Ryle et moi nous levons pour les féliciter. Allysa explique alors qu'elle avait des nausées depuis un moment mais qu'elle n'a fait son test de grossesse que ce matin, avant l'inauguration. Elle comptait attendre le soir pour prévenir Marshall, mais elle n'a pas pu patienter une seconde de plus.

Nos boissons arrivent et nous commandons nos plats. Une fois que la serveuse est repartie, je demande à Marshall :

– Comment vous êtes-vous rencontrés, tous les deux ?

– Allysa te le racontera mieux que moi.

Celle-ci ne se fait pas prier :

– Je détestais ce mec. C'était le meilleur ami de Ryle, il était toujours fourré à la maison. Je le trouvais très ennuyeux. Il venait de Boston et se croyait irrésistible avec son accent, alors que j'avais envie de le gifler chaque fois que je l'entendais parler.

– Elle est exquise ! lâche son mari.

– Tu n'étais qu'un crétin, rétorque-t-elle en levant les yeux au ciel. Et voilà qu'un jour, avec Ryle, on a reçu des amis à la maison. Rien d'extraordinaire, mais nos parents passaient la soirée en ville, alors on en a profité.

– Ils sont venus au moins à trente, dit Ryle. Une vraie réception.

– Bon, si tu veux. Quand je suis entrée dans la cuisine, j'ai trouvé Marshall collé contre une espèce de pouffiasse.

– Ce n'était pas une pouffiasse, proteste celui-ci, mais une gentille fille. Elle avait un goût de chips, mais…

Allysa lui jette un regard noir pour qu'il se taise, puis poursuit :

– J'ai pété un câble et je me suis mise à lui crier dessus, qu'il emmène ses putes chez lui. La fille semblait tellement terrifiée qu'elle a couru vers la porte pour ne jamais revenir.

– Rabat-jouir, maugrée-t-il.

Elle lui envoie une tape sur l'épaule.

– Toujours est-il qu'après l'avoir empêché de jouir, j'ai couru dans ma chambre, trop gênée d'avoir piqué ma crise. C'était de la pure jalousie et il a fallu que je le voie tripoter une fille pour me rendre compte qu'il m'attirait tant. Je me suis jetée sur mon lit en pleurant. Quelques minutes plus tard, il est entré en me demandant si ça allait. Et là, je lui ai crié : « Tu me plais trop, connard de tête de nœud ! »

– Et on connaît la suite… conclut Marshall.

– Ouille ! dis-je en riant. Connard de tête de nœud. Trop mignon !

Ryle lève le doigt :

– Tu oublies la meilleure.

– Ah oui ! embraye Allysa. Donc Marshall est venu me tirer du lit pour m'embrasser de cette bouche qui léchouillait la pouffiasse trois minutes avant, et on s'est câlinés comme ça pendant une bonne demi-heure. Jusqu'à ce que Ryle tombe sur nous et se mette à engueuler Marshall qui l'a fichu dehors ; après quoi, Marshall a fermé la porte à clef et on a continué comme ça pendant encore une heure.

– Trahi pas mon meilleur ami, se lamente Ryle.

– Elle me plaît trop, connard de tête de nœud.

J'éclate de rire, mais Ryle se tourne vers moi, l'air sérieux :

– J'étais tellement furieux que je n'ai plus adressé la parole à Marshall pendant un mois. Mais bon, on avait dix-huit ans, elle dix-sept. Je ne pouvais pas faire grand-chose pour les empêcher de se voir.

– Ouah ! Je ne savais pas que vous étiez presque du même âge.

– Trois enfants en trois ans, observe Allysa en souriant. J'en suis navrée pour mes parents.

Le calme retombe sur la table et je vois le frère et la sœur échanger des regards d'excuse. Je demande alors :

– Trois ? Vous avez encore un frère ou une sœur ?

Ryle se redresse, avale une gorgée de bière, repose sa bouteille avant de répondre :

– Un frère aîné. Il est mort quand on était encore gamins.

Cette belle soirée gâchée par une simple question. Coup de chance, Marshall détourne la conversation comme un pro.

Je passe le reste de la soirée à écouter des histoires sur leur enfance. Et les éclats de rire repartent de plus belle.

On remonte la rue pour regagner nos voitures. Comme Ryle était arrivé en Uber, il va rentrer avec moi. Avant le départ d'Allysa, je lui demande d'attendre une seconde, puis j'entre dans la boutique pour prendre le bouquet steampunk et l'apporter devant leur voiture. Allysa m'accueille d'un sourire éclatant quand je le lui donne.

– Je suis si contente que tu sois enceinte ! Mais ce n'est pas pour ça que je t'offre ces fleurs.

Je veux juste qu'elles te reviennent. Parce que tu es ma meilleure amie.

Elle me serre dans ses bras et me murmure à l'oreille :

– J'espère qu'il t'épousera un jour. Comme ça, on sera sœurs.

Elle grimpe dans la voiture qui démarre aussitôt et je la suis des yeux en me demandant si j'ai jamais eu une amie comme elle dans toute ma vie. C'est peut-être le vin qui me fait cet effet. Je ne sais pas, mais j'adore cette journée. Tout ce qu'il s'est passé. Surtout l'allure de Ryle, adossé à ma voiture, en train de me regarder.

– Tu es vraiment jolie quand tu es heureuse.

Ouah ! Quelle journée ! Parfaite !

***

On grimpe vers mon appartement quand, tout d'un coup, Ryle me prend par la taille et me plaque contre le mur puis se met à m'embrasser, comme ça, en plein dans l'escalier.

– Quel impatient !

Ça le fait rire et il englobe mes fesses de ses deux mains.

– Non, c'est cette grenouillère. Tu devrais t'habiller comme ça dans ta boutique.

Il m'embrasse encore, ne s'arrête même pas quand quelqu'un nous croise en descendant.

– Beaux pyjamas, marmonne le gars en passant. Les Bruins ont gagné ?

– Trois à un, répond Ryle sans le regarder.

– Cool !

Une fois qu'il est parti, je me dégage de Ryle.

– C'est quoi, ce truc de grenouillère ? Tous les hommes de Boston connaissent ça ou quoi ?

– Attends, bière gratuite, Lily ! s'écrie-t-il en riant.

Il m'entraîne vers ma porte et, dès l'entrée, j'aperçois Lucy, dans la cuisine, en train de fermer l'un de ses cartons. Il y en a un à côté d'elle, encore entrouvert sur un bol que je jurerais avoir acheté il y a quelque temps. Elle disait qu'elle aurait emporté toutes ses affaires la semaine prochaine, mais j'ai l'impression qu'elle y ajouterait quelques-unes des miennes par la même occasion.

– Vous êtes qui ? demande-t-elle à Ryle en le dévisageant des pieds à la tête.

– Ryle Kincaid. Le copain de Lily.

Le copain de Lily.

Vrai de vrai ?

Copain.

C'est la première fois qu'il le confirme, et il l'a dit sans hésiter.

– Mon copain ?

J'entre dans la cuisine pour y prendre une bouteille et deux verres. Il arrive derrière moi, me saisit par la taille alors que je verse le vin.

– Ouais, ton copain.

Je lui tends un verre.

– Alors, je suis une copine ?

Il m'invite à trinquer :

– À la fin de notre coup d'essai et au début des choses sérieuses.

On se sourit et on commence à boire.

Lucy emporte les deux cartons vers l'entrée.

– On dirait que je pars juste à temps, observe-t-elle.

La porte se ferme derrière elle et Ryle, amusé, hausse un sourcil.

– J'ai vraiment l'impression que ta coloc ne m'aime pas beaucoup.

– En fait, je croyais qu'elle ne m'aimait pas non plus et, hier, elle m'a demandé d'être sa demoiselle d'honneur à son mariage. Bon, je suppose qu'elle espère avoir ainsi des fleurs gratuites. Elle est très opportuniste.

Ryle éclate de rire jusqu'à ce que ses yeux tombent sur un magnet du réfrigérateur où est écrit le mot « Boston ». Il le décolle pour le regarder de plus près.

– Tu ne sortiras jamais du purgatoire de Boston si tu en gardes des souvenirs sur ton frigo comme une touriste.

Je le récupère en riant, le remets à sa place. Ainsi, Ryle se rappellera chaque détail de notre première soirée.

– C'était un cadeau. Ça ne ferait de moi une touriste que si je l'avais acheté moi-même.

Il revient prendre mon verre et les dépose tous les deux sur le comptoir pour me donner un baiser aussi profond que passionné et enivré. Je sens encore la saveur fruitée du vin sur sa langue et j'aime ça. Sa main se pose sur la fermeture de mon pyjama.

– Tu vas m'ôter ces vêtements.

Il m'entraîne vers la chambre en m'embrassant tandis qu'on essaie de se débarrasser de tout ce qu'on a sur le dos. Arrivée devant mon lit, je suis en slip en en soutien-gorge.

Il me plaque contre la porte et je pousse un soupir, comme si je ne m'y attendais pas.

– Ne bouge pas, dit-il.

Il pose les lèvres sur ma poitrine puis m'embrasse tout le long du corps.

Mon Dieu ! Qu'y a-t-il de meilleur dans la vie ?

Je lui passe doucement les mains dans les cheveux mais il m'attrape les poignets, les plaque sur la porte, remonte sur mon corps tout en retenant fermement mes bras, prend un air sévère :

– J'ai dit… ne bouge pas.

J'ai du mal à réprimer un sourire. Il redescend sur mon corps, abaisse lentement mon slip sur mes chevilles. Comme il m'a dit de ne pas bouger, je ne cherche pas à m'en débarrasser.

Sa bouche parcourt ma cuisse jusqu'à…

Oui.

Plus belle.

Journée.

De ma vie.

CHAPITRE 13

Ryle : Tu es chez toi ou encore au travail ?

Moi : Travail. Je devrais avoir fini dans une heure.

Ryle : Je peux venir te voir ?

Moi : Tu sais ce qu'on dit : « Les questions idiotes n'existent pas ». Je conteste. C'était une question idiote.

Ryle : :)

Une demi-heure plus tard, il frappe à la porte de la boutique. Voilà près de trois heures que j'ai fermé, mais je suis toujours là, à essayer de faire le point sur ce premier mois chaotique. La boutique est encore trop récente pour permettre de tirer des conclusions précises de son bilan. Certaines journées sont extraordinaires, d'autres si mornes que je dis à Allysa de rentrer chez elle. Néanmoins, je suis assez contente des résultats.

Et contente de la tournure que prennent les choses avec Ryle.

Je lui ouvre la porte. Il est en courte blouse bleue et il porte encore un stéthoscope autour du cou. Il vient tout droit de l'hôpital. Génial, le look. Chaque fois qu'il se pointe en tenue de travail, j'essaie de réprimer un sourire béat. Je lui donne un rapide baiser puis regagne mon bureau.

– J'ai quelques trucs à terminer et après, on pourra rentrer chez moi.

Il me suit, ferme la porte.

– Tu as un canapé ?

J'ai passé une partie de la semaine à mettre une touche finale à la décoration. J'ai acheté deux lampes pour ne pas avoir à garder allumés les néons éblouissants. Cela donne une douce lumière. J'ai aussi acheté quelques plantes pour mon usage personnel. On n'est pas dans un jardin, mais ça s'en approche autant que possible. Cette pièce a bien changé depuis l'époque où elle servait d'arrière-boutique.

Ryle se laisse tomber tête la première sur le canapé.

– Prends ton temps, murmure-t-il contre le coussin. Je vais sommeiller jusqu'à ce que tu aies terminé.

Parfois, je m'inquiète à l'idée qu'il se tue au travail, mais je ne dis rien. Voilà douze heures maintenant que je suis assise dans ce bureau, alors j'aurais mauvaise grâce à lui reprocher son ambition.

Je passe le quart d'heure suivant à expédier mes dernières commandes. Quand j'ai fini, je ferme mon ordi et me tourne vers Ryle.

Je croyais qu'il dormait, mais non, il est étendu sur le côté, la tête sur la main et me regarde. J'en rougirais presque. Je repousse mon fauteuil et me lève.

– Lily, je crois que je t'aime trop.

Je m'approche de lui en plissant le nez. Il s'assied, m'attire sur ses genoux.

– Trop ? Ça ne ressemble pas à un compliment.

– C'est parce que je ne sais pas si c'en est un.

Il dispose mes jambes autour de lui, m'enveloppe la taille de ses bras.

– C'est ma première vraie relation. Je ne sais pas si je devrais déjà t'aimer tellement. Je ne veux pas te faire peur.

– Comme si ça pouvait arriver ! Tu travailles trop pour m'étouffer.

Il passe ses mains dans mon dos.

– Ça t'ennuie que je travaille tant ?

– Non. Je m'inquiète parfois pour toi, parce que je ne veux pas que tu te brûles les ailes. Mais je n'ai rien contre l'idée de te partager avec ta passion. En fait, j'aime beaucoup ton ambition. C'est très séduisant. C'est peut-être même ce que je préfère chez toi.

– Tu sais ce que j'aime le plus en toi ?

– Ah oui ! Je connais la réponse : ma bouche.

Il repose la tête sur le coussin.

– Oh oui ! Elle vient en premier. Mais tu sais ce qui vient en second ?

Je fais non de la tête.

– Tu n'attends pas de moi des choses dont je suis incapable. Tu m'acceptes exactement tel que je suis.

– À vrai dire, tu es un peu différent de celui que j'ai rencontré. Tu n'es plus anti-petite-amie.

– Grâce à toi, souffle-t-il en glissant une paume sous mon tee-shirt. Tu es facile à vivre. Je peux encore envisager la carrière dont j'ai toujours rêvé, mais tu me facilites infiniment les choses par ton soutien. Quand je suis avec toi, j'ai l'impression d'avoir le beurre et l'argent du beurre.

À présent, ses deux mains sont plaquées dans mon dos. Il m'attire vers lui, m'embrasse. Je souris contre sa bouche en murmurant :

– C'est le meilleur beurre que tu aies goûté ?

Ses doigts remontent vers la fermeture de mon soutien-gorge, qu'il défait facilement.

– J'en suis sûr, mais il faudrait peut-être que j'y goûte encore pour le confirmer.

Il passe mon tee-shirt par-dessus ma tête et enlève mon soutien-gorge. Je commence à reculer un peu pour pouvoir ôter mon jean, mais il me ramène sur ses genoux. Il attrape son stéthoscope, le porte à ses oreilles puis pose le diaphragme sur ma poitrine, juste au-dessus de mon cœur.

– Comment se fait-il que ton cœur batte si fort, Lily ?

Je hausse innocemment les épaules.

– Je pourrais avoir besoin de vous, Docteur Kincaid.

Cette fois, il me soulève pour me faire descendre de ses genoux et m'allonger sur le canapé. Il écarte mes jambes et s'agenouille entre elles, reprend son stéthoscope, écoute de nouveau mon cœur à plusieurs endroits.

– Je dirais que tu en es à quatre-vingt-dix battements par minute, conclut-il.

– C'est bon ou mauvais ?

Tout sourire, il s'allonge sur moi.

– Je serai tout à fait satisfait quand il atteindra les cent quarante.

Sans doute qu'alors je le serai aussi…

Il pose la bouche sur mes seins et je ferme les yeux en sentant sa langue se glisser au milieu. Il me prend dans sa bouche tout en gardant le stéthoscope sur ma poitrine.

– Tu arrives à cent, maintenant, observe-t-il.

Il le remet autour de son cou puis recule, déboutonne mon jean. Une fois qu'il me l'a enlevé, il me retourne et je me retrouve sur le ventre, les bras pendants.

– Mets-toi à genoux, me dit-il.

Le temps que j'obéisse, je sens le froid métal du stéthoscope revenir sur ma poitrine. Cette fois, Ryle m'entoure de ses bras et je demeure immobile tandis qu'il écoute mes battements et glisse son autre main entre mes jambes, sous ma culotte, et puis en moi. Je m'agrippe aux bras du canapé tout en essayant de faire le moins de bruit possible tandis qu'il écoute mon cœur.

– Cent dix, annonce-t-il comme si ce n'était pas suffisant.

Il ramène mes hanches vers lui et je le sens alors se libérer de sa blouse. Il m'attrape une hanche d'une main, écarte mon slip de l'autre. Puis il s'enfonce en moi jusqu'à me pénétrer complètement.

Je m'accroche désespérément au canapé quand il marque une pause pour écouter encore mon cœur.

– Lily, lâche-t-il d'un ton faussement déçu. Cent vingt. Tu n'arrives pas encore à ce que j'attends de toi.

Le stéthoscope disparaît de nouveau et son bras s'enroule autour de ma taille. Ses mains glissent sur mon ventre pour s'introduire entre mes jambes. Je ne tiens plus le rythme. C'est à peine si je tiens sur mes genoux. En quelque sorte, il m'accroche d'une main et me détruit de son mieux de l'autre. Alors que je commence à trembler, il me soulève jusqu'à ce que mon dos se repose sur sa poitrine. Il est encore en moi mais se concentre de nouveau sur mon cœur tout en promenant son stéthoscope sur ma poitrine.

Je laisse échapper une plainte et il pose les lèvres sur mon oreille.

– Chut ! Pas de bruit.

Je ne sais pas comment je parviens à tenir encore trente secondes sans plus émettre un son. Il est toujours en moi, alors que d'une main il me retient et, de l'autre, poursuit ses gestes magiques entre mes jambes. J'essaie de bouger mais il me garde serrée contre lui, alors que des frémissements commencent à me parcourir. Mes jambes tremblent et mes mains restent sur mes côtés, agrippant le haut de ses cuisses et je dois faire appel à toutes mes forces pour ne pas hurler son nom.

Je tremble encore quand il me lève une main et place le diaphragme sur mon poignet. Au bout de quelques secondes, il jette le stéthoscope par terre.

– Cent cinquante, énonce-t-il satisfait.

Il se retire, m'allonge sur le dos et sa bouche se repose sur la mienne tandis qu'il revient en moi.

Mon corps est trop faible pour réagir et je n'arrive même plus à ouvrir les yeux. Il va et vient en moi puis s'immobilise, grognant dans ma bouche avant de tomber d'un seul coup sur moi, tendu et tremblant.

Il m'embrasse doucement dans la nuque, puis ses lèvres rencontrent le cœur tatoué sur mon épaule. Il finit par poser le visage dans mon cou en soupirant :

– Je t'ai déjà dit, ce soir, combien tu me plaisais ?

Je pouffe de rire.

– Une ou deux fois.

– Alors disons-le pour la troisième fois. Tu me plais. Tout en toi me plaît, Lily. Que je sois en toi ou à côté de toi. Tout ça me plaît.

J'adore l'effet que ses paroles produisent sur ma peau. Dans mon cœur. J'ouvre la bouche pour lui en dire autant, mais ma voix est coupée par la sonnerie de son téléphone.

Il pousse un cri exaspéré, puis se détache de moi pour aller regarder son écran.

– C'est ma mère, dit-il en m'embrassant le genou.

Il envoie promener le téléphone, se lève et va prendre une boîte de mouchoirs sur mon bureau.

Ça me fait toujours drôle de devoir nettoyer après un rapport, mais je pense que la présence de sa mère au bout du fil ne fait que rendre l'atmosphère plus bizarre.

Une fois mes vêtements rangés, il m'installe près de lui sur le canapé et je m'étends sur lui, posant la tête sur son torse.

Il est vingt-deux heures passées, maintenant, et je me sens si bien que j'ai presque envie de passer la nuit ici. Le téléphone de Ryle sonne de nouveau. Un autre message. Ça m'amuse de voir comment il se conduit avec sa mère. Allysa parle parfois de ses parents, mais je n'en ai jamais discuté avec Ryle.

– Tu t'entends bien avec tes parents ?

Son bras me caresse doucement.

– Oui, plutôt. Ils sont gentils. On a eu des moments difficiles quand j'étais ado, mais ça s'est bien terminé. Je parle à ma mère presque tous les jours maintenant.

Je croise les bras sur sa poitrine, pose le menton dessus pour mieux le regarder.

– Tu veux bien me parler de ta maman ? Allysa m'a dit qu'ils étaient partis s'installer en Angleterre il y a plusieurs années. Et que là, ils étaient en vacances en Australie, enfin, il y a un mois.

– Maman ? dit-il en riant. Eh bien… elle est plutôt dominatrice, elle a tendance à tout critiquer, surtout ceux qu'elle aime. Elle n'a jamais manqué un office religieux. Et je ne l'ai jamais entendue évoquer mon père autrement que par « le Dr Kincaid ».

Malgré ses avertissements, il sourit tout le temps.

– Ton père aussi est médecin ?

– Oui, psychiatre. Il a choisi une spécialité qui lui permettait de mener une vie normale, en homme avisé.

– Ils viennent parfois vous voir à Boston ?

– Pas trop. Ma mère déteste l'avion, alors, avec Allysa, on va en Angleterre deux fois par an. Elle voudrait bien te rencontrer, au fait. Tu pourrais nous accompagner la prochaine fois.

– Tu as parlé de moi à ta mère ?

– Bien sûr. Quelque part, c'est énorme, tu sais ; moi avec une copine. Elle me téléphone tous les jours pour s'assurer que je n'ai pas tout foiré.

Me voyant rire, il reprend son téléphone :

– Tu crois que je plaisante ? Je te garantis qu'elle a trouvé le moyen de parler de toi dans son dernier message vocal :

« Bonjour, mon chéri ! C'est ta maman. On ne s'est pas parlé depuis hier. Tu me manques. Embrasse Lily pour moi. Tu la vois toujours, n'est-ce pas ? Allysa dit que tu n'arrêtes pas de parler d'elle. C'est toujours ta petite amie, n'est-ce pas ? Bon. Gretchen est là. On prend le thé. Je t'aime. Bisous. »

Je repose le visage sur son torse, ravie.

– Ça ne fait que quelques mois qu'on sort ensemble. Tu parles tant que ça de moi ?

Il me prend la main, l'embrasse.

– Trop, Lily. Beaucoup trop.

– J'ai vraiment très hâte de les rencontrer. Non seulement ils ont élevé une fille extraordinaire, mais ils t'ont fabriqué. Très impressionnant.

Ses bras se serrent autour de moi et il m'embrasse la tête, jusqu'à ce que je lui demande :

– Comment s'appelait ton frère ?

Je le sens frémir et je regrette mon initiative. Trop tard.

– Emerson.

Au son de sa voix, je perçois qu'il n'a pas envie d'en parler pour le moment. Alors je n'insiste pas et préfère l'embrasser.

J'aurais dû m'y attendre. Entre Ryle et moi, il ne saurait être question d'échanger de simples baisers. Quelques minutes plus tard, il est rentré en moi mais, cette fois, tout a changé.

Cette fois, on fait l'amour.

CHAPITRE 14

Mon téléphone sonne. Je décroche pour voir qui c'est et j'en reste interdite. C'est la première fois que Ryle m'appelle. Jusque-là, on se contentait de SMS. Bizarre d'avoir depuis trois mois un copain avec lequel je n'ai jamais parlé au téléphone.

– Allô ?

– Salut, ma copine.

– Salut, mon copain.

– Devine.

– Quoi ?

– Je prends ma journée demain. Ta boutique n'ouvre qu'à treize heures le dimanche. Je viens chez toi avec deux bouteilles de vin. Tu veux bien passer la nuit avec ton copain, baiser jusqu'à plus soif et dormir jusqu'à midi ?

Vraiment gênant l'effet que me font ces paroles. Je réponds :

– Devine.

– Quoi ?

– Je suis en train de te préparer un dîner. Et je porte un tablier.

– Ah oui ?
– Juste un tablier.
Et je raccroche.
Quelques secondes plus tard, je reçois un texto.

Ryle : Photo, stp.

Moi : Arrive et tu pourras la prendre toi-même.

J'ai presque fini de préparer mon ragoût lorsque la porte s'ouvre. Je le verse dans un plat en verre, sans me retourner et j'entends Ryle entrer dans la cuisine. Quand j'ai dit que je portais juste un tablier, c'était la vérité. Je n'ai même pas mis de culotte.

Je l'entends respirer un coup lorsque je me penche vers le four pour y glisser le plat. Bon, j'en rajoute peut-être un peu dans la démo en me mettant à nettoyer la cuisine avec un torchon, en ondulant des hanches autant que possible. Je couine en sentant un pincement sur ma fesse gauche, fais volte-face pour découvrir un Ryle ravi, deux bouteilles à la main.

– Tu m'as mordue, là ?
Il prend l'air innocent.
– Ne tente pas le scorpion si tu ne veux pas être mordue.
Sans cesser de me dévisager de la tête aux pieds, il ouvre une bouteille, la soulève avant de nous verser un verre.
– Elle est millésimée.

– Ah bon ? En quel honneur ?

– Je vais devenir tonton. J'ai une copine canon. Et je vais pratiquer lundi une rarissime chirurgie crâniopage. Ça arrive peut-être une fois dans la vie.

– Crâno-*quoi* ?

Il vide son verre de vin et s'en verse un autre.

– Chirurgie crâniopage. Pour séparer des jumeaux siamois. Attachés par la tête. On les surveille depuis leur naissance. C'est une intervention rare. Très rare.

Cette fois, je reste estomaquée devant sa science et son sang-froid. En même temps, rien de plus sexy que de voir à quel point son métier l'excite.

– Ça va prendre combien de temps, d'après toi ?

– Je ne sais pas trop, souffle-t-il. Ils sont jeunes, ils ne supporteront pas une trop longue anesthésie générale.

Et puis il lève la main droite, agite les doigts.

– Mais tu vois là une super main qui a reçu une formation de près d'un demi-million de dollars. Je lui fais confiance.

Je viens y déposer un baiser.

– J'aime beaucoup cette main, moi aussi.

Il la glisse sur mon cou avant de me faire tournoyer pour me plaquer contre le comptoir. Je ne m'attendais pas à ça.

Il se colle contre mon derrière et glisse lentement les mains sur les côtés de mon corps. J'appuie les paumes sur le granite et ferme les yeux, déjà étourdie par le vin que j'ai bu.

– Cette main, murmure-t-il, est la plus sûre de tout Boston.

Il appuie sur ma nuque pour me pencher davantage. Sa main se pose sur l'intérieur de mon genou puis remonte. Lentement.

Il m'écarte les jambes et ses doigts s'introduisent en moi. Je gémis, essaie de trouver quelque chose à quoi m'accrocher. J'attrape le robinet alors que débute le rituel magique.

Et d'un seul coup, tel un magicien, sa main disparaît.

J'entends Ryle sortir de la cuisine. Je le regarde passer derrière le bar. Il m'adresse un clin d'œil, vide son verre et lance :

– Je vais prendre une douche rapide.

La provoc'.

– Connard !

– Moi ? Pas du tout ! Je suis un neurochirurgien hautement qualifié !

Je me verse un autre verre en riant.

Je vais lui montrer qu'il n'est pas le seul à savoir plaisanter.

***

J'en suis à mon troisième verre de vin quand il sort de ma chambre. Je suis au téléphone avec ma mère, si bien que je le vois du canapé se diriger vers la cuisine pour se servir un autre verre.

C'est vrai que c'est une bonne bouteille.

– Qu'est-ce que tu fais, ce soir ? demande ma mère.

Je l'ai mise sur haut-parleur. Ryle s'adosse au mur pour me regarder lui parler.

– Pas grand-chose. J'aide Ryle à réviser.

– Ça n'a pas l'air… très intéressant.

Il m'adresse un clin d'œil.

– Si, si, très. Je l'aide beaucoup. Surtout à travailler le contrôle moteur de ses mains. En fait, on va sans doute réviser toute la nuit.

Mes trois verres de vin m'ont rendue d'humeur folâtre. Je n'arrive pas à croire que je suis en train de flirter avec lui tout en téléphonant à ma mère. *Grave.*

– Il faut que j'y aille, lui dis-je. On emmène Allysa et Marshall dîner demain soir, alors je t'appellerai lundi.

– Oh ! Où est-ce que vous les emmenez ?

Je lève les yeux au ciel. Elle ne pige vraiment rien.

– Je n'en sais rien. Ryle, où est-ce qu'on les emmène ?

– Le restau où on est allés avec ta maman, l'autre soir. Bab's, je crois ? J'ai réservé pour dix-huit heures.

Mon cœur tombe en chute libre tandis que maman s'extasie sur notre choix.

– Ouais, quand on aime le pain rassis. Au revoir, maman.

Je raccroche et laisse tomber :

– Je ne veux pas y retourner. Je n'ai pas aimé. Essayons autre chose.

Évidemment, je ne vais pas lui dire pourquoi, au fond, je n'ai pas envie d'y remettre les pieds. Mais le moyen d'expliquer à mon nouveau copain que j'essaie d'éviter mon premier amour ?

Il se redresse.

– Ça ira, assure-t-il. Allysa est ravie d'y aller, je lui en ai beaucoup parlé.

Avec un peu de chance, ce sera le jour de congé d'Atlas.

– À propos de repas, reprend Ryle. Je meurs de faim.

Le ragoût !

– Oh merde !

Il se précipite dans la cuisine et je l'y suis. J'entre à l'instant où il ouvre le four et en chasse la fumée avec sa main. *Fichu.*

Prise de vertige pour m'être levée trop vite après mes trois verres de vin, je saisis le comptoir à l'instant où il attrape le plat à mains nues.

– Ryle ! Prends un…

– Merde !

– Un gant.

Le plat lui échappe des mains et atterrit dans une véritable explosion. Je saute en arrière pour éviter les fragments de verre, de viande et de champignons. Je ris en voyant qu'il n'a même pas songé à utiliser un gant.

Ce doit être le vin. *Sans doute assez corsé.*

Ryle claque la porte du four et va se passer la main sous le robinet en maugréant. J'essaie de ne pas me marrer mais j'ai du mal devant le ridicule de ces derniers instants. Je regarde le sol – le foutoir qu'il va falloir nettoyer – et j'éclate de rire. Sans parvenir à me calmer, je prends la main de Ryle pour l'examiner. J'espère qu'il n'est pas trop blessé.

Soudain, je ne ris plus du tout. Je me retrouve par terre, la main plaquée sur mon œil.

En un quart de seconde, le bras de Ryle a jailli pour me frapper, me faisant tomber à la renverse. Il y a mis assez de force pour me faire perdre l'équilibre et, au passage, j'ai heurté la poignée du placard.

Une énorme douleur me saisit au coin de l'œil, près de la tempe.

Et là, je sens le poids.

Une sensation de lourdeur qui s'empare de tout mon être, une monstrueuse pesanteur qui marque mes émotions. Tout se brise.

Mes larmes, mon cœur, mon rire, mon âme. Brisés comme du verre, ruisselant autour de moi.

Je m'enveloppe la tête de mes bras en essayant de gommer ces derniers instants.

– Putain, Lily ! Ce n'est pas drôle. Cette main, c'est toute ma carrière.

Je ne relève pas les yeux. Sa voix ne me pénètre pas le corps. J'ai plutôt l'impression qu'elle me transperce, que chacun de ses mots me frappe comme un coup de poignard. Je le sens qui s'approche, pose sa foutue main sur mon dos.

Le caresse.

– Lily, bon sang, Lily !

Il essaie d'ouvrir mes bras mais je refuse de bouger. Je fais non de la tête. Je voudrais que ces quinze secondes s'effacent. *Quinze secondes.* Il n'en faut pas davantage pour complètement bouleverser l'image d'une personne.

Quinze secondes qui ne s'effaceront jamais.

Il s'assied près de moi, me pose un baiser sur la tête.

– Désolé. C'est juste… juste que je me suis brûlé la main et j'ai paniqué. Tu rigolais et… pardon. Tout s'est passé si vite… Je ne voulais pas te pousser, Lily, désolé.

Cette fois, ce n'est pas la voix de Ryle que j'entends, mais celle de mon père. *Pardon Jenny. C'était un accident. Je suis désolé.*

– Pardon Lily. C'était un accident. Je suis désolé.

Je voudrais juste qu'il s'en aille. Faisant appel à toute la force de mes deux bras et de mes deux jambes, j'écarte de moi ce sombre enfoiré.

Il tombe en arrière, sur les mains. Son regard reste empreint de regret mais aussi de quelque chose d'autre.

Inquiétude ? Affolement ?

Il lève lentement sa paume droite, couverte de sang qui lui coule en rigoles sur le poignet. Je regarde par terre – les éclats de verre. *Sa main.* Je l'ai repoussé sur du verre.

Il se retourne, se relève, colle sa main sous le robinet, essaie de laver le sang. Je me lève à l'instant où il détache de sa paume un morceau de verre et le jette sur le comptoir.

Je vibre encore de colère mais, quelque part, je commence à m'inquiéter pour sa main. Saisissant un torchon, je le lui fourre sur le poing. Il y a trop de sang.

Sa main droite.

Cette opération, lundi...

J'essaie de l'aider à interrompre le saignement, mais je tremble trop.

– Ryle, ta main.

Il l'écarte et, de la gauche, me soulève le menton.

– Laisse tomber, Lily. Rien à foutre. Ça va, toi ?

Il me dévisage d'un air désespéré, examine la coupure sous mon œil.

Mes épaules se mettent à trembler et d'énormes larmes me coulent sur les joues.

– Non.

Encore sous le choc, je sais que ce seul mot suffira à lui faire comprendre mon désarroi.

– Oh, mon Dieu, Ryle, tu m'as poussée. Tu…

Plus je prends conscience de ce qui vient de se passer, moins j'arrive à le supporter.

Il me passe un bras autour du cou, me serre contre lui.

– Je te demande pardon, Lily. Je suis désolé.

Il enfouit le visage dans mes cheveux, m'étreint de toute la force de son émoi.

– Je t'en prie, ne me déteste pas. S'il te plaît !

Sa voix commence lentement à redevenir celle de Ryle et je la sens dans mon ventre, dans mes pieds. Toute sa carrière dépend de sa main, et on dirait qu'il ne s'en inquiète même pas. Je n'y comprends plus rien.

Il vient de se passer trop de choses. La fumée, le vin, le verre brisé, la nourriture éparpillée, les excuses, ça fait trop.

– Je te demande pardon, reprend-il

Je recule. Il a les yeux rouges. Je ne l'ai jamais vu comme ça.

– J'ai paniqué, Lily. Je ne voulais pas te pousser, c'était juste un geste de panique. Je ne pensais qu'à l'opération de lundi, à ma main et… Pardon.

Il pose lentement ses lèvres sur les miennes, respire dans ma bouche.

Il n'est pas comme mon père. Ce n'est pas possible. Il n'a rien à voir avec ce salaud irresponsable.

On est tous les deux autant bouleversés l'un que l'autre, et on s'embrasse, tristes, éperdus. Je n'ai jamais vécu un moment pareil – aussi horrible et douloureux. Pourtant, quelque part, tout ce qui parvient à soulager la blessure causée par cet homme est justement cet homme. Mes larmes s'apaisent sur son regret, mes émotions sur sa bouche collée contre la mienne, et sa main me retient comme pour ne plus jamais me laisser partir.

Je sens ses bras entourer ma taille ; il me soulève, enjambe prudemment le bordel qu'on a causé. Je ne sais pas lequel de nous deux me déçoit le plus. Lui pour avoir perdu son sang-froid ou moi pour me laisser rassurer par ses excuses.

Il m'embrasse encore en m'emportant vers la chambre, m'embrasse toujours quand il me dépose sur le lit, avant de murmurer :

– Je te demande pardon, Lily.

Il pose les lèvres sur mon œil blessé.

– Je suis désolé.

Sa bouche revient sur la mienne, chaude et humide, et je ne sais même pas ce qu'il m'arrive. J'ai trop mal à l'intérieur, pourtant mon corps n'aspire qu'à écouter ses excuses, à recevoir les caresses de sa bouche et de ses mains. J'ai envie de l'engueuler, de réagir comme j'ai toujours souhaité voir réagir ma mère quand mon père la frappait mais, au fond, je voudrais croire que ce n'était qu'un accident. Ryle n'est pas comme mon père. *Il n'a rien à voir avec lui.*

J'ai besoin de sentir ses regrets. Et c'est exactement ce qui m'arrive avec ses baisers. J'écarte les jambes et son remords prend une autre forme. Celle de poussées lentes et contrites en moi. À chaque fois, il murmure une nouvelle excuse. Et, par je ne sais quel miracle, chaque fois qu'il se retire, ma colère s'en va avec lui.

***

Il m'embrasse l'épaule. La joue. L'œil. Il est toujours sur moi, à me caresser gentiment. Personne ne m'avait jamais touchée comme ça… avec une telle tendresse. J'essaie d'oublier ce qui s'est passé dans la cuisine, mais je n'ai plus que ça en tête maintenant. Tout ça me revient brutalement.

Il m'a envoyée promener.

Ryle m'a repoussée.

Durant quinze secondes, je l'ai vu sous un aspect qui ne lui ressemblait pas. Ni à lui ni à moi. Je me suis fichue de lui alors que j'aurais dû m'inquiéter. Il m'a envoyée promener alors qu'il n'aurait pas dû me toucher. Je l'ai bousculé et il s'est coupé la main.

Tout cet épisode est vraiment horrible. Quinze secondes abominables. Je voudrais ne jamais y repenser.

Il a toujours le torchon entre les mains, baigné de sang. Je le repousse de nouveau.

– Je reviens, lui dis-je.

Il m'embrasse encore une fois, s'écarte de moi. Je me rends à la salle de bains, ferme la porte. En me voyant dans la glace, j'étouffe un cri.

Du sang. Dans mes cheveux, sur mes joues, sur mon corps. Tout son sang. J'attrape une serviette pour essayer de l'enlever, puis je cherche la trousse de premiers secours sous le lavabo. J'ignore la gravité de sa blessure. Il a commencé par se brûler, ensuite il s'est coupé. Tout ça à peine une heure après m'avoir dit à quel point cette opération allait compter pour sa carrière.

Plus de vin. On n'avalera plus jamais un verre de vin millésimé.

J'attrape la trousse et retourne dans la chambre. Lui-même revient de la cuisine avec un sachet de glace.

– Pour ton œil, me dit-il.

Je lui tends la trousse :

– Pour ta main.

On se sourit puis on se rassied sur le lit. Il s'appuie au dosseret tandis que je pose sa main sur mes genoux. Tout le temps que je la nettoie, il appuie la glace sur mon œil.

Je verse un peu de désinfectant sur mon doigt et l'étale sur sa blessure. À mon grand soulagement, ça m'a l'air moins grave que je ne le craignais. Je lui demande quand même :

– Tu pourras éviter les ampoules ?

– Pas si c'est du deuxième degré.

J'ai envie de savoir s'il pourra malgré tout procéder à l'opération avec des ampoules aux doigts, mais je préfère me taire. Je suis sûre qu'il ne pense qu'à ça en ce moment.

Le sang ne coule plus et s'il avait besoin de points de suture, il les ferait lui-même, mais je crois que ça va aller comme ça. Je sors un bandage avec lequel je commence à lui envelopper la main.

– Lily…

Je relève les yeux. Il a la tête appuyée au dosseret, on le dirait au bord des larmes.

– Je m'en veux, murmure-t-il. Si je pouvais effacer…

– Je sais, Ryle, je sais. C'était terrible. Tu m'as poussée. Ça a remis en question tout ce que je croyais savoir sur toi. Mais je sais que tu regrettes. On ne pourra rien effacer, alors je préfère ne plus en parler.

Je ferme le bandage autour de sa main, le regarde dans les yeux.

– En même temps, Ryle, si jamais ça recommence… Je saurai que cette fois-ci non plus ce n'était pas un accident. Et je te quitterai sans la moindre arrière-pensée.

Il me dévisage un long moment, l'air complètement navré. Il se penche, pose ses lèvres sur les miennes.

– Ça ne se reproduira pas, Lily. Juré. Je ne suis pas comme lui. Je sais ce que tu penses, mais je te jure…

Je secoue la tête pour qu'il arrête. Je ne supporte plus la douleur dans sa voix.

– Tu n'as rien à voir avec mon père. Mais… s'il te plaît, ne me donne plus jamais aucun doute. S'il te plaît.

Il écarte des mèches de mon front.

– Tu es ce qui compte le plus dans ma vie, Lily. Je veux te rendre heureuse, pas te faire souffrir.

Il m'embrasse puis se lève, se penche de nouveau en appuyant le sachet de glace sur mon visage.

– Garde-le encore une dizaine de minutes. Tu vas voir, ça empêchera ton œil de gonfler.

– Où vas-tu ?

– Nettoyer mes bêtises.

Il passe les vingt minutes suivantes à tout nettoyer dans la cuisine, jeter du verre dans la poubelle et verser du vin dans l'évier. Je retourne à la salle de bains pour prendre une douche et achever de laver le sang ; je change également les draps du lit et, quand il a fini de tout nettoyer, il me rejoint dans la chambre avec un verre. Qu'il me tend.

– Du soda, dit-il. La caféine te fera du bien.

J'en bois une gorgée et le sens pétiller dans ma gorge. Exactement ce qu'il me fallait. J'en prends encore, repose le verre sur ma table de nuit.

– Ça soigne quelque chose ? La gueule de bois ?

Il se glisse dans le lit, remonte les couvertures sur nous.

– Non, je ne crois pas que ça soit très efficace. Mais ma mère me donnait des sodas pour me consoler et ça allait un peu mieux après.

– En tout cas, ça marche.

Il me passe une main sur la joue et je lis dans ses yeux, je vois à son attitude, qu'il mérite au moins une seconde chance. Si je n'arrive pas à lui pardonner, je risque de déplacer sur lui une partie de mon ressentiment envers mon père. *Il n'est pas comme mon père.* Ryle m'aime. Il ne me l'a jamais dit, mais je le sais. Et je l'aime. Je suis certaine que ce qui s'est passé dans la cuisine ce soir ne se reproduira jamais. Il est trop bouleversé de m'avoir frappée.

Tout le monde commet des erreurs. Le caractère d'une personne n'est pas déterminé par ses erreurs, mais par les leçons qu'elle en tire.

Il écarquille les yeux, se penche et me baise la main, puis repose sa tête sur l'oreiller ; on reste là, à se regarder, à partager cette énergie qui comble les vides laissés en nous par cette soirée. Puis, il me serre la main.

– Lily, je suis amoureux de toi.

Ses paroles m'emplissent le cœur et le corps. Alors je murmure :

– *Moi aussi, je t'aime.*

C'est la vérité la plus nue que je lui aie jamais dite.

CHAPITRE 15

J'arrive au restaurant avec un quart d'heure de retard. À l'instant où j'allais fermer, ce soir, un client est venu me commander des fleurs pour un enterrement. Je ne pouvais rien lui refuser car… c'est dommage… mais les enterrements sont ce qui marche le mieux dans ce métier.

Ryle m'adresse un signe depuis la table et je me dirige vers eux en faisant mon possible pour ne pas regarder autour de moi. Je ne veux pas voir Atlas. J'ai essayé deux fois de les faire changer d'avis, mais Allysa tenait absolument à manger ici après que Ryle lui a dit comme c'était bon.

Je me glisse dans le box et Ryle se penche vers moi pour m'embrasser sur la joue.

– Salut, ma copine.

– Arrêtez ! marmonne Allysa. Vous êtes trop chou tous les deux.

Je lui souris et c'est alors qu'elle aperçoit le coin de mon œil. Il n'est pas aussi horrible que je le craignais, sans doute grâce à la glace que Ryle a placée dessus.

– Oh, mon Dieu ! s'écrie-t-elle. Ryle m'a dit ce qui s'était passé… je ne croyais pas que c'était aussi terrible.

J'interroge Ryle du regard. Il ne lui a sûrement pas dit la vérité. Il sourit en expliquant :

– Il y avait de l'huile d'olive partout. Elle a glissé si gracieusement qu'on aurait dit une ballerine.

Menteur.

Bon, j'aurais sans doute sorti le même genre de chose.

– C'était trop nul ! dis-je en m'esclaffant.

Finalement, le dîner se passe plutôt bien. Aucun signe d'Atlas ; je ne pense plus à hier soir et Ryle et moi évitons le vin. À la fin, le serveur revient nous voir.

– Un dessert ? demande-t-il.

Je refuse mais Allysa semble intéressée :

– Qu'est-ce que vous avez ?

– On mange pour deux, observe Marshall, alors on prendra quelque chose au chocolat.

Le serveur hoche la tête et s'éloigne.

– Ce bébé n'est pas plus gros qu'une punaise pour le moment, lance-t-elle à son mari. Ne me donne pas de mauvaises habitudes pour les mois à venir.

Le serveur revient avec une carte.

– Le chef offre un dessert à toutes les futures mamans. Mes félicitations.

– C'est vrai ? s'exclame Allysa, ravie.

– Ce doit être pour ça que le restau s'appelle Bab's, ça fait penser aux bébés.

On prend tous la carte en riant.

– Mon Dieu ! dis-je en découvrant tous les choix.

– Désormais, ce sera mon restaurant préféré, assure Allysa.

On choisit trois desserts pour la table et on passe les minutes qui suivent à chercher des noms de bébé.

– Non, dit Allysa à Marshall. On ne va pas lui donner le nom d'un État.

– Mais j'adore Nebraska, proteste-t-il. Idaho ?

Elle se prend la tête entre les mains.

– C'est un sujet de divorce.

– Demise, reprend-il. C'est chouette, non ?

Il ne doit de sauver sa tête qu'à l'arrivée des desserts. Notre serveur dépose un gâteau au chocolat devant Allysa, puis s'écarte pour faire place à son collègue qui apporte les deux autres.

– Le chef, dit-il en le désignant, voudrait vous présenter ses félicitations.

– Le repas vous a plu ? demande celui-ci à Allysa et Marshall.

Le temps que ses yeux se posent sur les miens, mon anxiété me submerge. Atlas me regarde fixement et je me laisse aller à demander :

– Le chef ?

Le serveur se penche vers nous en précisant :

– Le chef, le propriétaire, parfois serveur, parfois plongeur. Il s'implique partout.

Les cinq secondes qui suivent passent inaperçues au reste de la tablée mais s'écoulent au ralenti pour moi.

Les yeux d'Atlas s'arrêtent sur mon œil blessé. Sur la main bandée de Ryle.

De nouveau sur mon œil.

– Nous adorons votre restaurant, dit Allysa. C'est un endroit incroyable.

Atlas ne la regarde pas. Je le vois déglutir, serrer la mâchoire. Il s'en va sans rien dire. *Merde.*

Le serveur tâche de faire bonne figure en nous décochant un trop large sourire.

– Bon dessert ! lâche-t-il avant de s'éclipser à son tour.

– Pas de bol, maugrée Allysa. On trouve un super restaurant mais le chef n'est qu'un abruti.

– Oui ! s'esclaffe Ryle. Sauf que les abrutis sont les meilleurs en cuisine.

Je pose une main sur son bras.

– Je vais aux toilettes.

Je traverse la salle à grands pas, la tête basse. Dès que je me retrouve dans le couloir, j'accélère encore. J'ouvre la porte des toilettes, m'y enferme.

Merde, merde, merde, merde.

Ce regard, cette colère rentrée.

Encore heureux qu'il soit parti si vite, mais je suis à peu près sûre qu'il attendra dehors quand on sortira, prêt à botter les fesses de Ryle.

J'inspire une longue goulée d'air, me lave les mains, inspire, expire encore. Lorsque je me sens plus calme, je m'essuie avec une serviette.

Je vais aller dire à Ryle que je ne me sens pas bien. On s'en ira pour ne jamais revenir. Ils prennent tous le chef pour un con, ça me servira d'excuse.

Je déverrouille la porte mais ne peux l'ouvrir car on la pousse de l'extérieur : alors je recule. Atlas entre, referme derrière lui, s'adosse à la porte et me dévisage, surtout concentré sur mon œil.

– Que s'est-il passé ?

– Rien.

Il plisse les yeux, toujours d'un bleu glacial mais où brille une lueur brûlante.

– Tu mens, Lily.

J'arrive à esquisser un sourire.

– C'était un accident.

Il rit, cependant son expression demeure sévère.

– Quitte-le.

Le quitter ?

Ainsi, il croit à tout autre chose. Je m'approche de lui.

– Il n'est pas comme ça, Atlas. Ce n'est pas ce que tu crois. Ryle est quelqu'un de bien.

Il penche la tête et s'approche légèrement de moi.

– On croirait entendre ta mère.

Ses paroles me font mal. J'essaie de me faufiler au dehors, mais il me saisit le poignet.

– Quitte-le, Lily.

Je me dégage, lui tourne le dos, inspire profondément, expire lentement, me retourne vers lui.

– Si je dois faire une comparaison, tu me fais plus peur, là, que lui depuis que je le connais.

Il accuse le coup, ne répond pas tout de suite, mais se met à secouer la tête en s'écartant de la porte.

– Je ne voudrais surtout pas te mettre mal à l'aise. J'essaie juste de te rendre l'attention que tu m'as toujours montrée.

Je ne sais pas trop comment il faut prendre ces paroles. Je sens bien qu'il peste intérieurement, pourtant il paraît calme, maître de lui. Il me laisse sortir. Je tourne le verrou, ouvre la porte.

Je reste le souffle court devant Ryle, jette un rapide coup d'œil derrière moi. Atlas me suit.

Ryle ne semble pas comprendre et nous interroge l'un après l'autre du regard.

– Qu'est-ce que tu fous, Lily ?

– Ryle…

Ma voix tremble. *Mon Dieu, ça devient pire que jamais.*

Atlas me contourne et se dirige vers les portes de la cuisine, comme si Ryle n'existait pas. Un Ryle qui le suit irrésistiblement des yeux. *Ne t'arrête pas, Atlas.* Sur le point d'atteindre les portes, il stoppe.

Non, non, non, continue.

Dans ce qui s'avère l'un des plus épouvantables moments que je puisse imaginer, il fait volte-face et revient vers Ryle, l'attrape par le col de sa chemise. Presque aussitôt, Ryle réagit en le plaquant contre le mur d'en face. Atlas riposte en lui barrant la gorge de son avant-bras et l'immobilise.

– Tu la touches encore et je te coupe ta putain de main et te l'enfonce dans la gorge, espèce de merde !

Je crie :

– Atlas, arrête !

Il finit par le relâcher, recule d'un pas rageur pendant que Ryle reprend son souffle en le fusillant du regard. Après quoi, il se tourne vers moi :

– Atlas ?

Il a répété son nom comme s'il le connaissait.

Pourquoi le répète-t-il comme ça ? Comme s'il m'avait déjà entendue le prononcer ? Je ne lui ai jamais parlé d'Atlas.

Sauf…

Si.

Le premier soir, sur le toit terrasse ; c'était l'une de mes vérités toutes nues.

Ryle part d'un rire incrédule et désigne Atlas sans cesser de me regarder.

– Ça, c'est Atlas ? Le S.D.F. que tu as baisé par pitié ?

Oh mon Dieu !

Le couloir reprend aussitôt l'aspect d'un imbroglio de poings et d'épaules, noyé dans mes cris pour les arrêter. Deux serveurs apparaissent derrière moi et les séparent aussi vite que ça avait commencé.

Chacun se retrouve contre un mur, respirant lourdement. Je n'arrive à les regarder ni l'un ni l'autre.

Je ne peux pas faire face à Atlas. Pas après ce que Ryle lui a dit. Je ne peux pas non plus regarder Ryle parce qu'il est sans doute en train de penser les pires choses possibles sur moi.

– Dehors ! crie Atlas en désignant la porte. Fous le camp de mon restaurant.

Je croise le regard de Ryle alors qu'il passe devant moi et j'ai peur de ce que je vais y voir. Mais il n'exprime aucune colère.

Que de la tristesse.

Beaucoup de tristesse.

Il s'arrête comme s'il allait me dire quelque chose, mais son expression vire à la déception et il retourne dans la salle.

Enfin, je jette un coup d'œil vers Atlas, et il exprime la même déception. Sans me laisser le temps d'expliquer ce que Ryle a dit, il pousse les portes de la cuisine.

Aussitôt, je cours après Ryle. Il attrape sa veste dans le box et s'éloigne vers la sortie sans un mot pour Marshall et Allysa. Celle-ci m'interroge du regard en écartant les mains, l'air de ne pas comprendre. Je secoue la tête, prends mon sac.

– C'est une longue histoire, désolée. On en parle demain.

Je suis Ryle dehors. Il se dirige vers le parking. Je le rattrape et il s'arrête net, l'air de boxer un fantôme.

– Je n'ai pas amené ma putain de caisse ! crie-t-il furieux.

Je sors mes clefs de mon sac mais il me les arrache des mains. Je le suis de nouveau, cette fois vers ma voiture.

Je ne sais pas quoi faire. Je ne sais même pas s'il a envie de me parler en ce moment. Il vient de me voir sortir des toilettes accompagnée d'un mec dont j'ai été amoureuse. Et voilà que le mec en question lui saute dessus.

C'est trop moche.

Il s'installe au volant, me désigne la place du passager :

– Monte, Lily.

Il n'ouvre pas la bouche de tout le trajet. Je prononce son nom une fois mais il fait non de la tête. Apparemment, il n'est pas prêt à entendre mes explications. Quand il se gare dans mon parking, il sort dès qu'il a coupé le moteur, comme s'il avait trop hâte de s'éloigner de moi.

Il arrive au capot arrière alors que je sors.

– Ce n'est pas ce que tu crois, Ryle.

Il s'immobilise, pose sur moi un regard qui me tord le cœur, si douloureux. Tout ça pour un malentendu.

– Je ne voulais pas, Lily. Pas de relation, pas de stress.

Même si elles prouvent une authentique souffrance, ses paroles m'irritent.

– Alors fiche le camp !

– *Quoi ?*

– Je ne veux pas être un poids pour toi, Ryle ! Désolée que ma présence dans ta vie soit tellement insupportable !

Il revient vers moi.

– Lily, ce n'est pas ce que j'ai dit.

Dans un mouvement agacé, il s'adosse à ma voiture, les bras croisés. Un long silence s'ensuit et j'attends ce qu'il a à me dire. Il garde la tête baissée mais finit par la relever légèrement, pour me regarder.

– La vérité toute nue, Lily. C'est tout ce que je te demande, là. Tu peux m'accorder ça ?

Je hoche la tête.

– Tu savais qu'il travaillait là ?

– Oui. C'est même pour ça que je ne voulais pas y retourner. Je ne voulais pas tomber sur lui.

Ma réponse paraît le détendre quelque peu. Il se frotte le visage.

– Tu lui as dit ce qui s'est passé hier soir ? Tu lui as parlé de notre dispute ?

– Non. Il a deviné tout seul. Il a vu mon œil et ta main. Il a compris.

Renversant la tête en arrière, Ryle pousse un lourd soupir. À croire qu'il n'a pas le courage de poser la question suivante :

– Tu étais seule avec lui aux toilettes ?

Je me rapproche encore.

– Il m'y a suivie. Je ne sais plus rien de lui aujourd'hui, Ryle. Je ne savais même pas qu'il possédait ce restaurant. Je croyais que c'était juste un serveur. Il ne fait plus partie de ma vie, je t'assure. C'est juste… On a tous les deux grandi dans un milieu violent. Il a vu mon visage et ta main et… il s'inquiétait pour moi. C'est tout.

Ryle porte une main à sa bouche. Je l'entends respirer à travers ses doigts. Il se redresse, l'air de digérer tout ce que je viens de lui dire.

– À moi, dit-il.

Il franchit la courte distance qui nous séparait encore et me prend le visage entre ses mains pour qu'on se regarde mieux dans les yeux.

– Si tu ne veux pas rester avec moi… je t'en prie, dis-le tout de suite, Lily. Parce que, quand je t'ai vue avec lui… Ça fait mal. Je ne veux plus éprouver ce genre de chose. Et si j'en souffre tellement aujourd'hui, je suis terrifié à l'idée de ce que ça pourrait me faire dans un an.

Je sens les larmes me couler sur les joues.

– Je ne veux personne d'autre que toi, Ryle. Rien que toi.

Jamais je n'ai vu de sourire aussi triste que le sien. Il me serre contre lui et je l'enveloppe de mes bras, avec toute la force dont je suis capable, tandis qu'il m'embrasse sur la tempe.

– Je t'aime, Lily. Je t'aime trop !

Je me blottis davantage, les lèvres sur son épaule.

– Moi aussi, je t'aime.

Je ferme les yeux. Si seulement je pouvais effacer ces deux derniers jours…

Atlas se trompe au sujet de Ryle.

Dommage qu'il ne sache pas à quel point.

CHAPITRE 16

– Je veux dire, marmonne Allysa. Je ne veux pas jouer les égoïstes, mais si seulement tu avais goûté ce dessert. C'était troooop bon !

– On ne retournera jamais là-bas.

Elle trépigne comme une gamine.

– Mais…

– Non. On doit respecter les sentiments de ton frère.

– Je sais, je sais, maugrée-t-elle en croisant les bras. Aussi, quel besoin avais-tu d'être une ado toujours remplie d'hormones et qui tombait amoureuse du meilleur chef de Boston ?

– Il n'était pas cuisinier quand je le connaissais.

– N'empêche.

Elle sort de mon bureau et ferme la porte derrière elle.

Mon téléphone vibre pour m'annoncer l'arrivée d'un texto.

Ryle : Déjà 5 h de passées. Encore 5 h à tirer. Jusqu'ici ça va. Ma main réagit bien.

Je pousse un soupir de soulagement. Je me demandais s'il pourrait procéder à cette opération aujourd'hui ; il y tenait tellement que j'en suis contente pour lui.

Moi : Les mains les plus sûres de Boston.

J'ouvre alors mon portable pour lire mes e-mails. Le premier provient du *Boston Globe*, une journaliste qui voudrait faire un article sur la boutique. Je souris bêtement et lui réponds aussitôt quand Allysa rouvre la porte, passe la tête.

– Hé ! dit-elle.

– Oui.

Elle tapote l'encadrement.

– Tu te rappelles m'avoir dit, il y a quelques minutes, que tu ne voulais pas remettre les pieds au Bab's parce que ce n'est pas gentil vis-à-vis de Ryle, alors que le garçon que tu aimais quand tu étais adolescente en est le propriétaire ?

Je m'adosse à mon siège.

– Où veux-tu en venir ?

– Si on ne peut pas y aller à cause du propriétaire, tu crois que c'est plus gentil que le propriétaire vienne ici ?

Quoi ?

Je pose brutalement mon portable, me lève.

– Pourquoi tu dis ça ? Il est là ?

Elle se glisse dans mon bureau puis elle ferme la porte derrière elle.

– Oui. Il veut te voir. Et je sais que tu es avec mon frère et que je suis enceinte, mais on ne pourrait pas en profiter un petit peu pour admirer en silence cette perfection ambulante ?

Devant son sourire béat, je lève les yeux au ciel.

– Allysa !

– Oh là là, ces yeux !

Elle rouvre et sort. Je la suis, l'entends annoncer :

– Elle arrive. Je prends votre manteau ?

On ne prend pas les manteaux.

– Non merci, dit Atlas en me regardant sortir du bureau. Je n'en ai pas pour longtemps.

Elle s'accoude au comptoir sans le quitter des yeux.

– Restez autant que vous voulez. Au fait, vous ne chercheriez pas un autre boulot ? Lily doit engager du monde et on a besoin de quelqu'un capable de soulever de lourdes charges, très souple aussi.

– Arrête ! lui dis-je.

Elle hausse les épaules, l'air innocent. Je fais signe à Atlas de venir mais évite son regard quand il passe devant moi. Je m'en veux énormément pour ce qui s'est produit hier soir, mais je lui en veux tout autant. Je contourne mon bureau, me laisse tomber sur mon siège, prête à soutenir une discussion orageuse. Pourtant, quand je relève les yeux sur lui, je la boucle. Il sourit, désigne la pièce d'un geste de la main tout en prenant place en face de moi.

– C'est incroyable, Lily.

– Merci.

Il ne cesse de sourire, comme éperdu d'admiration. Puis il dépose un sac sur le bureau, le pousse vers moi.

– Cadeau, dit-il. Tu pourras l'ouvrir plus tard.

Pourquoi m'offre-t-il cela ? Il a une copine, j'ai un copain. Notre passé nous a déjà causé assez de problèmes comme ça. Pas besoin de cadeau pour en rajouter.

– C'est en quel honneur, Atlas ?

Croisant les bras, il s'adosse à son siège.

– Je te l'ai acheté il y a trois ans. Je l'ai gardé pour le cas où je te reverrais un jour.

Toujours aussi prévenant. Il n'a pas changé. Zut.

Je prends le paquet, le dépose par terre à côté de moi. J'essaie de me détendre un peu, mais c'est difficile avec tout ce qui m'arrive en ce moment.

– Je suis venu te présenter mes excuses, reprend-il.

J'écarte l'idée d'un geste de la main.

– Ce n'était qu'un malentendu. Ryle va bien.

Il étouffe un petit rire.

– Ce n'est pas ce que je voulais dire. Je ne vais quand même pas regretter de t'avoir défendue.

– Tu ne me défendais pas. Je n'étais pas attaquée.

Penchant la tête, il me lance le même regard qu'hier soir. Celui qui traduisait sa déception. Ça me fait mal.

Je m'éclaircis la gorge.

– Alors, pourquoi ces excuses ?

Il ne répond pas tout de suite, l'air de réfléchir. Puis :

– Je voulais m'excuser de t'avoir dit que tu me rappelais ta mère. C'était blessant. Désolé.

Je ne sais pas pourquoi il me donne toujours envie de pleurer. Quand je suis avec lui. Quand je pense à lui. Comme si mes émotions tournaient toujours autour de lui, comme si je ne pouvais pas couper le cordon.

Il saisit trois choses sur mon bureau : un stylo, un post-it, mon téléphone.

Il écrit quelque chose puis se met à démonter mon appareil, ôte la coque, glisse le post-it dessous et la remet en place. Après quoi il me le rend. Je l'interroge du regard mais il se lève, jette le stylo sur mon bureau.

– C'est le numéro de mon smartphone. Garde-le caché au cas où tu en aurais besoin.

Cette idée me fait frémir. Idée totalement inutile.

– Je n'en aurai pas besoin.

– J'espère que non.

Il s'apprête à rouvrir la porte et je sais à cet instant que c'est ma seule chance d'exprimer ce que j'ai à lui dire avant qu'il ne sorte à jamais de ma vie.

– Atlas, attends.

Je me lève si vite que mon fauteuil heurte le mur en reculant.

– Pour ce que Ryle t'a dit hier soir… Je n'ai jamais…

Je porte une main à mon cou ; je sens mon cœur battre dans ma gorge.

– Je ne lui ai jamais dit ça. Il était vexé, furieux, et il avait mal interprété mes paroles d'autrefois.

La bouche d'Atlas se tord un peu. Je ne sais pas s'il faut y voir une grimace ou un sourire.

– Crois-moi, Lily, je sais que tu ne t'es pas laissé baiser par pitié. J'étais là.

Il sort mais ses paroles me font retomber sur mon siège.

Sauf… que mon siège n'est plus là. Du coup, je me retrouve par terre.

Allysa se précipite, me trouve allongée par terre derrière mon bureau.

– Lily ? s'écrie-t-elle en se penchant sur moi. Ça va ?

– Oui, j'ai raté mon fauteuil.

Elle m'aide à me relever.

– Qu'est-ce qu'il voulait ?

– Rien, juste s'excuser.

Elle pousse un soupir.

– Ça veut dire qu'il n'accepte pas le poste ?

Je dois lui reconnaître ça. Même quand je suis complètement bouleversée, elle trouve le moyen de me faire rire.

– Retourne travailler avant que je te retienne cette heure sur ton salaire.

Alors qu'elle sort en riant, je la rappelle :

– Allysa, attends.

– Je sais. Cette visite ne regarde pas Ryle. Pas besoin de me le dire.

– Merci.

Elle ferme la porte.

Je récupère le paquet contenant mon cadeau d'il y a trois ans. Visiblement, il s'agit d'un livre. Je déchire l'emballage et demeure un instant interdite.

La couverture représente une belle photo d'Ellen DeGeneres. Le titre : *Sérieusement... je plaisante*. Ça me fait rire. J'ouvre la première page, reste bouche bée en voyant la dédicace.

Lily,
Atlas dit de nager droit devant soi.
– Ellen DeGeneres

Je passe les doigts sur sa signature. Puis je pose le livre sur mon bureau, appuie le front dessus et fais semblant de pleurer sur la couverture.

CHAPITRE 17

Il est dix-neuf heures passées quand j'arrive à la maison. Ryle a appelé il y a une heure, disant qu'il ne viendrait pas cette nuit. La chirurgie crânotruc a réussi, mais il reste à l'hôpital au cas où il y aurait des complications.

J'entre dans mon appartement paisible, enfile mon paisible pyjama, avale un paisible sandwich puis m'allonge dans ma chambre paisible et ouvre mon paisible bouquin en espérant qu'il pourra apaiser mes émotions.

Trois heures plus tard, alors que j'en ai lu les trois-quarts, je me sens nettement plus tranquille. Je marque la page où j'en suis et le ferme.

Je le regarde longuement. Je pense à Ryle. Je pense à Atlas. Je pense combien, parfois, on a beau se convaincre que sa vie va suivre une certaine voie, toutes ces belles certitudes peuvent être balayées par un simple changement de marée.

Je reprends le livre qu'Atlas m'a acheté, le range dans le placard avec tous mes journaux intimes. Et puis j'attrape celui qui retrace mes souvenirs avec lui. Cette fois, il est temps de lire ce dernier cahier. Ainsi, je pourrai terminer l'autre livre.

Chère Ellen,

La plupart du temps, je suis contente que vous ignoriez mon existence et me félicite de ne pas vous avoir envoyé les textes que je vous ai écrits.

Mais, parfois, particulièrement ce soir, je le regrette. Il me faut juste quelqu'un à qui parler de ce que je ressens. Voilà six mois que je n'ai plus vu Atlas et, franchement, je ne sais pas où il est ni ce qu'il fait. Il s'est passé tant de choses depuis la dernière lettre que je vous ai écrite, quand Atlas est parti s'installer à Boston. Je croyais que c'était la dernière fois que je le verrais avant un bon moment, mais non.

Je l'ai revu quelques semaines plus tard. C'était mon seizième anniversaire et, quand il s'est pointé, c'est devenu le plus beau jour de ma vie.

Et puis le pire.

Quarante-deux jours, exactement, s'étaient écoulés depuis son départ. J'étais trop déprimée, Ellen. Et je le suis encore. Les gens disent que les adolescents ne savent pas aimer comme les adultes. Quelque part, je le crois, mais je ne suis pas adulte, je n'ai pas d'élément de comparaison. Pourtant, je pense qu'il existe une différence. Je suis sûre qu'il y a plus de substance dans l'amour entre deux adultes qu'entre deux adolescents. Sans doute plus de maturité, plus de respect, plus de responsabilité.

Mais peu importe comment évolue l'amour dans la vie d'un être, je sais qu'il pèse toujours autant sur vous. À n'importe quel âge, on sent ce poids sur ses épaules, au creux de l'estomac, dans le cœur. Et mes sentiments pour Atlas pèsent très lourd. Toutes les nuits, je m'endors en pleurant et en murmurant « Nage droit devant toi. » Sauf que ça devient très dur de nager quand on se sent arrimé au fond de l'eau. Maintenant que j'y pense, j'ai dû, quelque part, expérimenter les différentes phases du deuil. Le déni, la colère, l'expression, la dépression, l'acceptation. J'étais en plein dans la phase de dépression le soir de mon seizième anniversaire. Ma mère avait tout fait pour me rendre cette journée agréable. Elle m'avait acheté des outils de jardinage, préparé mon gâteau préféré, puis on était sorties dîner ensemble. En arrivant dans mon lit, j'étais noyée de chagrin.

Je pleurais quand j'ai entendu frapper au carreau. Au début, j'ai cru qu'il se mettait à pleuvoir. Et puis j'ai perçu le son de sa voix. J'ai sauté du lit pour me précipiter vers la fenêtre, le cœur bouillonnant. Atlas était bien là, dans l'obscurité, en train de me sourire. J'ai soulevé le bas de la vitre et l'ai aidé à rentrer alors qu'il me prenait dans ses bras et m'étreignait jusqu'à ce que je cesse de pleurer.

Il sentait si bon ! Rien qu'en me serrant contre lui, je voyais déjà qu'il avait pris du poids, et ça lui allait bien ; tout ça en moins de six semaines. En s'éloignant de moi, il m'a essuyé les joues.

– Pourquoi tu pleures, Lily ?

Ça me gênait de le lui dire. J'avais versé tant de larmes depuis un mois, sans doute davantage que n'importe quel autre mois de ma vie. Mes hormones d'ado devaient me travailler, attisées par la façon dont mon père traitait ma mère et le départ d'Atlas.

J'ai ramassé une chemise qui traînait par terre pour me tapoter les yeux, et puis on s'est assis sur le matelas. Il m'a attirée contre lui pour qu'on s'adosse à la tête de lit.

« Qu'est-ce que tu fais là ? »

« C'est ton anniversaire. Et tu es toujours la personne que je préfère. Tu me manquais. »

Il n'était pas plus de vingt-deux heures à son arrivée, mais on a tellement bavardé que je me souviens avoir regardé de nouveau la pendule à minuit. Je ne sais plus trop ce qu'on s'est dit, je sais juste que je me sentais bien. Il avait l'air si content, avec cette lueur nouvelle qui brillait dans ses yeux. À croire qu'il avait enfin trouvé sa maison.

Il voulait me dire quelque chose, et là, sa voix a pris une intonation plus sérieuse. Il m'a fait asseoir sur ses genoux car il voulait me regarder dans les yeux. Il voulait sans doute m'annoncer qu'il avait une copine ou qu'il partait plus tôt que prévu pour l'armée. Mais ce qu'il m'a dit m'a choquée encore plus.

La première fois qu'il était entré dans cette vieille maison, il ne cherchait pas un refuge.

Il voulait se suicider.

J'ai porté les mains à ma bouche car je ne m'étais pas doutée qu'il ait pu se trouver dans une situation si désespérée. Au point de vouloir quitter la vie.

« J'espère que tu ne connaîtras jamais une telle solitude, Lily. »

Et puis il m'a raconté que ce premier soir, il était assis par terre, une lame de rasoir à la main. À l'instant même où il allait s'en servir, la lampe de ma chambre s'est allumée. « Et tu te tenais là, comme un ange, à contre-jour devant une lumière céleste. Je ne pouvais plus te quitter des yeux. »

Il m'a regardée un moment aller et venir devant la fenêtre, puis m'allonger sur mon lit, écrire mon journal. Il a fini par lâcher sa lame de rasoir, juste parce qu'il ne ressentait plus rien depuis un mois et qu'en me voyant, il avait de nouveau éprouvé quelque chose. Assez pour ne plus avoir envie de se supprimer.

Et un ou deux jours plus tard, je suis venue lui déposer de la nourriture sur le perron. Je crois que vous connaissez le reste de l'histoire.

« Tu m'as sauvé la vie, Lily. Et tu ne le savais même pas. »

Il s'est penché pour m'embrasser sur l'épaule, là où il a toujours aimé m'embrasser. J'étais contente qu'il recommence. Je ne suis pas folle de mon corps, mais ce coin-là, je l'aime bien.

Il m'a pris les mains en m'annonçant qu'il partait plus vite que prévu pour l'armée, mais qu'il voulait d'abord me remercier. Il s'engageait pour quatre ans et il ne tenait pas à ce qu'une jeune femme de seize ans ne vive pas une vie normale à cause d'un copain dont elle n'entendrait plus parler.

Ses yeux m'ont paru encore plus clairs quand il a poursuivi : « La vie est parfois bizarre. On n'a que quelques années pour la vivre, il faut donc faire tout ce qu'on peut pour les remplir autant que possible, sans perdre son temps avec ces choses qui pourraient peut-être arriver un jour, peut-être jamais. »

Je voyais ce qu'il voulait dire. Pas la peine que je compte sur lui en son absence. Il ne rompait pas vraiment, car on n'avait jamais trop vécu ensemble. On avait juste été des gens qui s'entraidaient et dont les cœurs s'étaient peu à peu rapprochés.

C'était dur de me voir lâchée par quelqu'un qui ne m'avait jamais vraiment retenue. Tout le temps que nous avions passé ensemble, nous savions aussi bien l'un que l'autre que ce n'était pas pour la vie. J'ignore pourquoi j'en étais moi-même persuadée, car je me sentais tout à fait capable de l'aimer dans ces circonstances ; dans une vie normale, si on avait été ensemble comme des ados et qu'il avait vécu dans une famille ordinaire, on aurait formé ce genre de couple. De ceux qui s'unissent sans se poser de questions et n'affronteront jamais les cruelles épreuves dont certains sont frappés.

Cette nuit-là, je n'ai pas tenté de le faire changer d'avis. Je crois que le lien qui nous unit ne saurait même pas être rompu par les feux de l'enfer. Je crois qu'il pourrait faire son temps dans l'armée tandis que j'achèverais ma vie d'ado, et puis, le moment venu, tout reprendrait sa place.

« Je vais te faire une promesse, » m'a-t-il dit. « Quand je mènerai une vie assez correcte pour que tu puisses en faire partie, je reviendrai te chercher. Mais je ne veux pas que tu m'attendes, parce que ça pourrait ne jamais se produire. »

Je n'ai pas aimé cette promesse, car elle impliquait deux sous-entendus. Soit il pensait ne jamais revenir vivant de l'armée, soit il craignait de ne pas pouvoir mener une existence digne de moi. Elle me convenait très bien comme ça ; pourtant, je me suis forcée à sourire. « Si tu ne reviens pas, c'est moi qui irai te chercher. Et ce ne sera pas joli, Atlas Corrigan. »

Cette menace l'a fait éclater de rire. « Tu n'auras pas trop de mal à me trouver. Tu sais exactement où je serai. »

« Là où tout ira bien. »

« À Boston. »

Et là, il m'a embrassée.

Ellen, je sais que vous êtes une adulte et que vous vous doutez de ce qui a pu se passer ensuite, mais je me sens quand même mal à l'aise de vous raconter le déroulement des deux heures suivantes. Disons tout simplement qu'on s'est beaucoup embrassés, qu'on a beaucoup ri. Qu'on s'est beaucoup aimés. Qu'on a beaucoup respiré. Beaucoup. Et qu'on a tous les deux dû se couvrir la bouche pour ne pas faire de bruit de peur de nous laisser surprendre.

Après, il m'a tenue serrée contre lui, corps contre corps, cœur contre cœur. Il m'a embrassée puis m'a regardée dans les yeux.

« Je t'aime, Lily. J'aime tout ce que tu es. Je t'aime. »

Je sais qu'on lâche fréquemment en l'air ce genre de paroles, surtout parmi les ados. Souvent prématurément et sans réfléchir. Pourtant, quand il m'a dit ça, j'ai compris que ce n'était pas un simple compliment de gamin amoureux. Qu'il y avait autre chose derrière.

Imaginez tous les gens que vous rencontrez dans une vie. Tant de gens. Ils arrivent par vagues, et se retirent avec la marée suivante. Certaines sont plus puissantes que d'autres et ont un impact plus profond. Parfois, les vagues apportent avec elles des traces venues du fin fond de l'océan et les lâchent sur le rivage où elles laissent une empreinte de leur passage, longtemps après qu'elles se sont retirées.

C'était ce qu'Atlas me disait en avouant qu'il m'aimait. Il me racontait que j'avais formé la vague la plus puissante de son existence. Et que je lui avais tant apporté qu'il en garderait sans cesse la trace, même lorsque la mer se serait retirée.

Après m'avoir dit qu'il m'aimait, il m'a annoncé qu'il avait un cadeau d'anniversaire et a sorti un sachet brun. « Ce n'est pas grand-chose, mais c'est tout ce que je peux faire pour le moment. »

J'ai ouvert le sachet et en ai sorti le plus joli cadeau que j'aie jamais reçu, un magnet affichant en haut le nom de Boston ; en bas était écrit en petits caractères : « Là où tout va bien. » Je lui ai dit que je le garderais toute ma vie et que chaque fois que je le verrais, je penserais à lui.

Au début de cette lettre, j'ai dit que mon seizième anniversaire avait été le plus beau jour de ma vie. Du moins jusqu'à ce moment-là.

Les minutes suivantes y ont mis un terme.

Comme je ne m'attendais pas à voir Atlas, ce soir-là, je n'avais pas fermé à clef. Mon père m'a entendue parler à quelqu'un et, quand il a ouvert la porte et vu Atlas au lit avec moi, il s'est fichu dans une colère plus noire que jamais. Pris par surprise, Atlas n'a pas su comment réagir.

Je n'oublierai pas ce moment de ma vie. Impossible de se défendre alors que mon père arrivait sur lui armé d'une batte de base-ball. Le seul bruit qui soit parvenu à mes oreilles par-dessus mes cris a été celui de ses os qui se brisaient.

Je ne sais toujours pas qui a appelé la police. Je suis sûre que c'était ma mère, mais ça remonte à six mois et on n'en a toujours pas reparlé. Le temps que les flics arrivent dans ma chambre et les séparent, je n'ai plus reconnu le visage d'Atlas, baigné de sang.

J'étais hystérique.

Hystérique.

Non seulement ils ont dû l'emmener en ambulance, mais ils ont dû en appeler une autre pour moi car je ne pouvais plus respirer. Ça a été la seule crise de panique de ma vie.

Personne n'a voulu me dire où il était, ni même s'il s'en était tiré. Mon père n'a pas été arrêté pour ce qu'il avait fait. Les gens ont fini par savoir qu'Atlas avait trouvé refuge dans la vieille maison, que c'était un S.D.F. Tout ce que mon père en a retiré, ce sont des félicitations pour son acte héroïque – n'avait-il pas sauvé sa fille chérie du mec sans abri qui l'avait manipulée et violée ?

Mon père m'a dit que j'avais mis la honte sur toute la famille en provoquant de tels bavardages. Aujourd'hui, j'ai entendu Katie dire dans le bus qu'elle avait essayé de me prévenir pour Atlas. Elle a compris qu'il m'attirerait des ennuis dès l'instant où elle a posé les yeux sur lui. N'importe quoi ! S'il avait été avec moi à ce moment-là, je l'aurais sans doute fermée, pour rester digne comme il voulait me l'enseigner. Au lieu de quoi j'étais tellement furax que je me suis retournée pour dire à Katie d'aller se faire voir ; j'ai ajouté qu'Atlas valait dix fois mieux qu'elle et que si je l'entendais dire encore un truc négatif sur lui, elle allait le regretter.

Elle a juste levé les yeux au ciel en répliquant : « Ça va, Lily. Il t'a lavé le cerveau, ou quoi ? C'était un sale S.D.F., un voleur, sans doute drogué. Il s'est servi de toi pour que tu lui donnes de la bouffe et du plaisir, et tu le défends encore ? » Par chance pour elle, le bus arrivait à mon arrêt. J'ai attrapé mon sac à dos et suis descendue ; une fois dans ma chambre, j'ai pleuré trois heures d'affilée. Maintenant, malgré mon chagrin, j'ai compris qu'une seule chose me permettrait de me sentir un peu mieux, ce serait de tout coucher sur le papier. Voilà six mois que j'évite d'écrire cette lettre.

Ne m'en veuillez pas, Ellen, mais j'ai toujours mal à la tête, et au cœur. Sans doute encore plus aujourd'hui qu'hier. Cette lettre ne m'a pas aidée du tout.

Je crois que je vais arrêter un peu de vous écrire. Ça me fait trop penser à lui, ça me fait encore trop souffrir. Tant qu'il ne me sera pas revenu, je pourrai au moins me dire qu'il va bien. Je vais faire semblant de nager alors que je ne fais que flotter. C'est tout juste si je me tiens la tête hors de l'eau.

– Lily

Je passe à la page suivante, mais elle est blanche. C'est donc la dernière fois de ma vie que j'ai écrit à Ellen.

Je n'ai plus entendu parler d'Atlas, mais je ne lui en ai jamais vraiment voulu. Il a failli mourir à cause de mon père. Comment le lui reprocher ?

J'ai au moins su qu'il s'en était tiré, grâce à ma curiosité qui m'a permis d'avoir des nouvelles de lui sur le net. Pas grand-chose d'ailleurs, mais juste assez pour apprendre qu'il allait bien et qu'il était parti pour l'armée.

Pour autant, il n'a jamais quitté mes souvenirs. Le temps a fini par m'apaiser mais, parfois, je tombais sur un détail qui me faisait penser à lui et ça me remettait le moral à zéro. Jusqu'au moment où, étudiante depuis deux ans, alors que je sortais avec un autre mec, je me suis avisée qu'Atlas ne pourrait jamais combler toute ma vie. Il n'en représentait sans doute qu'un passage.

L'amour n'est pas forcément un anneau fermé. Il va et vient, comme les gens dans la vie.

À la fac, un soir où je me sentais particulièrement seule, je suis allée me faire tatouer à l'endroit où il aimait tant m'embrasser. Un petit cœur de la taille d'une empreinte de pouce, qui ressemble à celui qu'il m'a sculpté. Il n'est pas complètement fermé en haut et je me demande si Atlas l'a fait exprès. Parce que c'est ainsi que je vois mon cœur chaque fois que je pense à lui. On dirait qu'il y a un petit trou dedans, pour laisser passer l'air.

Après la fac, je suis partie m'installer à Boston, pas forcément pour le retrouver, mais parce que je voulais vérifier de mes yeux si tout allait vraiment bien à Boston. Rien ne me retenait plus à Plethora et je voulais m'éloigner autant que possible de mon père. Bien qu'il soit malade et ne puisse plus rien contre ma mère, il me donnait toujours l'envie de m'extirper du Maine, et c'est exactement ce que j'ai fait.

La première fois que j'ai revu Atlas dans ce restaurant, j'en ai éprouvé de telles émotions que je ne savais plus comment les prendre. J'étais contente qu'il aille bien, contente qu'il paraisse en bonne santé. Mais je mentirais si je disais que je n'étais pas un peu désolée de constater qu'il n'avait pas cherché à reprendre contact avec moi malgré sa promesse.

Je l'aime. Aujourd'hui encore, et il en sera toujours ainsi. Il est arrivé sur moi telle une vague énorme qui a laissé beaucoup de traces en moi, et je sentirai le poids de cet amour jusqu'à la fin de mes jours. Je l'ai accepté.

Sauf que les choses ont changé, désormais. En le voyant sortir de mon bureau, j'ai beaucoup pensé à nous. Je crois que nos vies ont pris des chemins différents. Moi, j'ai Ryle. Atlas a une copine. Nous avons chacun une entreprise, comme nous l'espérions depuis toujours. Ce n'est pas parce que nous ne sommes plus sur la même vague que nous n'appartenons pas au même océan.

La vie avec Ryle me réserve encore bien des surprises, mais j'éprouve pour lui des sentiments aussi profonds qu'autrefois pour Atlas. Il m'aime autant qu'Atlas m'a aimée. Et je sais que s'ils apprenaient à se connaître, Atlas ne pourrait que le constater et qu'il serait content pour moi.

Parfois surgit une vague intempestive qui vous avale et refuse de vous rejeter. Ryle est ma vague intempestive et, pour le moment, je surfe sur sa belle surface.

DEUXIÈME PARTIE

CHAPITRE 18

– Mon Dieu ! Je crois que je vais vomir.

Ryle me soulève le menton du pouce en souriant.

– Tout ira bien. Ne t'affole pas.

Je secoue les bras et je saute sur place au milieu de l'ascenseur.

– Je ne peux pas m'en empêcher. Avec ce que vous m'avez dit sur votre mère, Allysa et toi, je suis dans tous mes états.

J'écarquille les yeux, porte mes mains à ma bouche.

– Oh, mon Dieu, Ryle ! Si elle me pose des questions sur Jésus ? Je ne vais pas à l'église. Bon, j'ai lu la Bible quand j'étais plus jeune, mais je ne serai pas capable de répondre à un questionnaire trop précis.

Là, il rit de bon cœur, m'attire contre lui, m'embrasse sur la tempe.

– Elle ne te parlera pas de Jésus. Elle t'aime déjà, après tout ce que je lui ai dit de toi. Reste toi-même et tout ira bien, Lily.

– Bon, d'accord. Je devrais pouvoir rester moi-même au moins une soirée.

Les portes s'ouvrent et il m'entraîne chez Allysa. Ça m'amuse de le voir frapper mais je suppose que, techniquement, il n'habite plus ici. Ces derniers temps, il s'est peu à peu installé chez moi ; tous ses vêtements sont dans mon placard, ainsi que ses affaires de toilette. La semaine dernière, il a même accroché dans notre chambre ce ridicule portrait flou de moi, comme pour rendre les choses encore plus officielles.

– Elle sait qu'on vit ensemble ? Elle est d'accord ? C'est vrai, on n'est pas mariés. Elle va à l'église tous les dimanches. Oh, non, Ryle ! Et si ta mère me prend pour une pute blasphématoire ?

D'un mouvement de la tête, il me désigne la porte et j'aperçois sa mère sur le seuil, l'air choqué.

– Maman, je te présente mon amie Lily. Ma pute blasphématoire.

Oh mon Dieu !

Sa mère me saisit dans ses bras et son rire me détend aussitôt.

– Lily ! dit-elle en me repoussant pour mieux me regarder. Ma chérie, je ne vous considère pas du tout comme une pute blasphématoire. Vous êtes l'ange que je prie le Ciel depuis dix ans d'envoyer dans les bras de Ryle.

Elle nous fait entrer dans l'appartement et c'est ensuite le père de Ryle qui m'accueille dans une aimable étreinte.

– Non, dit-il, vous n'avez rien d'une pute blasphématoire. Au contraire de Marshall qui a planté ses dents dans ma petite fille alors qu'elle n'avait que dix-sept ans.

Il jette un regard noir à son gendre assis sur le canapé.

Gendre qui éclate de rire.

– C'est là que vous faites erreur, Docteur Kincaid, car c'est Allysa qui m'a mordu la première. Mes dents étaient alors plantées dans une autre fille qui avait un goût de chips et…

Il se plie en deux alors qu'Allysa lui balance un coup de coude dans les côtes.

Et là, toutes mes craintes s'évanouissent. Ils sont parfaits. Normaux. Ils disent *pute* et rient aux plaisanteries de Marshall.

Je n'aurais pu rêver mieux.

Trois heures plus tard, je suis allongée avec Allysa sur son lit. Leurs parents sont allés se coucher tôt, à cause du décalage horaire. Ryle et Marshall sont restés au salon pour regarder un match. J'ai posé la paume sur le ventre d'Allysa dans l'espoir de sentir le bébé donner des coups de pied.

– Ses pieds sont là, dit-elle en déplaçant un peu ma main. Attends quelques secondes. Elle est très active ces temps-ci.

On ne dit plus rien jusqu'à ce que je sente un petit choc ; je couine de rire.

– Oh, la vache ! C'est fou !

– Plus que deux mois et demi. Ça va être la folie. J'ai trop hâte de la voir.

– Moi aussi. Je serai complètement gâteuse.

– J'aimerais tant que Ryle et toi ayez un bébé !

Je retombe en arrière, glisse les mains sous ma tête.

– Je ne suis pas sûre qu'il en veuille un. On n'en a jamais vraiment parlé.

– On s'en fiche qu'il en veuille ou non. Il changera d'avis. Il ne voulait pas non plus de fille dans sa vie avant toi, et maintenant, j'ai l'impression qu'il va te demander en mariage dans les prochains mois.

Je me redresse pour lui faire face.

– Attends, ça fait à peine six mois qu'on sort ensemble. Je crois qu'il va vouloir attendre encore.

Je préfère ne pas bousculer Ryle sur le plan de nos relations. Notre vie est parfaite telle quelle. De toute façon, on n'aurait pas le temps de se marier et ça m'est égal s'il ne veut rien décider pour le moment.

– Et toi ? insiste Allysa. Tu dirais oui s'il te demandait de l'épouser ?

– Hé ! Tu rigoles, là ? Bien sûr ! Je le ferais ce soir.

Elle regarde par-dessus mon épaule, en direction de la porte, se mord les lèvres.

– Il était là, c'est ça ?

Elle hoche la tête.

– Il a entendu tout ce que j'ai dit ?

Nouveau hochement de tête.

Je m'étends sur le dos et aperçois soudain Ryle adossé à l'encadrement, les bras croisés. Je ne sais pas trop ce qu'il pense de tout ça. Son expression reste fermée, sa mâchoire serrée, ses yeux plissés.

– Lily, laisse-t-il tomber, je t'épouserais sur-le-champ si tu l'acceptais.

Ça m'arrache un sourire gêné et je me cache la tête sous l'oreiller avant de répondre d'une voix étouffée :

– Euh, merci bien, Ryle !

– Trop chou ! commente Allysa. Mon frère est chou.

L'oreiller disparaît soudain de ma tête. C'est Ryle qui le tient le long de sa cuisse.

– On y va.

Mon cœur se met à battre.

– Là, tout de suite ?

– J'ai pris le week-end pour voir mes parents, tu as des gens qui peuvent gérer la boutique à ta place. On file se marier à Las Vegas.

Allysa s'assied sur le lit.

– Tu ne vas pas faire ça ! Lily est une fille. Elle veut un vrai mariage avec des fleurs, des demoiselles d'honneur et tout.

– C'est vrai ça ? m'interroge-t-il. Un vrai mariage avec des fleurs, des demoiselles d'honneur et tout ?

J'y réfléchis une seconde.

– Non.

On se tait tous les trois jusqu'à ce qu'Allysa se mette à agiter les jambes sur le lit comme une gamine excitée.

– Ils vont se marier ! crie-t-elle avant de se ruer dans le salon. Marshall, les valises ! On va à Las Vegas !

Ryle me saisit la main pour m'aider à me relever. Il sourit, mais je n'ai aucune envie de continuer s'il n'en a pas réellement envie.

– Tu es sûr, Ryle ?

Il passe sa main dans mes cheveux, m'effleure les lèvres des siennes.

– La vérité toute nue, murmure-t-il. J'ai tellement hâte d'être ton mari que j'en pisserais dans mon froc.

CHAPITRE 19

– Ça fait six semaines, maman. Remets-toi !

Maman soupire dans le téléphone.

– Tu es ma seule fille. Je n'y peux rien si j'ai rêvé de ton mariage toute ta vie.

Elle ne m'a toujours pas pardonné, alors qu'elle était là. On l'a appelée juste avant qu'Allysa ne réserve les voyages. On l'a sortie du lit, ainsi que les parents de Ryle, et on a tous pris le vol de minuit pour Las Vegas. Elle n'a pas cherché à me faire changer d'avis car, le temps d'arriver à l'aéroport, elle a dû constater que nous étions bien décidés. Mais elle n'a pas oublié. Depuis ma naissance, elle rêvait d'un grand mariage, elle se voyait m'aider à choisir ma robe et à goûter des gâteaux.

Je remonte les pieds sur le canapé.

– Et si je me faisais pardonner ? Par exemple, dès qu'on décidera d'avoir un bébé, si je te promettais de le faire de façon naturelle et non d'en acheter un à Las Vegas ?

Maman se met à rire avant de soupirer :

– Du moment que tu me donneras des petits-enfants.

Avec Ryle, on a abordé le sujet des enfants pendant le vol. Je voulais m'assurer qu'on pourrait en discuter à l'avenir, avant que je ne m'engage à passer le reste de ma vie avec lui. Il a dit qu'il était bien sûr ouvert à toutes les discussions. Après quoi on a mis les choses au clair sur d'autres sujets qui pourraient poser des problèmes. Je lui ai dit que je voulais des comptes en banque séparés mais que, comme il gagne davantage d'argent que moi, il devrait m'acheter des tas de cadeaux pour me faire toujours plaisir. Il a dit d'accord puis m'a fait promettre de ne jamais devenir vegan. Facile pour moi, j'aime trop le fromage. Je lui ai dit que nous devrions envisager de choisir quelques bonnes œuvres ou, tout au moins, de prendre celles que préfèrent Allysa et Marshall. Il m'a assuré qu'il en avait déjà de son côté et ça m'a donné envie de l'épouser encore plus vite. Il m'a fait promettre de voter, pour les républicains ou pour les démocrates ou pour les indépendants du moment que je votais. On s'est serré la main.

En atterrissant à Las Vegas, on était réglés sur la même longueur d'ondes.

J'entends la porte d'entrée s'ouvrir et je me redresse.

– Il faut que j'y aille. Ryle vient de rentrer.

Il passe la tête et je souris en ajoutant :

– Attends, maman, je répète : mon *mari* vient tout juste de rentrer.

Ma mère rit et me dit au revoir. Je raccroche et lâche l'appareil sur la table avant de remonter mes bras sur ma tête et de rester paresseusement allongée. Puis je cale une jambe sur le dossier, laissant ma jupe retomber le long de mes cuisses pour se tasser sur ma taille. Ryle m'examine d'un regard attentif, s'approche de moi, s'agenouille sur le canapé et s'allonge lentement sur mon corps.

– Comment va ma femme ? murmure-t-il avant de déposer ses lèvres sur ma bouche.

Il se glisse entre mes jambes et je renverse la tête en arrière tandis qu'il m'embrasse dans le cou.

C'est la vie.

On travaille tous les deux presque tous les jours, lui le double d'heures par rapport à moi ; il ne rentre que deux ou trois fois par semaine avant que je ne sois couchée. Mais les nuits où nous nous retrouvons enfin ensemble, j'ai tendance à lui réclamer de les passer en moi.

Il ne s'en plaint pas.

Il m'embrasse si fort dans le cou qu'il me fait mal.

– Ouille !

– Je te fais un suçon. Ne bouge pas.

Je le laisse faire en riant. Mes cheveux sont assez longs pour couvrir cet endroit précis, et puis ce sera la première fois que j'aurai droit à un suçon.

Ses lèvres ne quittent pas ce coin, suçant et aspirant jusqu'à ce que je ne sente plus la douleur. Il est appuyé sur moi et je le sens se durcir sous sa blouse. Je l'oriente de façon à pouvoir entrer facilement en moi. Il continue de m'embrasser le cou tout en me pénétrant sur le canapé.

***

Il a pris sa douche le premier et, dès qu'il est sorti, je me suis précipitée. Je lui ai dit qu'on devrait se laver pour chasser l'odeur du sexe avant d'aller dîner avec Marshall et Allysa.

Elle doit avoir son bébé dans quelques semaines, alors elle essaie de nous voir autant que possible car elle s'inquiète de ne plus nous voir après la naissance. Ridicule. Au contraire, les visites devraient se multiplier. J'aime déjà ma nièce plus qu'aucun d'eux.

Enfin, pas tout à fait mais presque.

J'essaie d'éviter de me mouiller les cheveux en me rinçant parce qu'on est déjà en retard. Je saisis mon rasoir et m'apprête à me le passer sous les bras quand retentit un fracas. Je m'arrête.

– Ryle ?

Rien.

Je finis de me raser, rince le savon. Autre fracas.

Mais qu'est-ce qu'il fiche ?

Je coupe l'eau, attrape une serviette.

– Ryle !

Il ne répond toujours pas. J'enfile en hâte mon jean et ouvre la porte tout en passant mon tee-shirt.

– Ryle ?

La table de nuit est renversée. Je fonce vers le salon et le trouve assis au bord du canapé, la tête dans une main, en train d'examiner quelque chose dans son autre main.

– Que fais-tu ?

Il lève sur moi un regard que je ne lui reconnais pas. Je ne comprends pas ce qu'il se passe. Je ne sais pas s'il vient de recevoir de mauvaises nouvelles ou… *Mon Dieu, Allysa.*

– Ryle, tu me fais peur. Qu'y a-t-il ?

Il brandit mon téléphone et m'interroge du regard, comme si je savais ce qu'il y avait. Je secoue la tête, l'air de ne pas saisir, alors il me montre un morceau de papier.

– Drôle de truc, dit-il en reposant l'appareil sur la table basse devant lui. J'ai laissé tomber ton téléphone et voilà que la coque s'est ouverte et que j'y ai trouvé ce numéro.

Oh non ! *Non, non, non.*

Il chiffonne le post-it.

– Je me suis dit : « *Bizarre. Lily ne me cache rien.* »

Il se lève.

– Alors je l'ai appelé.

Il reprend le téléphone, ferme le poing autour.

– Putain, il a de la chance que je sois tombé sur son répondeur.

Là-dessus, il balance à travers la pièce l'appareil qui va s'écraser contre le mur et retombe en miettes.

S'ensuit une pause de trois secondes durant laquelle je ne vois que deux directions à la suite des événements.

Il va me quitter.

Ou il va me battre.

Il se passe une main dans les cheveux et se dirige vers la porte.

Il me quitte.

– Ryle !

Aussi, pourquoi n'ai-je pas jeté ce foutu numéro ?!

Je rouvre la porte pour courir après lui. Il descend les marches quatre à quatre, mais je finis par le rejoindre sur le palier du premier. Je me plante devant lui, l'attrape par sa chemise.

– Ryle, je t'en prie. Écoute-moi !

Il me saisit les poignets et m'envoie promener.

***

– Ne bouge pas.

Je sens ses mains sur moi. Douces. Fermes.

Les larmes qui me coulent des yeux me brûlent les joues.

– Lily, s'il te plaît, ne bouge pas.

Sa voix apaisante n'apaise pas mon mal de tête.

– Ryle ?

J'essaie d'ouvrir les yeux, mais la lumière m'éblouit. Je sens une vive douleur au coin de l'œil et je frémis. Je voudrais m'asseoir, cependant sa main m'empêche de me redresser.

– Reste tranquille tant que je n'ai pas fini, Lily.

Je plisse les yeux et aperçois le plafond de la chambre.

– Fini quoi ?

Ma bouche me brûle quand je parle. Je pose la main dessus.

– Tu es tombée dans l'escalier, dit-il. Tu es blessée.

Cette fois, je le regarde dans les yeux. Il paraît inquiet mais aussi blessé, en colère. Il exprime tous les sentiments possibles tandis que je n'éprouve que de la confusion.

Je referme les paupières en essayant de me rappeler pourquoi il est en colère. Et blessé.

Mon téléphone.

Le numéro d'Atlas.

L'escalier.

J'ai saisi sa chemise.

Il m'a repoussée.

– *Tu es tombée dans l'escalier.*

Sauf que je ne suis pas tombée.

Il m'a poussée. Encore.

Ça fait deux fois.

Tu m'as poussée, Ryle.

Tout mon corps est maintenant secoué de sanglots. J'ignore à quel point je suis blessée, et je m'en fiche. Aucune douleur physique ne saurait être comparée à celle que mon cœur ressent en ce moment. Je lui tape sur les mains pour qu'il s'écarte de moi. Je le sens qui s'éloigne du lit et je m'y roule en boule.

Je m'attends à ce qu'il tente de m'apaiser, comme la dernière fois, mais rien. Je l'entends qui quitte la chambre. Je ne sais pas ce qu'il fait. Je pleure encore quand il s'agenouille devant moi.

– Tu dois avoir une commotion cérébrale, énonce-t-il d'un ton professionnel. Tu as une petite coupure à la lèvre. J'ai bandé ta blessure à l'œil. Tu n'as pas besoin de points de suture.

Il parle d'un ton glacial.

– Tu ressens une autre douleur ailleurs ? Tes bras ? Tes jambes ?

On dirait davantage un médecin qu'un mari.

– Tu m'as poussée, dis-je à travers mes larmes.

C'est tout ce que j'arrive à voir et à penser.

– Tu es tombée, corrige-t-il calmement. Il y a à peu près cinq minutes. Juste après que j'ai découvert quelle pute j'avais épousée.

Il dépose quelque chose sur l'oreiller près de moi.

– Si tu as besoin de quelque chose, je suis sûr que tu pourras appeler ce numéro.

Je regarde le post-it chiffonné à côté de ma tête, sur lequel est inscrit le numéro d'Atlas. Je sanglote.

– Ryle !

Que se passe-t-il ?

La porte d'entrée vient de claquer.

Tout mon monde s'effondre autour de moi.

– Ryle.

Cette fois, je n'ai fait que gémir. Je me prends la tête entre les mains et pleure plus fort que jamais. Je suis anéantie.

Cinq minutes.

Il n'en faut pas davantage pour anéantir quelqu'un.

***

Quelques minutes s'écoulent.

Peut-être dix ?

Je n'arrête pas de pleurer. Je n'ai pas bougé du lit. J'ai peur de me regarder dans la glace. J'ai trop peur…

J'entends la porte se rouvrir et claquer de nouveau.

Ryle apparaît sur le seuil.

Je ne sais pas si je dois le détester.

Ou mourir de peur.

Ou avoir de la peine pour lui.

Comment peut-on ressentir les trois à la fois ?

Il passe la tête dans l'entrebâillement, la heurte au chambranle une fois, deux fois, trois fois.

Soudain, il se précipite vers moi, tombe à genoux, m'attrape les deux mains, les serre.

– Lily, articule-t-il d'une voix cassée. S'il te plaît, dis-moi que ce n'est pas grave.

Il me caresse la joue et je sens sa main trembler.

– Je ne peux pas… supporter ça, bafouille-t-il. C'est impossible.

Il se penche, me dépose un baiser sur le front.

– S'il te plaît, dis-moi que tu ne le vois plus.

Je ne sais pas si je peux lui dire ça parce que je n'ai pas envie de parler.

Il reste contre moi, les mains serrées sur ma tête.

– Ça fait trop mal, Lily. Je t'aime trop.

Je fais non de la tête ; je voudrais lui dire la vérité afin qu'il sache quelle énorme erreur il vient de commettre.

– J'avais oublié que son numéro était là. Le lendemain de votre bagarre au restaurant… il est venu à la boutique. Tu peux demander à Allysa. Il n'est pas resté plus de cinq minutes. Il m'a pris mon téléphone, y a glissé son numéro parce qu'il pensait que je n'étais pas en sécurité avec toi. J'avais oublié que ce truc se trouvait là, Ryle. Je ne l'ai même jamais regardé.

Il pousse un soupir tremblé, secoue la tête.

– Tu le jures, Lily ? Tu jures sur notre mariage, sur nos vies et sur tout ce que tu es que tu ne lui as plus parlé depuis ce jour-là ?

Il recule pour me regarder dans les yeux.

– Je le jure, Ryle. Tu as surréagi sans me laisser le temps de m'expliquer. Maintenant, fous le camp de mon appartement.

Mes paroles lui coupent le souffle. Je le vois se relever, reculer jusqu'à en heurter le mur ; il me dévisage silencieusement. En état de choc.

– Lily. Tu es tombée dans l'escalier.

Je ne sais pas si c'est lui ou moi qu'il essaie de convaincre.

Je répète calmement :

– Fous le camp de mon appartement.

Il semble paralysé. Cette fois, je m'assieds et porte aussitôt la main à mon œil blessé.

Ryle se rapproche, je me réfugie dans un coin.

– Tu es blessée, Lily. Non, je ne peux pas te laisser toute seule.

J'attrape un oreiller et le lui lance à la figure.

– Fous le camp !

Il l'attrape. Je lui en lance un autre, me mets debout sur le lit en répétant :

– Fous le camp ! Fous le camp ! Fous le camp !

Je jette le dernier oreiller par terre une fois que j'ai entendu la porte d'entrée claquer.

Je cours tirer le verrou.

Je retourne dans ma chambre, retombe sur mon lit. Ce lit que j'ai partagé avec mon mari. Celui où il me fait l'amour.

Ce lit où il me couche quand il veut réparer ses erreurs.

CHAPITRE 20

J'ai essayé de rassembler les pièces de mon téléphone avant de m'endormir cette nuit, mais sans succès. Il était en morceaux. Je règle mon réveil afin de pouvoir me lever tôt demain et passer m'en acheter un autre en allant travailler.

Mon visage n'est pas aussi marqué que je le craignais. Bien sûr, je ne vais rien pouvoir cacher à Allysa, mais pas besoin. Une raie sur le côté va me permettre de masquer le plus gros du bandage de Ryle sur mon œil. La seule trace visible de cette soirée restera la coupure sur ma lèvre.

Et le suçon dans ma nuque.

Foutue ironie du sort.

Je prends mon sac, ouvre la porte, m'arrête net devant la masse à mes pieds.

Ça bouge.

Il me faut quelques secondes pour me rendre compte que c'est Ryle. *Il a dormi sur le palier ?*

Il se relève dès qu'il se rend compte que j'ai ouvert la porte et me fait face, le regard implorant, puis pose ses mains sur mes joues, ses lèvres sur les miennes.

– Pardon. Je te demande pardon, pardon.

Je recule, encore abasourdie. *Il a vraiment dormi là ?*

Je ferme la porte de l'appartement, passe devant lui comme si de rien n'était, descends l'escalier. Il me suit jusqu'à ma voiture, me suppliant de lui parler.

Je ne dis rien.

Je m'en vais.

***

Une heure plus tard, j'allume mon nouveau téléphone dans ma voiture. Dix-sept messages m'y attendent. Huit appels auxquels je n'ai pas répondu. Tous d'Allysa.

Quelque part, il semble logique que Ryle n'ait pas cherché à me joindre de toute la nuit puisqu'il savait dans quel état était mon appareil.

Je m'apprête à ouvrir les SMS quand il sonne encore. Allysa.

– Allô ?

Elle pousse un grand soupir.

– Lily ! Que se passe-t-il, bon sang ? Oh mon Dieu, ne me fais pas ça, je suis enceinte !

Je démarre et branche mon appareil sur Bluetooth tout en roulant vers la boutique. Allysa ne travaille pas aujourd'hui, et il ne lui reste que quelques jours avant le début de son congé maternité.

– C'est bon, lui dis-je. Ryle va bien. On s'est disputés. Désolée de ne pas avoir pu t'appeler, mais il avait cassé mon téléphone.

Court silence, et puis :

– C'est vrai ? Tu vas bien, toi ? Où es-tu ?

– Je vais bien. Je vais ouvrir le magasin.

– Bon, j'arrive, moi aussi.

Sans me laisser le temps de protester, elle raccroche.

Le temps que je me gare, elle est déjà là.

J'ouvre la porte, prête à subir l'assaut de questions qui m'attend, à expliquer pourquoi j'ai viré son frère de mon appartement, mais je m'arrête net en m'apercevant qu'ils sont tous les deux derrière le comptoir. Il s'appuie dessus tandis qu'elle lui murmure quelque chose à l'oreille.

Tous deux se tournent vers moi quand ils entendent la porte se refermer.

– Ryle, souffle Allysa. Qu'est-ce que tu lui as fait ?

Elle vient me serrer dans ses bras.

– Oh, Lily ! dit-elle en me passant la main dans le dos.

Et puis elle essuie ses larmes, réaction à laquelle je ne m'attendais pas. À l'évidence, elle sait qu'il est responsable ; pourtant, dans ce cas, elle devrait au moins lui crier dessus.

Comme elle l'interroge du regard, il m'adresse une moue navrée. Énamourée. Comme s'il ne songeait qu'à m'étreindre contre lui ; en même temps, il semble mourir de peur à l'idée de me toucher. Ce en quoi il a raison.

– Tu dois lui dire, lance Allysa.

Et le voilà qui se prend la tête dans les mains.

– Dis-lui, insiste Allysa d'un ton irrité. Elle a le droit de savoir, Ryle. C'est ta femme. Si tu ne le lui dis pas, c'est moi qui le ferai.

Cette fois, il s'effondre complètement sur le comptoir. Ce qu'Allysa veut l'entendre dire semble le mettre dans tous ses états. Ma colère devient telle que je n'arrive plus à respirer.

Allysa revient alors me poser les mains sur les épaules.

– Écoute-le, implore-t-elle. Je ne te demande pas de lui pardonner, parce que je ne sais pas ce qui s'est passé hier soir. Mais, s'il te plaît, en tant que belle-sœur et amie, donne à mon frère une chance de te parler.

***

Allysa a promis de s'occuper du magasin pendant une heure, le temps qu'une autre employée arrive. Je suis encore tellement furieuse après Ryle que je n'ai pas voulu le ramener. Il m'a dit qu'il appellerait un Uber.

Tout au long de mon trajet de retour, je me suis torturée en me demandant ce qu'il pouvait bien avoir à me dire qu'Allysa savait et pas moi. Des millions de pensées m'ont traversé l'esprit. Il est mourant ? Il m'a trompée ? Il a perdu son boulot ? Elle ne semblait pas trop savoir ce qui s'est passé hier soir, je ne vois donc pas à quoi rattacher la situation.

Ryle entre dans l'appartement dix minutes après moi. Je suis assise sur le canapé, en train de me ronger les ongles.

Je me lève alors qu'il vient prendre place sur une chaise. Il se penche, serre les mains devant lui.

– S'il te plaît, assieds-toi, Lily.

Il a dit ça d'un ton implorant, comme s'il ne pouvait supporter de me voir inquiète. Je retourne me poser sur le bras du canapé, remonte mes pieds, porte les mains à ma bouche.

– Tu vas mourir ?

Écarquillant les yeux, il secoue aussitôt la tête.

– Non. Non. Pas du tout.

– Alors, qu'y a-t-il ?

Bon sang, qu'il me le dise une bonne fois ! Mes mains commencent à trembler. Il voit bien qu'il me met dans tous mes états ; alors il me saisit les poignets, les tient doucement. Quelque part, je préférerais qu'il ne me touche pas après ce qu'il m'a fait, mais j'ai également besoin d'être rassurée. Et cette attente me met au bord de la nausée.

– Personne n'est mourant, et je ne te trompe pas. Ce que je vais te dire ne te fera pas mal, d'accord ? Ça appartient au passé. Mais Allysa estime que tu dois le savoir. Et… moi aussi.

Je me redresse, alors il me lâche les mains, se met à faire les cent pas derrière la table qui nous sépare. Comme s'il devait trouver le courage de trouver les paroles adéquates, ce qui ne fait qu'augmenter mon anxiété.

Il se rassied.

– Lily ? Tu te rappelles le soir de notre rencontre ?

Je fais oui de la tête.

– Tu te rappelles quand je suis arrivé sur le toit ? Dans quelle colère j'étais ?

Je hoche de nouveau la tête. Il tapait dans cette chaise. Il ne savait pas encore que le polymère marin était à peu près indestructible.

– Tu te rappelles ma pure vérité ? Ce que je t'ai dit ce soir-là, particulièrement ce qui m'a rendu tellement furieux ?

J'essaie de me remémorer toutes les vérités qu'il m'a énoncées. Il a dit que l'idée du mariage le rebutait, qu'il aimait les coups d'un soir, qu'il ne voulait pas avoir d'enfants. Qu'un de ses patients venait de mourir.

– Ah oui, le petit garçon. C'est pour ça que tu étais furieux. À cause de la mort d'un enfant.

Il pousse un grand soupir de soulagement.

– Oui. C'est pour ça que j'étais furieux.

Il se relève brusquement, comme s'il ne tenait pas en place, appuie les paumes sur ses yeux pour empêcher ses larmes de couler.

– Quand je t'ai dit ce qui lui était arrivé, tu te souviens de ta réponse ?

J'ai envie de pleurer et je ne sais même pas pourquoi.

– Oui. Je t'ai dit que je ne pouvais pas imaginer comment le petit frère allait s'en sortir. Celui qui a pris le pistolet et tiré sur lui par accident.

Mes lèvres se mettent à trembler.

– Et c'est là que tu as dit : « Ça va le détruire à jamais. Voilà tout. »

Mon Dieu !

Où veut-il en venir ?

Ryle tombe à genoux devant moi.

– Lily. Je savais que ça le détruirait. Je voyais exactement ce que pouvait ressentir ce petit garçon… parce qu'il m'est arrivé la même chose. À Allysa et à mon frère aîné…

Je ne peux retenir mes larmes. Alors il m'entoure de ses bras, pose la tête sur mes genoux.

– Je l'ai tué, Lily. Mon meilleur ami. Mon grand frère. Je n'avais que six ans. Je ne savais même pas que je tenais un vrai pistolet à la main.

Son corps est pris de frissons et il me serre encore plus fort. Je lui embrasse la tête parce que je le sens au bord de l'effondrement. Comme l'autre nuit sur le toit. J'ai beau lui en vouloir encore, je l'aime toujours et ça me tue d'apprendre qu'il a vécu une telle tragédie. Et Allysa aussi. On se tait un long moment ; il ne bouge plus, la tête sur mes genoux, les bras autour de ma taille, mes lèvres sur ses cheveux.

– Elle n'avait que cinq ans lorsque ça s'est produit, Emerson sept. On était dans le garage, si bien que personne n'a entendu nos cris. Alors je me suis assis par terre, et…

Il se détache de moi et se relève, le visage tourné ailleurs. Après un nouveau moment de silence, il vient se poser sur le canapé, se penche encore en avant.

– J'essayais de…

Le visage grimaçant de douleur, il se reprend la tête dans les mains.

– J'essayais de tout lui remettre dans le crâne. Je croyais pouvoir le réparer, Lily.

De la main, j'étouffe un petit cri.

Il faut que je me lève pour récupérer mon souffle.

Ça ne marche pas.

Je n'arrive pas à respirer.

Ryle me rejoint et m'attire contre lui. On s'étreint longuement avant qu'il ne reprenne :

– Je ne t'aurais jamais dit ça pour excuser ma conduite. Crois-moi. Allysa voulait que je t'en parle parce que, depuis, il arrive que je ne puisse plus me contrôler. Je pique ma crise. C'est le trou noir. Je suis suivi depuis l'âge de six ans. Mais ce n'est pas une excuse. C'est juste la réalité.

Il essuie encore mes larmes, repose ma tête sur son épaule.

– Quand tu m'as poursuivie, hier soir, je te jure que je ne voulais pas te faire de mal. J'étais hors de moi. Et parfois, quand je suis submergé par mes émotions, quelque chose se brise en moi. Je ne me rappelle pas du tout t'avoir poussée. Mais je sais que je l'ai fait. Alors, je ne pensais qu'à une chose : tu me poursuivais et il fallait que je t'échappe, que je t'écarte de mon chemin. Je n'ai pas pris conscience qu'on était dans un escalier, ni que ma force dominerait la tienne. J'ai déconné, Lily.

Voilà.

Il pose la bouche sur mon oreille pour ajouter d'une voix cassée :

– Tu es ma femme. Je suis censé te protéger des monstres, pas en être un.

Il m'étreint avec tellement de désespoir qu'il se remet à trembler. Jamais je n'avais ressenti une telle douleur irradier d'un être humain.

Ça me brise, me déchire. Si je le pouvais, j'envelopperais son cœur du mien.

Pourtant, malgré tout ce qu'il vient de me dire, j'ai encore du mal à lui pardonner. Je me suis juré que ça n'arriverait plus jamais, je nous ai juré, à lui autant qu'à moi, que s'il me frappait encore je le quitterais.

Je me détache de lui, incapable de soutenir son regard, et me dirige vers ma chambre le temps de récupérer un peu mon souffle. Je ferme derrière moi la porte de la salle de bains, et là, ne tenant plus debout, je me laisse glisser au sol dans un torrent de larmes.

Ça ne devrait pas se passer comme ça. Toute ma vie, j'ai su ce que je ferais si un homme se conduisait comme mon père avec ma mère. Simple. Je le quitterais et ça ne se reproduirait jamais.

Mais je ne l'ai pas quitté. Et maintenant me voilà, pleine de bleus et de coupures provoqués par l'homme censé m'aimer, par les mains de mon propre mari.

Et voilà que j'essaie de justifier la situation.

C'était un accident. Il croyait que je le trompais. Il était blessé, furieux et j'étais sur son chemin.

Je sanglote car j'éprouve plus de chagrin pour l'homme qui se trouve dans la pièce à côté que pour moi-même. Et ça ne me rend pas plus forte ni altruiste, mais faible et lamentable. Je devrais le détester, devenir la femme que ma mère n'a jamais trouvé la force de devenir.

Après, si je reproduis le comportement de ma mère, cela veut dire que Ryle reproduit celui de mon père. Ce qui n'est pas le cas. Il faut que je cesse de nous comparer à eux. Nous sommes d'autres personnes dans une situation totalement différente. Mon père n'avait pas d'excuse pour ses crises de colère et il ne demandait pas aussitôt pardon. La façon dont il traitait ma mère était dix fois pire que ce qui s'est produit entre Ryle et moi.

Il vient de s'ouvrir à moi d'une façon qu'il n'a sans doute jamais réservée à personne. Il s'efforce de devenir meilleur pour moi. Oui, il a pété un câble hier soir, mais il est ensuite venu pour essayer de me faire comprendre pourquoi il a réagi ainsi. Les humains n'ont rien de parfait et je ne peux pas laisser le seul exemple de vie conjugale que je connaisse gâcher la mienne.

Je m'essuie les yeux, me relève. Quand je me regarde dans la glace, je ne vois pas ma mère, mais moi. Je vois une fille qui aime son mari et désire avant tout pouvoir l'aider. Je sais que

Ryle et moi sommes assez forts pour traverser cette épreuve. Notre amour est assez puissant pour nous y aider.

Je sors de la salle de bains, regagne le salon. Ryle se redresse et me fait face, le visage marqué par la crainte. Il a peur que je ne lui pardonne pas et je ne suis pas sûre de pouvoir le faire. Mais il n'est pas indispensable de pardonner une faute pour en tirer des leçons. Je lui saisis les poignets et lui annonce ma vérité toute nue :

– N'oublie pas ce que tu m'as dit sur le toit, ce soir-là : « Ça n'existe pas les gens négatifs. On est tous des gens qui commettent parfois des actes négatifs. »

Hochant la tête, il me serre les mains.

– Tu n'es pas un être négatif, Ryle. Je le sais. Tu peux encore me protéger. Quand tu te mets en colère, pars, et je partirai aussi. Et on attendra que tu te calmes assez pour en parler. D'accord ? Tu n'es pas un monstre, Ryle. Tu es humain. Et, en tant qu'humains, on ne peut pas sans cesse assumer tous nos chagrins. Parfois, il faut les partager avec les gens qui nous aiment afin de ne pas nous laisser écraser. Mais je ne peux pas t'aider si j'ignore que tu en as besoin. Demande-moi de t'aider. On surmontera ça. Je le sais.

Il exhale tout le souffle qu'il semblait retenir depuis hier soir. Il m'enveloppe de son bras, cache son visage dans mes cheveux.

– Aide-moi, Lily. J'ai besoin que tu m'aides.

Il me serre contre lui et je sais du fond du cœur que j'ai raison. Il reste tant de bonnes choses en lui que je suis capable de tout pour l'en convaincre, jusqu'à ce qu'il le constate lui aussi.

CHAPITRE 21

– Je m'en vais. Vous avez besoin d'autre chose ?

Je lève la tête de mes comptes.

– Non merci, Serena. À demain.

Elle s'éloigne, laissant la porte de mon bureau ouverte.

Le dernier jour de travail d'Allysa remonte à deux semaines. Elle devrait accoucher d'un moment à l'autre. J'ai deux nouvelles employées à plein temps, Serena et Lucy.

Oui, cette Lucy-là.

Voilà deux mois qu'elle est mariée, et elle est venue me demander du travail il y a quinze jours. Ça marche très bien d'ailleurs. Elle n'arrête pas, si bien qu'avec elle je peux passer mes journées dans mon bureau, en fermant la porte pour ne pas l'entendre chanter.

Un mois s'est écoulé depuis l'incident de l'escalier. Malgré tout ce que m'a raconté Ryle sur son enfance, j'ai eu du mal à lui pardonner.

Je sais qu'il possède un fichu caractère. Je m'en suis aperçue dès le premier soir, avant même qu'on échange une parole. Et puis je l'ai vu cet horrible soir dans ma cuisine. Et aussi quand il a trouvé ce numéro dans la coque de mon téléphone.

Mais je sais également faire la différence entre Ryle et mon père.

Ryle est compatissant. Il fait des choses que mon père n'aurait jamais faites. Il donne aux œuvres de charité, il s'occupe des gens, il me fait passer avant tout le reste. Jamais ô grand jamais, il ne me forcerait à me garer devant la maison pour s'attribuer le garage.

Il faut que je me rappelle ce genre de choses. Parfois, la fille en moi – la fille de mon père – est vraiment passionnée. Elle me dit que je n'aurais pas dû lui pardonner. Elle me dit que j'aurais dû ficher le camp dès la première fois. Et il m'arrive de la croire. Et puis celle qui connaît Ryle reprend le dessus : aucun mariage n'est parfait. Il y a parfois des moments qu'on regrette tous les deux. Je me demande comment je me sentirais si je l'avais quitté dès ce premier incident. Il ne m'aurait jamais poussée ; sauf que moi aussi je n'ai pas été toujours au top. Et si j'étais partie, n'aurais-je pas trahi nos vœux de mariage ? *Pour le meilleur et pour le pire.* Je refuse de lâcher prise aussi facilement. Je suis une femme forte. Toute ma vie, j'ai été confrontée à la violence. Je ne deviendrai jamais ma mère. J'en suis sûre à cent pour cent. Et Ryle ne deviendra jamais mon père. Je crois qu'on avait besoin de ce qui s'est passé dans l'escalier pour que j'apprenne ce qui lui est arrivé et qu'on puisse y travailler ensemble.

La semaine dernière, on s'est encore disputés.

J'ai eu peur. Nos deux précédentes disputes ne s'étaient pas bien terminées et je savais que ce serait la mort de notre accord sur l'aide que je pourrais ou non lui apporter.

On discutait de sa carrière. Il a terminé son internat maintenant et il s'est inscrit à une spécialisation de trois mois à Cambridge, en Angleterre. Il va vite savoir s'il est accepté, mais ce n'est pas ce qui m'a mise en pétard. En fait, il s'agit d'une magnifique occasion que je ne critiquerais jamais. Qu'est-ce que trois mois quand on a tant à faire ? Non, ce qui m'a énervée, c'est ce qu'il voulait faire ensuite.

On lui a proposé un poste à la clinique Mayo, dans le Minnesota, et il veut qu'on aille s'installer là-bas car c'est le meilleur hôpital neurochirurgical du monde, avant le Centre hospitalier du Massachusetts où il travaille en ce moment.

Il jure n'avoir jamais voulu passer toute sa vie à Boston. J'ai répondu qu'il aurait pu m'en parler quand on a discuté de notre avenir dans l'avion qui nous emmenait à Las Vegas. Je ne peux pas quitter Boston. Ma mère y vit. Allysa y vit. Il a répondu qu'on n'en avait que pour quatre heures d'avion et qu'on pourrait revenir autant qu'on le voudrait. J'ai rétorqué qu'il serait très compliqué de tenir une boutique de fleurs quand on habitait à plusieurs États de là.

La dispute a enflé et la colère montait en chacun de nous. À un moment, il a cogné un vase plein de fleurs qui est tombé par terre. On les a juste regardées sans rien dire. J'ai eu peur, je commençais à me demander si j'avais pris la bonne décision en restant avec lui, en croyant qu'on pourrait lui apprendre à maîtriser ses colères. Il a respiré un grand coup avant de dire :

– Je vais partir une moment. J'ai besoin de marcher. Quand je reviendrai, on reprendra cette discussion.

Il est sorti pour ne rentrer effectivement qu'une heure plus tard, bien calmé. Il a jeté ses clefs sur la table puis est venu droit sur moi, m'a pris le visage entre les mains.

– Je t'ai dit que je voulais être le meilleur dans mon domaine, Lily. Je te l'ai dit dès le soir où nous nous sommes rencontrés. Ça faisait partie de mes pures vérités. Mais si je dois choisir entre un travail dans le meilleur hôpital du monde et rendre ma femme heureuse… je te choisis toi. Tu es ma réussite. Tant que tu es heureuse, je me fiche de l'endroit où je travaille. On reste à Boston.

Là, j'ai compris que j'avais pris la bonne décision. Tout le monde mérite une deuxième chance. Surtout les gens qui comptent le plus pour vous. Voilà une semaine que cette dispute s'est produite et il n'a plus parlé de déménager. Je m'en veux un peu, comme si j'avais gâché ses projets, mais le mariage est aussi une question de compromis. Il concerne ce qui est préférable pour le couple, non pour chaque individu. Il vaut mieux que chacun de nous reste à Boston puisque nous y avons nos familles.

À propos, je viens de recevoir un texto d'Allysa.

Allysa : Tu as fini ton travail, aujourd'hui ? Je voudrais ton avis pour mes meubles.

Moi : Je suis là dans un quart d'heure.

Je ne sais pas si c'est parce qu'elle va bientôt accoucher ou parce qu'elle ne travaille pas en ce moment, mais je suis sûre d'avoir passé plus de temps chez elle, cette semaine, que chez moi. Je ferme la boutique et me dirige vers son appartement.

***

En sortant de l'ascenseur, je trouve un mot collé à sa porte. Mon nom est écrit dessus, alors je le décolle :

Lily, au sixième étage. Appartement 649.

– A

Elle a un autre appartement ici pour ses nouveaux meubles ? Je sais qu'ils sont riches, mais ça me paraît quand même un peu excessif. Je reprends l'ascenseur, appuie sur le bouton du sixième. Quand les portes s'ouvrent, je sors sur le palier et me dirige vers le 649. Là, je ne sais pas s'il faut frapper ou juste entrer. Après tout, il se pourrait que quelqu'un habite là. Peut-être quelqu'un de sa famille.

Je frappe donc et j'entends des pas.

Je reste stupéfaite quand la porte s'ouvre sur Ryle.

– Salut, dis-je sans comprendre. Que fais-tu là ?

Il sourit, s'appuie sur l'encadrement.

– J'habite ici. Et toi, qu'est-ce que tu fais là ?

Je regarde la plaque en cuivre à côté de la porte.

– Ah bon, tu habites ici ? Je croyais que tu habitais avec moi. Tu as toujours possédé cet appartement ?

Quand même, ce serait la moindre des choses pour un mari de dire à sa femme qu'il possède un appartement. Ça m'agace un peu.

En fait, c'est surtout ridicule et décevant. Je crois que je vais vraiment m'énerver.

Il se redresse en riant.

À présent, il occupe tout le seuil en levant les bras jusqu'au plafond.

– Je n'ai pas encore eu l'occasion de t'en parler étant donné que j'ai signé ce matin.

Je recule.

– Attends. Quoi ?

Il me tire par les mains vers l'intérieur.

– Bienvenue chez toi, Lily.

Je m'arrête dans l'entrée.

– Tu viens d'acheter un appartement ?

Il hoche lentement la tête.

– Oui. Ça te va ? Je me suis dit que, comme on vivait ensemble ça nous ferait une pièce supplémentaire.

Je commence à regarder autour de moi, découvre la cuisine, pas aussi grande que celle d'Allysa mais aussi blanche et presque aussi belle. Il y a une cave à vin et un lave-vaisselle, deux choses absentes de la mienne. *C'est vraiment ma cuisine ? Pas possible !*

J'admire le salon avec son plafond cathédrale et l'énorme baie qui donne sur la rivière Charles.

– Lily ? Tu n'es pas furieuse, j'espère ?

Je me retourne vers lui et me rends compte qu'il guette ma réponse depuis plusieurs minutes. Mais je reste coite.

Je finis par porter une main à ma bouche.

– Je ne crois pas…

Il vient me prendre les mains.

– Tu ne crois pas ? S'il te plaît, dis-moi la vérité toute nue, parce que je commence à croire que je n'aurais peut-être pas dû te faire cette surprise.

Je baisse les yeux vers le parquet. Un vrai parquet de chêne, pas du stratifié.

– D'accord. Je crois que tu as commis une folie en achetant cet appartement sans me demander mon avis. J'estime qu'on aurait dû faire ça ensemble.

Il a l'air sur le point de s'excuser, alors j'embraye :

– Mais la vérité toute nue c'est que… c'est parfait. Je ne sais vraiment pas que dire, Ryle. Tout est si propre ! J'ai presque peur de bouger, de salir quelque chose.

– Arrête, ma chérie ! Tu es chez toi. Tu peux salir tout ce que tu veux.

Il m'embrasse sur la tempe, mais je ne dis pas merci pour autant. Ça me semble insuffisant pour un si beau geste.

– Quand est-ce qu'on s'installe ici ?

– Demain ? J'ai ma journée. On n'a pas trop de trucs à faire. On pourra passer les semaines suivantes à s'acheter de nouveaux meubles.

J'essaie de faire le point sur le travail qui m'attend. Je savais déjà que Ryle était libre demain, et je n'avais donc rien prévu de spécial.

Tout d'un coup, je voudrais m'asseoir, mais il n'y a pas de chaises. Heureusement, le sol est propre.

– Allysa est au courant ?

– Oui, Lily. Elle est ravie. Voilà un moment que je voulais prendre un appartement ici. En fait, depuis qu'on a décidé de rester à Boston. Je voulais te faire la surprise. Elle m'a aidé, mais je commençais à me demander si elle t'en avait parlé ou non.

Je n'arrive pas à me faire à cette idée. J'habite ici ? Allysa et moi serons voisines ? Je ne saisis pas pourquoi j'ai l'impression qu'il faudrait m'en inquiéter parce que ça me fait vraiment plaisir.

– Je sais, reprend-il, qu'il te faut une minute pour t'habituer à cette idée. Mais tu n'as pas encore vu le plus beau, et ça me tue.

– Montre-moi ça !

Il m'aide à me relever et m'entraîne dans un couloir après le salon. Il ouvre les portes en me disant à quoi correspond chaque pièce, sans me laisser le temps d'y entrer. Le temps qu'on pénètre dans la chambre principale, j'ai calculé qu'on était dans un cinq-pièces, deux salles de bain. Et un bureau.

Sans me laisser le temps d'admirer la beauté de la pièce, il me la fait traverser pour m'amener vers un rideau fermé, et se tourne vers moi :

– Ce n'est pas un terrain où tu pourras cultiver un jardin mais, avec quelques pots, ça s'en approchera.

Il tire le rideau, ouvre une porte sur un immense balcon. Je le suis dehors, rêvant déjà des plantes que je pourrais y installer.

– C'est la même vue que du toit terrasse, annonce-t-il. On se retrouvera toujours comme le soir où on s'est rencontrés.

Il me faut un certain temps pour m'en rendre compte et, tout d'un coup, je me mets à pleurer. Ryle m'attire contre lui, m'entoure de ses bras.

– Lily, souffle-t-il en me passant la main dans les cheveux. Je ne voulais pas te faire pleurer.

Je ris entre mes larmes.

– Je n'arrive pas à croire que j'habite ici, dis-je en me détachant un peu de lui. Dis-moi, on est riches ? Comment peux-tu nous offrir ça ?

– Hé, tu as épousé un neurochirurgien ! s'esclaffe-t-il. Tu ne seras jamais trop à court d'argent.

Ce commentaire me fait d'abord rire puis je pleure encore plus fort.

Et c'est là que nous arrive notre premier visiteur, car quelqu'un frappe à la porte.

– Allysa, dit-il. Elle attendait sur le palier.

Sans attendre, je me précipite vers l'entrée, ouvre et on se jette dans les bras l'une de l'autre en poussant des cris de joie.

Le reste de la soirée se passe dans notre nouvel appartement. Ryle commande des plats chinois et Marshall descend dîner avec nous. Comme on n'a ni table ni chaise, on s'installe tous les quatre par terre et on mange à même les boîtes.

On échange nos idées de décoration et de tout ce qu'on pourrait installer ici, puis on parle du prochain accouchement d'Allysa.

Tout ça et autre chose.

J'ai hâte de l'annoncer à ma mère.

CHAPITRE 22

Allysa doit accoucher dans trois jours.

Voilà une semaine qu'on vit dans notre nouvel appartement. On a fait venir toutes nos affaires dès le lendemain puisque Ryle ne travaillait pas et, avec Allysa, on est allées acheter quelques meubles le lendemain. Si bien qu'on était pratiquement installés dès le troisième jour. On a reçu notre premier courrier hier. Une facture des services publics ; maintenant, c'est donc officiel.

Je suis mariée. J'ai un mari merveilleux. Un logement magnifique. Ma meilleure amie est aussi ma belle-sœur et je vais devenir tante. Oserais-je le dire… Ma vie pourrait-elle être plus belle ?

Je ferme mon ordinateur portable et me prépare pour sortir ce soir. Ces derniers temps, je rentre plus tôt que d'habitude tellement j'ai hâte d'arriver chez moi, dans mon nouvel appartement. Je m'apprête à sortir du bureau quand Ryle entre dans le magasin, les mains chargées, laissant la porte se refermer derrière lui. Il porte un journal coincé sous l'aisselle et deux cafés. Malgré son expression enfiévrée et son pas pressé, il sourit.

– Lily, dit-il en me donnant un mug, trois choses. Une… As-tu vu le journal ?

Il me le tend, ouvert à la page qui l'intéresse.

– Tu as gagné, Lily. Tu as gagné !

J'essaie de ne pas m'emballer avant de lire l'article. Il pourrait parler d'une chose totalement différente de celle à laquelle je pense. Une fois que j'ai lu le titre, je me rends compte qu'il parle exactement de ça.

– J'ai gagné ?

J'avais reçu un avis me disant que j'étais retenue parmi bien d'autres pour recevoir le Prix de Boston, décerné chaque année par les lecteurs du journal. Lily Bloom y apparaissait dans la catégorie « Nouvelles entreprises les plus prometteuses de Boston ». Pour en faire partie, il fallait avoir ouvert sa société moins de deux ans auparavant. Je me doutais que j'allais être choisie quand un reporter m'a téléphoné la semaine dernière pour me poser une série de questions.

Le titre annonce : « Les nouvelles entreprises les plus prometteuses de Boston. Voici les dix élus ! »

Et je manque de renverser mon café lorsque Ryle me prend dans ses bras et me fait tournoyer.

Il a dit avoir trois choses importantes à m'annoncer ; s'il a commencé par celle-là, j'ignore totalement quelles peuvent être les deux autres.

– Et en deux ?

Il me repose par terre, boit une gorgée de café.

– J'ai commencé par la meilleure. J'étais trop content. Je suis sélectionné pour le stage à Cambridge.

– C'est vrai ? dis-je pleine d'admiration.

Hochant la tête, il me refait tournoyer dans ses bras.

– Je suis fière de toi, dis-je en l'embrassant. On réussit tellement bien tous les deux que c'en est écœurant.

Il rit.

– Et la trois ?

– Ah oui. La numéro trois.

S'adossant au comptoir, il reprend une gorgée de café.

– Allysa est en train d'accoucher.

– Quoi ?!

Là, j'ai crié. Il me montre nos mugs.

– Oui. C'est pour ça que je t'ai apporté de la caféine. On ne va pas dormir, cette nuit.

J'applaudis, je saute de joie puis m'affole en cherchant mon sac, ma veste, mes clefs, mon téléphone. Juste avant d'arriver à la porte, Ryle retourne chercher sur le comptoir le journal qu'il coince sous son bras. Mes mains tremblent tant de joie que j'en ai du mal à tourner la clef. Je crie en me précipitant vers ma voiture :

– On va être tantes !

– Tontons ! corrige Ryle en riant. On va être tontons !

***

Marshall émerge dans le couloir. On se précipite avec Ryle, avides de nouvelles. Voilà une demi-heure qu'on attendait dans le silence, guettant les cris d'Allysa, mais rien. Même pas les vagissements d'un nouveau-né. Je me fige quand je vois la mine défaite de mon beau-frère.

Il se met à trembler et fond en larmes.

– Je suis papa, gémit-il. Je suis PAPA !

Il étreint Ryle, puis moi, avant d'ajouter :

– Encore un quart d'heure et vous pourrez la voir.

Quand il referme la porte, nous poussons chacun un soupir avant de nous regarder en souriant.

– Toi aussi tu as craint le pire ? me demande Ryle.

Je hoche la tête, le serre dans mes bras.

– Te voilà tonton !

Il m'embrasse la tête avant de répondre :

– Toi aussi.

Une demi-heure plus tard, on se retrouve tous les deux devant le lit où Allysa est allongée, son bébé dans les bras. La petite fille est absolument parfaite. Encore un peu trop petite pour qu'on puisse dire à qui elle ressemble, mais de toute façon très jolie.

– Tu veux prendre ta nièce ? demande Allysa à Ryle.

Il se crispe un peu mais finit par accepter. Elle lui pose le bébé dans les bras et lui montre comment le tenir. Après une hésitation, il va s'asseoir dans le canapé.

– Vous lui avez choisi un nom ?

– Oui, dit Allysa. On voulait l'appeler comme quelqu'un sur qui on est d'accord, Marshall et moi. Alors on a ajouté un E à ton nom. Elle s'appelle Rylee.

Il pousse un petit soupir, comme choqué, baisse les yeux sur le bébé.

– Rhooo ! Je ne sais pas quoi dire !

Je serre la main d'Allysa avant d'aller m'asseoir auprès de lui. J'ai souvent cru que je ne pourrais pas l'aimer davantage mais, une fois de plus, je me suis trompée. Quand je vois comment il regarde sa nièce, je sens mon cœur s'agrandir.

Marshall s'assied sur le lit auprès d'Allysa.

– Les gars, vous avez remarqué comme Issa était sage. Pas un piaillement. Elle n'a même pas eu besoin de médicaments.

Il la prend dans ses bras et s'allonge auprès d'elle.

– J'ai l'impression de me retrouver dans le film *Hancock,* avec Will Smith, et je vais découvrir que j'ai épousé une super-héroïne.

– Elle m'a mis plus d'une claque en grandissant, s'esclaffe Ryle. Ça ne m'étonnerait pas.

– Ne jure pas devant Rylee, insiste Marshall.

– *Trou du cul* ! murmure Ryle au bébé.

On se met à rire et il me demande si je veux la porter. Je tends des mains avides tellement j'attendais cet instant. En la prenant dans mes bras, je suis frappée de la vague d'amour qui m'envahit déjà.

– Quand est-ce que papa et maman arrivent ? demande Ryle à sa sœur.

– Ils déjeunent ici demain.

– Je ferais sans doute mieux de dormir un peu. Je sors d'une longue garde. Lily, tu viens avec moi ?

– Non, je préfère rester encore un peu. Prends ma voiture, je rentrerai en taxi.

Il m'embrasse sur la tempe, pose la tête sur la mienne et on regarde tous les deux Rylee.

– On devrait en faire une comme elle, observe-t-il.

Je lève les yeux vers lui pour vérifier qu'il a bien dit ça.

Il me décoche un clin d'œil.

– Si je dors quand tu rentres, réveille-moi. On va s'y mettre dès ce soir.

Il dit au revoir aux autres et Marshall l'accompagne dehors.

Allysa me sourit :

– Je t'avais dit qu'il voulait des bébés avec toi.

La petite fille toujours dans mes bras, je me rapproche du lit et Allysa nous fait de la place. On se blottit l'une contre l'autre pour regarder Rylee s'endormir, comme si on n'avait jamais rien vu de plus joli.

CHAPITRE 23

Trois heures plus tard, à vingt-deux heures passées, j'arrive à la maison. Je suis restée plus d'une heure avec Allysa après le départ de Ryle, puis je suis repassée au bureau régler quelques détails pour ne pas avoir à y retourner les deux jours suivants. Quand Ryle a un jour de congé, j'essaie d'en faire autant.

Tout est éteint lorsque j'entre dans l'appartement, j'en conclus que Ryle est déjà couché.

Durant le chemin du retour, j'ai repensé à ce qu'il a dit. Je ne m'attendais pas à ce que nous en discutions aussi vite. J'ai presque vingt-cinq ans, mais je me disais qu'il nous faudrait au moins deux ans de mariage avant de fonder une famille. D'ailleurs, je ne suis pas sûre d'être prête mais, maintenant que je sais qu'il y songe, je me sens d'une humeur exquise. Je décide d'avaler un morceau avant de le réveiller. Je n'ai pas encore dîné et je meurs de faim. J'allume la lumière de la cuisine et là, je crie, tombe sur le comptoir, les mains plaquées sur ma poitrine.

– Ce n'est pas vrai, Ryle ! Qu'est-ce que tu fiches ?

Il est assis par terre près du frigo, adossé au mur, les pieds croisés, les yeux plissés dans ma direction. Il tripote quelque chose entre ses doigts sans me quitter du regard.

Sur le comptoir traîne un verre vide qui a dû contenir du scotch. Il lui arrive d'en boire de temps en temps avant de s'endormir.

Lorsqu'il grimace un sourire, je me sens mieux, parce que je sais ce qui va suivre. Cet appartement va devenir un nid de fringues et de bisous. Nous avons testé presque toutes les pièces depuis notre arrivée, mais pas encore la cuisine.

Je lui rends son sourire ; mon cœur bat encore la chamade après l'avoir trouvé affalé par terre dans le noir. Je m'aperçois que c'est le magnet de Boston qu'il tient dans la main ; je l'ai rapporté du vieil appartement et collé au frigo dès le premier jour.

Il le remet à sa place, le tapote.

– Où est-ce que tu l'as trouvé ?

Pas question de lui dire que ça me vient d'Atlas, qui me l'a offert pour mon seizième anniversaire. Ça ne ferait qu'empoisonner l'atmosphère et je suis de trop bonne humeur à l'idée de ce qui nous attend tous les deux pour aborder cette vérité toute nue dès ce soir.

– Je ne sais plus, dis-je en haussant les épaules. Je l'ai toujours vu chez moi.

Il me dévisage silencieusement avant de se redresser, puis il vient vers moi. Je m'appuie au comptoir, le souffle coupé, tandis qu'il glisse les mains sur ma taille, sous mon jean, jusqu'aux fesses. Il m'attire contre lui, colle ses lèvres contre les miennes, tout en commençant à descendre mon jean.

D'accord. Alors on s'y met tout de suite.

Ses lèvres se posent dans mon cou tandis que j'envoie promener mes chaussures et qu'il me débarrasse complètement de mon jean.

Bon, je pourrai dîner plus tard. L'important, c'est de baptiser cette cuisine.

Quand sa bouche revient sur la mienne, il me soulève et me dépose sur le comptoir, se glisse entre mes genoux. Je sens des relents de scotch dans son souffle et, quelque part, ça me plaît. Je respire déjà mal quand nos lèvres se rejoignent ; il m'attrape doucement une touffe de cheveux, me tire la tête en arrière pour que je le regarde.

– La vérité toute nue ? murmure-t-il comme s'il allait me dévorer.

Je hoche la tête.

Son autre main remonte lentement le long de ma cuisse et il glisse deux doigts tièdes en moi, sans me quitter des yeux. J'aspire une bouffée d'air tandis que mes jambes se resserrent autour de sa ceinture. Je commence à remuer doucement en geignant.

– Où est-ce que tu as eu ce magnet, Lily ?

Quoi ?

Soudain, c'est comme si mon cœur se mettait à battre à l'envers.

Pourquoi insiste-t-il sur ce truc ?

Ses doigts remuent toujours en moi, ses yeux me fixent toujours. *Mais sa main...* Celle qui tient mes cheveux. Elle commence à les tirer et je frémis.

– Ryle, dis-je d'un ton calme malgré tout. Attention, tu me fais mal !

Ses doigts s'arrêtent mais son regard ne me quitte pas. Il les retire lentement de moi puis se met à me serrer la gorge. Pas fort. Ses lèvres se reposent sur les miennes, sa langue plonge dans ma bouche. Je ne réagis pas car j'ignore complètement ce qu'il a derrière la tête ; j'espère juste que je dramatise la situation.

Je le sens durcir sous son jean alors qu'il se presse contre moi. Mais il se redresse d'un seul coup, ses mains me lâchent, il s'adosse au réfrigérateur tout en me dévisageant comme s'il allait me baiser là, au milieu de la cuisine. Mon cœur s'apaise. *Je dramatise.*

Il se rapproche de moi, près du four, attrape vite un journal, celui qu'il m'a déjà montré cet après-midi, où on annonçait mon prix. Il le brandit puis me l'envoie.

– Tu as lu l'article, par hasard ?

Je pousse un soupir de soulagement.

– Pas encore.

– Lis-le tout fort.

Je l'interroge du regard, souris, mais ma gorge se serre. Je ne sais pas ce qu'il lui arrive, mais quelque chose ne va pas et je n'arrive pas à déterminer quoi.

– Tu veux que je lise cet article ? Là, maintenant ?

Ça me fait drôle de me retrouver à demi-nue sur ce comptoir, un journal dans les mains. Il fait oui de la tête.

– Mais d'abord, ajoute-t-il, je voudrais que tu ôtes ce tee-shirt. Après, tu le liras à haute voix.

Je le dévisage pour tâcher de comprendre à quoi il joue. Apparemment, le scotch l'a rendu un rien délirant. La plupart du temps, quand on fait l'amour, on fait l'amour, point. Mais, de temps en temps, ça déraille, ça devient un peu dangereux, comme son regard en ce moment.

Je dépose le journal, ôte mon tee-shirt, puis reprends l'article que je commence à lire.

C'est là qu'il m'interrompt.

– Pas tout, dit-il en me montrant le milieu de la page. Les derniers paragraphes.

Je saisis de moins en moins ce qu'il veut. Mais si ça peut ensuite nous conduire au lit…

« L'entreprise qui a remporté le plus grand nombre de votes ne devrait étonner personne. L'emblématique *Bab's*, sur Marketson, a ouvert en avril l'année dernière pour rapidement devenir l'un des meilleurs restaurants de la ville, selon TripAdvisor. »

Je relève la tête vers Ryle. Il s'est resservi du scotch qu'il avale à petites gorgées.

– Continue, dit-il.

Je déglutis car ma salive s'épaissit d'instant en instant. J'essaie de contrôler le tremblement de mes mains tout en reprenant ma lecture :

« Le propriétaire, Atlas Corrigan, est un chef déjà deux fois lauréat, ancien du corps des Marines des États-Unis. Nul n'ignore plus à quoi correspond l'acronyme de son restaurant si prisé, *le Bab's : Bien à Boston.* »

Je m'étrangle.

Tout va bien à Boston.

Mon cœur se serre tandis que j'essaie de retenir mes émotions en poursuivant :

« Mais, interrogé sur sa plus récente récompense, le chef finit par nous révéler la véritable signification de ce nom. "C'est une longue histoire", dit-il. "Il s'agit d'un hommage à quelqu'un qui a eu un large impact sur ma vie. Quelqu'un qui comptait beaucoup pour moi. Et elle compte encore beaucoup." »

Je repose le journal sur le comptoir.

– Je ne veux pas en lire davantage.

Ryle vient alors le chercher lui-même, reprend l'article là où je me suis interrompue et poursuit d'une voix lourde de colère :

« Quand nous avons demandé à M. Corrigan si cette fille était au courant que le restaurant lui rendait hommage, il nous a adressé un sourire énigmatique avant de laisser tomber : "Question suivante." »

Le ton rageur de Ryle me donne la nausée.

– Arrête, lui dis-je calmement. Tu as trop bu.

Je passe devant lui et sors de la cuisine pour regagner notre chambre. Il se passe trop de choses maintenant, je n'y comprends plus rien.

L'article ne précise pas de qui parlait Atlas. Bon, moi je le sais et Atlas le savait aussi, mais comment Ryle pourrait-il faire le rapprochement ?

Quant au magnet, comment pourrait-il savoir qu'il me vient d'Atlas rien qu'à la lecture de cet article ?

Il dramatise.

Je l'entends me suivre dans le couloir. J'ouvre la porte et m'arrête brusquement. Le lit est jonché d'objets, dont un carton vide sur lequel s'étale l'inscription « Affaires de Lily », et tout ce qu'il contenait étalé autour. Des lettres… Mes journaux… Des boîtes à chaussures vides. Je ferme les yeux, essaie de respirer.

Il a lu mon journal.

Non.

Il. A lu. Mon. Journal.

Il arrive derrière moi et ses bras encerclent ma taille. Il glisse une main sur mon ventre, ses doigts remontent sur ma peau jusqu'à mon épaule. Je suis parcourue d'un frisson quand il en trace le petit cœur tatoué. Et là, il le mord si profondément que je crie.

J'essaie de me dégager, mais il me serre trop pour que je puisse faire un geste. La douleur provoquée par ses dents me vrille l'épaule jusqu'au bras, au point que je me mets à pleurer. *Que je sanglote.*

– Ryle, lâche-moi ! Je t'en prie. Va-t'en !

Ses bras immobilisent les miens.

Il me tourne vers lui mais je ferme les yeux. J'ai trop peur de le regarder. Il plaque ses mains sur mes épaules et me pousse vers le lit. J'essaie de me débattre, en vain. Il est trop fort, fou de rage, blessé. *Ce n'est plus Ryle.*

Je me retrouve allongée et j'essaie de m'accrocher à la table de nuit pour lui échapper.

– Pourquoi il est toujours là, Lily ? lâche-t-il d'une voix nettement moins maîtrisée que dans la cuisine. Il est partout. Le magnet du frigo. Le journal dans la boîte que j'ai trouvée dans notre dressing. Ce putain de tatouage sur ton corps, alors que c'était mon coin préféré !

Il est maintenant sur le lit.

– Ryle, laisse-moi t'expliquer, dis-je entre mes pleurs. Tu es furieux. Ne me fais pas de mal, je t'en prie ! Va-t'en et quand tu reviendras, je t'expliquerai.

Il m'attrape par la cheville pour m'attirer sous lui.

– Je ne suis pas furieux, Lily, énonce-t-il d'un ton soudain trop calme. Je crois juste que je ne t'ai pas encore prouvé à quel point je t'aime.

Son corps se pose sur le mien, il me saisit les poignets d'une main, les passe au-dessus de ma tête, les bloque sur le drap.

– Ryle, s'il te plaît !

Je sanglote et me tords en tous sens pour essayer encore de me libérer.

– Laisse-moi, s'il te plaît !

Non, non, non, non.

– Je t'aime, Lily, crache-t-il contre ma joue. Plus que jamais. Tu ne comprends donc pas ?

Ma peur se replie sur elle-même et c'est maintenant une rage intense qui m'envahit. Tout ce que je vois, en fermant les yeux, c'est ma mère qui pleure dans le vieux canapé du salon ; et mon père qui s'introduit de force en elle. La haine me saisit et je me mets à hurler.

Ryle essaie d'étouffer mes cris avec sa bouche.

Je lui mords la langue.

Son front vient catapulter le mien.

Et là, toute la douleur disparaît tandis qu'un voile noir me tombe sur les yeux.

***

Je sens son souffle sur mon oreille alors qu'il murmure quelque chose d'inaudible. Mon cœur bat à tout rompre, mon corps tremble encore, mes larmes coulent toujours et je tousse pour respirer. Ses paroles me déchirent le tympan, mais la douleur qui me cogne la tête est trop forte pour que je parvienne à décrypter ce qu'il dit. J'essaie d'ouvrir les yeux, j'ai trop mal. Je sens quelque chose qui dégouline dans mon œil droit et je sais aussitôt que c'est du sang.

Mon sang.

Je commence à saisir ses paroles.

– Pardon, je suis désolé, désolé…

Sa main bloque toujours les miennes sur le drap, il est toujours sur moi. Il n'essaie plus d'entrer en moi.

– Lily, je t'aime. Je te demande pardon.

Il dit ça d'un ton complètement paniqué tout en m'embrassant et en promenant doucement ses lèvres sur ma joue et ma bouche.

Il sait ce qu'il a fait. Il est redevenu Ryle, il se rend compte de ce qu'il m'a fait. À moi. À nous. À notre avenir.

Profitant de son affolement, je secoue la tête pour murmurer :

– C'est bon, Ryle. Tu étais en colère. Ça va.

Ses lèvres se posent frénétiquement sur les miennes et les relents de scotch me donnent maintenant envie de vomir. Il demande toujours pardon, alors que la chambre disparaît de nouveau.

***

Je garde les yeux clos. On est toujours sur le lit mais il n'est plus sur moi ; il est allongé sur le côté, les bras autour de ma taille, la tête sur ma poitrine. Immobile, je regarde autour de moi.

Il ne bouge pas, cependant je sens sa respiration régulière. Il dort. Je ne sais pas s'il cuve son alcool ou s'il s'est assoupi. La dernière chose dont je me rappelle, c'est sa bouche contre la mienne, le goût de mes propres larmes.

Je demeure immobile plusieurs minutes. La douleur dans ma tête ne fait que s'aggraver. J'essaie de réfléchir.

Où est mon sac ?

Où sont mes clefs ?

Où est mon téléphone ?

Il me faut une bonne minute pour me détacher de lui. J'ai trop peur pour bouger d'un coup, alors je me contente de progresser centimètre par centimètre, jusqu'à ce que je puisse me glisser sur le sol. À l'instant où je ne sens plus ses mains sur moi, un sanglot inattendu m'échappe. Je me plaque une paume sur la bouche, me lève et cours hors de la chambre. Je trouve mon sac et mon téléphone, mais je ne sais pas où il a pu mettre mes clefs. Affolée, je fouille le salon et la cuisine, sans résultat. En heurtant mon front, sa tête a dû y laisser une plaie car j'ai trop de sang dans l'œil. Tout me paraît flou.

Prise de vertige, je glisse au sol. Mes doigts tremblent tellement que je dois m'y reprendre à trois fois avant de pouvoir composer le mot de passe de mon téléphone.

Dès que l'écran s'allume, je marque une pause. Sur le moment, j'aurais bien appelé Allysa et Marshall, mais non. Je ne peux pas leur faire ça. Elle vient de mettre au monde un bébé. Je dois les laisser tranquilles. Je pourrais avertir la police, cependant je n'arrive même pas à imaginer les conséquences que ça pourrait entraîner. Je n'ai pas envie de faire une déposition, encore moins de porter plainte quand on sait ce que ça pourrait coûter à sa carrière. Je ne veux pas qu'Allysa soit furieuse contre moi. Je ne sais pas. Je n'exclus pas d'appeler la police plus tard. Mais je n'ai pas le courage de prendre cette décision maintenant.

J'essaie encore de réfléchir. *Ma mère.*

Je commence à taper son numéro. Quand je pense à ce que ça va lui faire, je me remets à pleurer. Je ne peux pas la mêler à ce désastre. Elle en a trop vu. Et si Ryle me cherche, il commencera par elle. Après, il s'adressera à Allysa et Marshall. Et à tous les gens que l'on connaît.

Je m'essuie les yeux puis compose le numéro d'Atlas.

Je m'en veux plus que jamais.

À cause du jour où Ryle a trouvé son post-it, quand j'ai menti en disant que je l'avais oublié.

À cause du jour où Atlas l'a placé là, car j'ai rouvert la coque pour le regarder.

À cause de ma certitude d'en avoir un jour besoin. *Alors je l'ai mémorisé.*

– Allô ?

Sa voix est méfiante, curieuse. Il ne reconnaît pas mon numéro. Je fonds en larmes dès que je l'entends, me couvre la bouche pour tenter de me maîtriser.

– Lily ?

Là, il parle beaucoup plus fort.

– Lily, où es-tu ?

Je m'en veux à mort qu'il m'entende ainsi pleurer.

– Atlas. Aide-moi.

– Où es-tu ? répète-t-il.

Je perçois la panique dans son ton. Je l'entends aller et venir, remuer des affaires, et puis une porte qui claque.

– Je t'envoie un texto, dis-je tout bas.

J'ai trop peur pour continuer de parler. Je ne veux pas réveiller Ryle. Je raccroche et trouve la force d'empêcher mes mains de trembler en lui écrivant mon adresse et le code d'accès. Et puis j'envoie un deuxième texto : Écris-moi quand tu arrives. Ne frappe pas, s'il te plaît.

Je rampe vers la cuisine où je récupère ma culotte que j'enfile aussitôt. Puis je récupère mon tee-shirt sur le comptoir. Une fois habillée, je me rends dans le salon. J'ai presque envie d'ouvrir la porte pour retrouver Atlas en bas, mais j'ai trop peur de ne pas y arriver seule. Mon front saigne toujours et je me sens trop faible pour me relever et l'attendre près de la porte. Alors je m'assieds par terre, le téléphone serré dans ma main, à guetter son texto.

Qui n'arrive que vingt-cinq interminables minutes plus tard.

Ici.

Je me relève comme je peux, ouvre la porte. Des bras m'entourent et ma tête tombe sur une surface douce. Je me mets à pleurer, pleurer, trembler et pleurer.

– Lily, murmure-t-il.

Je n'ai jamais entendu mon nom prononcé avec tant de tristesse. Il me soulève le menton pour que je le regarde. Ses yeux bleus parcourent mon visage et je vois disparaître son inquiétude tandis qu'il tourne la tête vers la porte.

– Il est encore là ?

Colère.

Je sens une sourde rage le parcourir et le voilà qui fait un pas vers l'appartement. J'attrape sa veste.

– Non, je t'en prie, Atlas ! Je veux partir d'ici.

Il marque une hésitation, visiblement très tenté d'y retourner. Mais il finit par me serrer contre lui et m'entraîne vers l'ascenseur, puis dans le hall d'entrée. Par miracle, nous ne croisons qu'une seule personne, un mec trop occupé à parler au téléphone pour faire attention à nous. Le temps d'arriver au parking, je me sens de nouveau prise de vertige. Je lui dis de ralentir et je sens son bras me saisir sous les genoux pour m'emporter. Puis on se retrouve dans sa voiture, et il démarre.

Je sais que j'ai besoin de points de suture.

Je sais qu'il m'emmène à l'hôpital.

Mais j'ignore comment je trouve le moyen de dire :

– Ne va pas au Centre hospitalier du Massachussetts. N'importe où ailleurs.

Je préfère ne pas risquer de tomber sur un collègue de Ryle. Je le déteste, en ce moment plus encore que mon père. Pourtant, je continue à me soucier de sa carrière.

Lorsque je m'en rends compte, je m'en veux autant qu'à lui.

CHAPITRE 24

Atlas se tient à l'autre bout de la pièce. Il ne m'a pas quittée des yeux tout le temps que l'infirmière m'a soignée. Après avoir effectué un prélèvement sanguin, elle est revenue panser ma plaie. Elle ne m'a pourtant pas posé beaucoup de questions, mais on voit bien que mes blessures proviennent d'une agression. Elle me surveille d'un air apitoyé tous en nettoyant le sang de la morsure sur mon épaule. Quand elle a terminé, elle se retourne vers Atlas puis se place entre nous de façon à ce qu'il ne puisse plus me voir.

– Je voudrais vraiment vous poser quelques questions personnelles, me dit-elle alors. Vous êtes d'accord pour que je lui dise de s'en aller ?

Et là, je comprends qu'elle le prend pour l'auteur de ces mauvais traitements. Je secoue aussitôt la tête.

– Ce n'est pas lui. Je vous en prie, ne lui dites pas de partir.

Elle en paraît soulagée et s'assied près de moi.

– Êtes-vous blessée ailleurs ?

– Non.

Elle ne pourra jamais guérir les blessures que Ryle a infligées à mon âme.

– Lily ? reprend-elle doucement. Est-ce qu'il a abusé de vous ?

Mes yeux s'emplissent de larmes et je vois Atlas adossé au mur.

L'infirmière attend que nos regards se croisent à nouveau avant de reprendre :

– Il existe un examen précis réservé aux victimes d'agression sexuelle. Il n'est pas obligatoire, bien sûr, mais je vous encourage vivement à le passer.

– Je n'ai pas été violée. Il n'a pas…

– En êtes-vous certaine, Lily ?

– Je ne veux pas.

Atlas s'avance, l'air peiné.

– Lily, ça serait mieux.

– Non, je te jure…

Je ferme les yeux, baisse la tête.

– Je n'essaie pas de le protéger, là… Il a essayé, mais il s'est arrêté.

– Si tu ne veux pas porter plainte, il va falloir…

– Je ne veux pas de cet examen.

On frappe à la porte et un médecin entre, coupant court aux avertissements d'Atlas. L'infirmière fait un bref compte rendu de mes blessures puis s'écarte, laissant le médecin examiner ma tête et mon épaule. Il braque une lampe dans mes yeux, consulte de nouveau mon dossier.

– Je voudrais bien écarter le risque de commotion cérébrale mais, étant donné votre état, je préfère ne pas vous faire passer un scanner. Nous allons vous garder en observation.

– Pourquoi pas de scanner ?

– Normalement, nous n'aimons pas effectuer des radios sur les femmes enceintes sauf en cas de force majeure. Vous serez sous surveillance afin d'éviter toute complication. Dès que tous les risques seront circonscrits, vous pourrez partir.

Je n'entends plus rien.

Rien.

La pression s'intensifie dans ma tête. Mon cœur. Mon ventre. Je m'agrippe aux bords de la table d'examen, le regard fixé au sol jusqu'à ce qu'ils soient tous les deux sortis.

Une fois la porte refermée derrière eux, je m'assieds, oppressée par le silence glacial qui nous entoure. Atlas se rapproche. Passe doucement une main dans mon dos.

– Tu savais ?

Je laisse échapper un bref soupir, respire tout en faisant non de la tête et me mets à pleurer plus fort que jamais. Il me tient serrée contre lui jusqu'à ce que je me calme, me protège de ma haine.

C'est ma faute.

J'ai laissé faire.

Je suis ma mère.

– Je veux m'en aller, dis-je à voix basse.

Atlas se redresse.

– Ils veulent te surveiller, Lily. Je crois que tu devrais rester.

– Non, il faut que je parte. Je t'en prie !

Il m'aide à remettre mes chaussures, ôte son manteau et m'enveloppe dedans, puis m'emmène hors de l'hôpital sans que personne ne s'aperçoive de rien.

On n'échange pas un mot dans la voiture. Je regarde par la fenêtre, trop épuisée pour pleurer. Trop choquée pour parler. Je me sens submergée.

Nage droit devant toi.

***

Atlas n'habite pas dans un appartement mais dans une maison, au cœur d'une banlieue proche de Boston, Wellesley, peuplée de magnifiques demeures impeccables et immenses. Avant de nous garer dans l'allée, je me demande s'il a épousé cette fille, *Cassie*. Je me demande ce qu'elle va penser de son mari alors qu'il ramène une fille qu'il a jadis aimée et qui vient de se faire agresser par le sien.

Elle aura pitié de moi.

Elle se demandera pourquoi je ne l'ai jamais quitté ; comment j'ai pu me laisser entraîner dans cet engrenage. Elle se posera toutes les questions que je n'ai cessé de me poser sur ma mère. Les gens passent leur temps à se demander pourquoi les femmes ne s'en vont pas. Où sont les gens qui se demandent pourquoi les hommes les maltraitent ? Ce n'est pas sur eux qu'il faudrait plutôt tourner ses reproches ?

Atlas s'arrête dans le garage. Je n'y vois pas d'autre véhicule. Sans attendre qu'il m'aide à sortir, j'ouvre la portière, puis le suis dans la maison. Il compose un code sur une alarme, allume quelques lampes. J'examine la cuisine, la salle à manger, le salon. Tout y est en bois précieux, en inox, avec des murs peints d'un bleu vert apaisant. La couleur de l'océan. Si je ne souffrais pas tant, ça me ferait sourire.

Atlas a nagé droit devant lui et le voilà maintenant en vue des Caraïbes.

Il ouvre le réfrigérateur, en sort une bouteille d'eau qu'il débouche avant de me la tendre. Je bois au goulot tandis qu'il allume dans le salon, puis dans l'entrée.

Je lui demande :

– Tu vis seul ?

– Oui. Tu as faim ?

Je fais non de la tête car, même si c'était le cas, je ne pourrais rien avaler.

– Je vais te montrer ta chambre, reprend-il alors. Il y a une douche si tu veux.

J'en ai besoin. Je veux chasser ce relent de scotch de ma bouche, oublier l'odeur stérile de l'hôpital, me laver de ces quatre dernières heures.

Je le suis vers une chambre qu'il éclaire, révélant deux boîtes sur un lit défait et des caisses le long des murs, mais aussi un énorme fauteuil face à la porte. Il ôte les boîtes du lit et va les poser sur les autres.

– J'ai emménagé ici il n'y a que quelques mois. Pas encore eu le temps de beaucoup décorer.

Il ouvre un tiroir dans le placard.

– Je vais faire le lit, dit-il en sortant des draps et une taie d'oreiller.

Il se met au travail tandis que j'entre dans la salle de bain et ferme la porte derrière moi.

J'y reste une demi-heure, à me regarder dans la glace, à prendre une douche, mais aussi à réfléchir assise sur les toilettes, malade à l'idée de ce qu'il m'est arrivé.

Enveloppée dans un peignoir, j'entrouvre la porte. Atlas n'est plus là, mais il y a des vêtements pliés sur l'édredon. Une culotte de pyjama masculin, dix fois trop grande pour moi, et un tee-shirt qui me descend sous les genoux. Je tire fort sur la ceinture du pyjama, la noue puis me glisse dans le lit. J'éteins, tire les couvertures sur moi.

Je pleure très fort, sans faire de bruit.

CHAPITRE 25

Ça sent le pain grillé.

Je m'étire en souriant. Ryle sait que j'adore les toasts.

J'ouvre les yeux et la lumière m'éblouit avec la violence d'un choc frontal. Je referme les paupières en prenant conscience de l'endroit où je me trouve ; du coup, l'odeur de pain grillé ne m'enchante plus du tout, car elle ne vient pas d'un mari aimant en train de me préparer un petit déjeuner.

Tout de suite, j'ai envie de pleurer, alors je m'oblige à sortir du lit, me rends compte que j'ai très faim et m'enferme dans la salle de bains, le temps de me dire que je pourrai me lamenter une fois que j'aurai mangé. Il sera toujours temps de me rendre encore malade ensuite.

En rentrant dans la chambre, je me rends compte que le fauteuil est tourné face au lit et non plus face à la porte ; une couverture traîne encore dessus, preuve qu'Atlas a dû passer une partie de la nuit à me surveiller.

Il devait sans doute craindre que je n'aie fait une commotion cérébrale.

En entrant dans la cuisine, je le trouve occupé entre le frigo, le four, le comptoir. Pour la première fois ces douze dernières heures, je ressens une émotion qui n'a rien à voir avec le chagrin. Je me rappelle que c'est un grand chef, et qu'il me prépare mon petit déjeuner.

Il lève les yeux vers moi.

– Bonjour, lance-t-il d'un ton neutre. J'espère que tu as faim.

Il pose sur le comptoir un verre et une brique de jus d'orange, qu'il glisse vers moi. Il se retourne vers le four.

– Oui.

Il jette un coup d'œil par-dessus son épaule, un vague sourire aux lèvres. Je remplis mon verre puis me rends vers le coin repas. Il y a un journal sur la table ; je l'ouvre, tombe sur l'article traitant des entreprises les plus prometteuses de Boston, me mets à trembler et le lâche. Je ferme les yeux et je bois un peu de jus d'orange.

Quelques minutes plus tard, Atlas dépose une assiette devant moi, puis s'assied en face, prend sa propre assiette, saisit sa fourchette.

Sous mon nez crépitent encore trois crêpes nappées de sirop et garnies d'une noix de crème chantilly. Des tranches d'orange et de fraises sont disposées à côté.

C'est presque trop joli pour être mangé, mais j'ai faim. Dès la première bouchée, je ne peux m'empêcher de fermer les yeux pour mieux savourer le meilleur petit déjeuner de ma vie.

Il faut bien me rendre à l'évidence : ce restaurant méritait son prix, même si j'ai tenté par tous les moyens d'en détourner Ryle et Allysa.

– Où as-tu appris à faire la cuisine ?

– Chez les Marines, dit-il en buvant un peu de café. J'ai été employé aux cuisines à l'époque de mon premier enrôlement. Quand j'ai signé pour un second, ça a été comme chef. Tu aimes ?

– C'est délicieux. Mais tu as tort. Tu savais faire la cuisine avant de t'engager.

– Ah, tu te rappelles les cookies ?

– Les meilleurs de ma vie.

– J'ai appris les bases tout seul. Ma mère travaillait tard le soir alors si je voulais un vrai dîner, je devais me le préparer moi-même. C'était ça ou mourir de faim. J'ai donc acheté un livre de cuisine dans un vide-greniers et préparé toutes ses recettes les plus simples en l'espace d'un an. J'avais treize ans.

Ça me fait sourire et je suis presque choquée d'y parvenir encore.

– La prochaine fois qu'on te demandera comment tu as appris, raconte cette histoire. Pas l'autre.

– Tu es la seule personne au courant de ma vie avant mes dix-neuf ans. J'aimerais que ça continue ainsi.

Ce qui ne l'empêche pas de me raconter quelques anecdotes de sa vie de cuisinier chez les Marines. Il a mis de côté le plus d'argent possible afin de pouvoir, ensuite, ouvrir son propre restaurant. Il a commencé avec un petit café qui marchait très bien, pour lancer Bab's il y a un an et demi.

– Ça marche bien, ajoute-t-il modestement.

Je regarde autour de moi.

– On dirait mieux que bien.

Haussant les épaules, il mange une autre bouchée. Je ne parle plus jusqu'à ce qu'on ait terminé parce que mon esprit se balade dans son restaurant. Je m'interroge sur son nom. Mes pensées me ramènent vers Ryle, à la colère dans sa voix quand il a lu la dernière ligne de l'article.

Je crois qu'Atlas a capté mon changement d'attitude, pourtant il ne dit rien en débarrassant la table.

Ensuite, il revient s'asseoir. À côté de moi, cette fois, et il pose une main sur la mienne.

– Il va falloir que j'aille travailler, dit-il. Je ne veux pas que tu partes. Reste ici aussi longtemps que tu veux, Lily. Tout ce que je te demande… ne rentre pas chez toi aujourd'hui.

– Non, je reste ici. Promis.

– Tu as besoin de quelque chose avant mon départ ?

– Ça ira, merci.

Il se lève, attrape sa veste.

– Je reviens aussi vite que possible. Je passerai après le déjeuner pour t'apporter quelque chose à manger, d'accord ?

Je m'efforce de sourire. Il ouvre un tiroir d'où il sort un stylo et du papier pour griffonner quelque chose avant de partir. Une fois que la porte s'est fermée derrière lui, je me lève et m'approche du comptoir pour voir ce qu'il a écrit. En fait, il a énuméré les instructions pour mettre l'alarme, mais aussi indiqué son numéro de téléphone au restaurant, l'adresse de la maison et celle du travail.

En bas, il a ajouté en tout petit : « Nage droit devant toi, Lily. »

Chère Ellen,

Bonjour, c'est moi, Lily Bloom. Enfin… Techniquement, c'est plutôt Lily Kincaid maintenant.

Je sais, il y a longtemps que je ne vous ai pas écrit. Très longtemps. Après tout ce qui s'est passé avec Atlas, je ne pouvais plus me résoudre à rouvrir mon journal. Ni même regarder votre talk-show toute seule. En fait, toutes les idées qui se rapportaient à vous me donnaient le cafard. Parce que ça me faisait penser à Atlas. Et, franchement, je ne voulais pas penser à Atlas, alors il a bien fallu que je vous écarte aussi de ma vie.

Désolée. Je suis sûre que je vous ai moins manqué mais, parfois, les choses qui comptent le plus sont aussi celles qui font le plus mal. Et, pour surmonter cette blessure, il faut couper toutes les extensions reliées à cette douleur. Vous en faisiez partie, il fallait bien en passer par là. J'essayais juste de m'épargner un peu de chagrin.

Je suis sûre que votre talk-show est toujours aussi génial. J'ai entendu dire que vous dansiez toujours au début de certains épisodes, mais j'ai appris à aimer ça. Je crois que c'est une preuve de maturité – quand on sait apprécier les choses qui plaisent aux autres même si on n'y attache pas beaucoup d'importance.

Je devrais peut-être vous dire comment a évolué ma vie. Mon père est mort. J'ai vingt-quatre ans. J'ai obtenu un diplôme universitaire, travaillé un certain temps dans une société de marketing et, maintenant, je possède ma propre entreprise. Un magasin de fleurs. Les objectifs de ma vie : Fait !

J'ai aussi un mari et ce n'est pas Atlas.

Et… je vis à Boston. Je sais. Le choc.

La dernière fois que je vous ai écrit, j'avais seize ans. Je traversais une mauvaise passe et m'inquiétais pour Atlas. Mais ce n'est plus le cas, quoique je traverse une autre mauvaise passe. Encore pire que la dernière fois que je vous ai écrit.

Désolée, on pourrait croire que je n'ai pas besoin de vous écrire quand je vais bien. Vous ne voyez donc que les mauvais côtés de ma vie, mais c'est à ça que servent les amis, non ?

Je ne sais même pas par où commencer. Je sais que vous ignorez tout de ma vie actuelle ou de mon mari, Ryle. Mais il existe un jeu entre nous qu'on a appelé « la vérité toute nue », où on est forcés de tout se raconter et de dire ce que l'on pense vraiment.

Alors… La vérité toute nue.

Accrochez-vous.

Je suis amoureuse d'un homme qui s'en prend physiquement à moi. Je me demande comment j'ai pu me mettre dans une telle situation.

Combien de fois, en grandissant, me suis-je demandé ce qui se passait dans la tête de ma mère après que mon père l'avait frappée. Comment pouvait-elle aimer un homme qui avait levé la main sur elle ? Un homme qui la battait régulièrement. Qui promettait régulièrement d'arrêter. Et qui recommençait régulièrement.

À ma grande honte, maintenant je la comprends.

Voilà plus de quatre heures que je suis installée sur le canapé d'Atlas, en train de me débattre avec mes sentiments. Je n'y comprends rien. Je ne sais par quel bout les prendre. Je me rends compte que je ferais bien de me remettre à les coucher sur le papier. Toutes mes excuses, Ellen. Mais préparez-vous à subir une incontinence verbale.

Si je devais faire une comparaison, je parlerais de la mort. Pas la mort de n'importe qui : la sienne, celle de la personne la plus proche de vous. Celle dont la seule évocation vous donne les larmes aux yeux.

C'est exactement ce que je ressens. Comme si Ryle était mort.

Ma peine est énorme, astronomique. J'ai l'impression d'avoir perdu mon meilleur ami, mon amoureux, mon mari, mon souffle de vie. Sauf que cette impression est accompagnée d'un sentiment qui ne va pas nécessairement de pair avec la mort.

La haine.

Je suis folle de rage contre lui, Ellen. Aucun mot ne saurait traduire la haine qu'il m'inspire. Pourtant, il arrive encore que, parfois, me parviennent certaines pensées raisonnables et je me mets à songer : « Je n'aurais pas dû garder ce magnet. Et puis j'aurais dû lui raconter dès le début l'histoire du tatouage. Je n'aurais pas dû garder mon journal. »

C'est ce qui me fait le plus mal. Ça me ronge, peu à peu, minant la puissance de la haine qui m'anime. La raison m'oblige à imaginer notre avenir ensemble, à envisager les mesures que je devrais prendre contre ces crises de colère. Je ne le trahirai plus jamais. Je n'aurai plus aucun secret pour lui. Je ne lui donnerai plus aucune raison de réagir ainsi. Désormais, nous allons devoir y travailler ensemble.

Pour le meilleur et pour le pire, non ?

Je sais que c'étaient là toutes les idées de ma mère. La différence étant qu'elle avait affaire à un cas beaucoup plus grave. Elle n'avait pas ma stabilité financière, ni les ressources de partir tout en m'assurant un toit décent. Elle ne voulait pas m'arracher à mon père alors que j'avais toujours vécu avec mes deux parents. J'ai l'impression que la raison l'a bien secouée une ou deux fois.

Je n'arrive même pas à imaginer que je vais avoir un enfant avec cet homme. Qu'il y a en moi un être humain que nous avons créé ensemble. Alors, quoi que je décide – rester ou partir –, ce sera aux dépens de mon enfant. Faut-il le laisser grandir auprès d'un homme violent ou dans un foyer brisé ? J'ai déjà commis une faute envers ce bébé dont je ne connais l'existence que depuis une journée.

Ellen, j'aimerais que vous puissiez me répondre. Que vous puissiez me dire quelque chose de drôle, là, tout de suite, parce que j'en ai besoin. Je ne me suis jamais sentie aussi seule. Brisée. En colère. Blessée.

Vu de l'extérieur, on peut se demander pourquoi la femme retourne chez un homme qui la bat. J'ai lu quelque part que quatre-vingt-cinq pour cent des femmes reviennent malgré les mauvais traitements qu'elles peuvent subir. C'était avant que je ne me rende compte que j'en faisais partie, et je me suis dit qu'elles étaient faibles et complètement idiotes. C'est ce que j'ai souvent pensé à propos de ma mère.

Pourtant, parfois, elles ont une raison toute simple pour ça : elles sont amoureuses. J'aime mon mari, Ellen. J'aime trop de choses à son propos. Moi qui pensais qu'il serait facile de me débarrasser de ces émotions pour celui qui me fait du mal ! Il est beaucoup plus dur d'empêcher son cœur de pardonner à quelqu'un qu'on aime que de lui pardonner soi-même.

Désormais, j'entre dans les statistiques. Tout ce que j'ai cru au sujet des femmes comme moi correspond à ce que les gens penseraient de moi s'ils savaient.

« Comment peut-elle l'aimer après ce qu'il lui a fait ? Comment peut-elle envisager de le reprendre ? »

Dommage que ce soient les premières pensées qui surgissent à notre esprit devant une femme battue. Ne devrait-on pas mépriser davantage son bourreau plutôt que celle qui continue de l'aimer ?

Je pense à tous les gens qui se sont trouvés dans cette situation avant moi. À tous ceux qui vont s'y trouver après moi. Est-ce qu'on se répète tous mentalement les mêmes paroles après avoir subi les coups de ceux qui nous aiment ? « Pour le meilleur et pour le pire, dans la richesse et dans la pauvreté, dans la santé et dans la maladie, pour t'aimer et te chérir jusqu'à ce que la mort nous sépare. »

Peut-être qu'on n'est pas censé les prendre toutes au pied de la lettre comme le font certaines épouses.

Pour le meilleur, pour le pire ?

Rien.

À.

Foutre.

– Lily

CHAPITRE 26

Allongée dans la chambre d'amis d'Atlas, je contemple le plafond. Le lit est très confortable, mais je m'y sens comme sur un matelas à eau. Ou plutôt sur un radeau, à la dérive en plein océan. Et je franchis les énormes vagues qui m'entourent, toutes de nature différente. Certaines sont des vagues de tristesse, d'autres des vagues de colère, et puis il y a les vagues de larmes et aussi les vagues de sommeil.

De temps à autre, je pose les mains sur mon ventre et c'est une petite vague d'amour qui surgit. Je ne sais pas comment je peux encore aimer quoi que ce soit, mais c'est ainsi. Je me demande si ce sera un garçon ou une fille, et comment je l'appellerai. Je me demande si il ou elle me ressemblera à moi ou plutôt à Ryle. Et là, une autre vague de colère vient noyer la petite vague d'amour.

Je me sens privée de la joie qu'une mère devrait ressentir quand elle découvre qu'elle est enceinte. J'ai l'impression que Ryle m'en a privée hier soir et que je ne devrais que plus l'en détester.

C'est épuisant, la haine.

Je sors enfin du lit pour aller prendre une douche. J'ai passé presque toute la journée dans ma chambre. Atlas est revenu il y a plusieurs heures, je l'ai entendu passer une tête pour vérifier où j'en étais, mais j'ai fait semblant de dormir.

Ça me fait drôle d'être ici. C'est à cause d'Atlas que Ryle a piqué cette crise hier soir, et moi je cours me réfugier chez lui ? Je culpabilise un peu. J'ai même plutôt honte, comme si en appelant Atlas je n'avais fait que conférer une certaine légitimité à la colère de Ryle. Il me faudra plusieurs jours pour faire le point et, si je prends une chambre d'hôtel, Ryle pourrait fort bien tracer ma carte de crédit et me retrouver.

Il me retrouverait aussi chez ma mère, chez Allysa, chez Lucy. Il a même rencontré Devin une ou deux fois, et pourrait se rendre chez lui aussi.

Alors que je ne le vois pas venir chez Atlas. Quoique. Je suis sûre que si je ne réponds pas de la semaine à ses appels ni à ses textos, il ira chercher partout. Mais, pour le moment, je ne crois pas qu'il rappliquerait ici.

C'est sans doute pour ça que je reste dans cette maison. Je m'y sens plus en sécurité que n'importe où ailleurs. Et puis Atlas a un système d'alarme.

Je prends mon téléphone sur la table de nuit, y jette un coup d'œil, écartant tous les SMS de Ryle pour ouvrir celui d'Allysa.

Allysa : Salut, tante Lily ! On peut rentrer chez nous ce soir. Viens nous voir demain, en rentrant du travail.

Elle a joint une photo d'elle et Rylee, et ça me fait sourire. Puis pleurer. Maudites émotions.

J'attends que mes yeux soient secs pour m'aventurer dans le salon. Atlas est assis devant son ordinateur. Quand il me voit, il le ferme en souriant.

– Salut.

– Salut. Tu as un truc à manger ?

Il se lève aussitôt.

– Oui. Assieds-toi. Je vais te préparer quelque chose.

Je m'installe sur le canapé tandis qu'il s'en va dans la cuisine. La télévision est allumée, sans le son. Je le mets, clique sur le disque dur. Il a enregistré quelques émissions, mais celle qui me frappe tout de suite, c'est le talk-show d'Ellen DeGeneres. J'appuie aussitôt sur le dernier épisode.

Atlas m'apporte un bol de pâtes et un verre d'eau glacée. Il jette un coup d'œil sur l'écran, s'assied à côté de moi.

Durant les trois heures qui suivent, on parcourt une semaine d'épisodes. J'éclate de rire six fois. Ça fait du bien mais, quand je vais faire un tour aux toilettes, tout s'écroule de nouveau.

Je reviens à côté d'Atlas. Il a allongé les jambes sur la table basse et, tout naturellement, je m'appuie contre lui ; comme quand on était ados, il m'attire sur sa poitrine et on reste là, en silence. Ses pouces caressent mon épaule, c'est sa façon de me faire comprendre qu'il est là pour moi. Qu'il est inquiet. Pour la première fois depuis qu'il m'a emmenée cette nuit, j'ai envie de lui parler. Je pose la tête sur son épaule, les mains sur mes genoux. Je me mets à jouer avec le cordon de ce pyjama trop grand pour moi.

– Atlas ? dis-je très bas. Désolée d'avoir piqué ma crise contre toi l'autre soir au restaurant. Tu avais raison. Au fond, je le savais mais je ne voulais pas y croire.

Je relève la tête et lui décoche un petit sourire confus.

– Là, tu pourrais répondre : « Je te l'avais bien dit. »

Il fronce les sourcils, comme vexé par cette suggestion.

– Lily, j'aurais préféré ne pas avoir eu raison. Tous les jours je priais de m'être trompé.

Bon. J'aurais mieux fait de ne pas dire ça.

Comme il m'embrasse sur la tête, je ferme les yeux et crois me retrouver quelques années en arrière. Son odeur, son contact, son réconfort. Je n'ai jamais compris comment on pouvait être aussi solide tout en compatissant aux difficultés des autres. Mais c'est ainsi que je le connais.

Je n'aime pas l'idée de ne pas avoir pu me détacher de lui, malgré tous mes efforts. Je pense à ma dispute avec Ryle à propos de son numéro de téléphone, mais aussi du magnet ou de ce qu'il a lu dans mon journal, sans parler du tatouage. Rien de tout cela ne serait arrivé si j'avais écarté Atlas de ma vie. Ryle ne se serait pas emporté ainsi contre moi.

Je ne vais tout de même pas excuser sa réaction sous prétexte que je n'ai pas tourné la page avec Atlas.

Il n'a aucune excuse. Aucune.

C'est juste une autre vague qu'il me faut affronter. Une vague de la plus totale confusion.

Atlas sent que je perds mon sang-froid.

– Ça va ?

Non.

Non, ça ne va pas, parce que, jusque-là, je ne m'étais pas rendu compte à quel point le fait qu'il n'ait pas repris contact avec moi m'avait affectée. S'il était revenu comme il me l'avait promis, je n'aurais jamais rencontré Ryle. Et je ne me retrouverais pas dans cette situation.

D'accord. Je ne sais plus où j'en suis. Voilà que j'accuse Atlas de ce qu'il m'arrive !

– Je ferais mieux d'aller me coucher, dis-je en me levant.

Il en fait autant.

– Demain, je serai absent presque toute la journée, m'annonce-t-il. Tu seras là quand je rentrerai ?

Cette question me fait grincer des dents. Évidemment, il voudrait que je règle mes problèmes et aille chercher refuge ailleurs. Qu'est-ce que je fiche encore ici ?

– Non, non, je peux aller à l'hôtel, c'est bon.

Je me dirige vers le couloir, mais il pose une main sur mon épaule.

– Lily. Je ne te demandais pas de partir. Je voulais juste m'assurer que tu serais encore là. Je veux que tu restes aussi longtemps que nécessaire.

Il semble sincère et, si je n'avais pas peur que cette réaction ne paraisse un peu déplacée, je lui sauterais bien au cou. Parce que je n'ai aucune envie de m'en aller. Il me faut encore au moins deux jours pour prendre une décision.

– Bien, dis-je. J'irai travailler un peu demain. Je dois régler deux trois choses. Mais si ça ne t'ennuie pas, j'aimerais passer encore quelques jours ici.

– Pas de souci, Lily. Je préfère ça.

Je m'arrache un sourire puis me dirige vers la chambre d'amis. Au moins, il me laisse le temps de me reprendre avant d'affronter ce qui m'attend. Si sa présence dans ma vie me perturbe pour le moment, je ne l'en remercierai jamais assez.

CHAPITRE 27

Ma main tremble lorsque je la pose sur la poignée. Jamais, jusqu'ici, je n'ai eu peur de me rendre à mon travail, mais je ne me suis jamais retrouvée non plus dans une telle situation.

Il fait noir dans le magasin lorsque j'y entre, alors j'allume en retenant mon souffle, me dirige lentement vers mon bureau, ouvre la porte avec précaution.

Il n'est nulle part et il est partout.

Une fois assise, j'allume mon téléphone auquel je n'ai plus touché depuis hier. Il me fallait une bonne nuit de sommeil sans me demander si Ryle tâchait ou non de prendre contact avec moi.

Dès que l'écran s'allume, je vois que j'ai manqué vingt-neuf messages de lui. Le hasard a voulu que ce soit le même nombre de portes auxquelles il a frappé pour trouver mon appartement, l'année dernière.

Je ne sais pas s'il faut en rire ou en pleurer.

Je reste dans l'expectative, à guetter la porte au moindre bruit, à me demander s'il ne m'a pas détruite. Si je cesserai un jour d'avoir peur de lui.

La matinée s'écoule sans que je reçoive un seul appel de sa part ; je mets à jour ma paperasse. Allysa me téléphone après le déjeuner et je peux dire, à sa voix, qu'elle n'a aucune idée de ce qui s'est passé entre Ryle et moi. Je la laisse parler du bébé un moment, puis prends le prétexte d'avoir un client pour raccrocher.

J'ai l'intention de rentrer dès que Lucy reviendra de déjeuner. Il lui reste une demi-heure.

Trois minutes plus tard, Ryle entre dans la boutique.

Je suis seule ici.

Dès que je le vois, je me fige. Je suis là, derrière le comptoir, la main sur la caisse parce qu'elle est près de l'agrafeuse. Bon, ce n'est pas une arme redoutable contre les bras d'un neurochirurgien, mais je m'en servirai si nécessaire.

Il s'approche lentement. C'est la première fois que je le vois depuis que je me suis échappée de notre lit, l'autre nuit. Tout mon corps se retrouve aussitôt transporté à ce moment-là et je suis envahie des mêmes émotions. Peur et colère me submergent quand il atteint le comptoir. D'une main, il dépose un trousseau de clefs devant moi.

– Je pars ce soir pour l'Angleterre, dit-il. Je serai absent trois mois. J'ai payé toutes les factures, comme ça tu n'auras pas de souci jusqu'à mon retour.

Il parle d'un ton calme mais je vois palpiter les veines de son cou. Il a du mal à se contrôler.

– Tu as besoin de temps, ajoute-t-il en déglutissant. Et je tiens à t'en donner. Rentre à la maison, Lily. Je n'y serai pas. Promis.

Il reprend la direction de la porte. Je m'aperçois qu'il n'a pas présenté une seule excuse. Je ne lui en veux pas. Je comprends. Il sait qu'aucun regret ne pourra effacer ce qu'il a fait. Il sait que le mieux en ce moment serait de nous séparer.

Il sait quelle énorme erreur il a commise… Pourtant, j'éprouve le besoin de retourner un peu le couteau dans la plaie.

– Ryle.

Sans se retourner, il jette un regard par-dessus son épaule et j'ai l'impression qu'un bouclier se dresse entre nous ; il attend la suite, l'air crispé, conscient que je vais lui faire mal.

– Tu sais le pire dans tout ça ?

Il ne répond pas. Je n'ai plus qu'à poursuivre :

– Tout ce que tu avais à faire en trouvant mon journal, c'était de me demander la vérité toute nue. Je te l'aurais dite. Mais non. Tu as préféré te débrouiller seul et on devra maintenant en subir tous deux les conséquences jusqu'à la fin de nos jours.

Plus je parle, plus il grimace.

– Lily…

Je lève la main pour le faire taire.

– Non. Tu peux partir maintenant. Amuse-toi bien en Angleterre.

Facile de deviner la bataille qui se livre en lui. Il sait qu'il n'obtiendra rien de moi en ce moment, et sûrement pas mon pardon. Il n'a plus qu'à s'en aller, franchir cette porte, même si c'est la dernière chose dont il ait envie.

Dès qu'il est sorti, je cours tourner la clef dans la serrure puis je glisse au sol, me recroqueville et cache mon visage contre mes genoux. Je tremble tellement que je claque des dents.

Comment croire qu'une partie de lui est en train de grandir en moi ? Comment croire qu'un jour je vais devoir le lui dire ?

CHAPITRE 28

Après avoir récupéré les clefs de l'appartement, j'ai eu envie de rentrer chez moi. J'ai même appelé un taxi, mais j'ai fini par le faire changer de direction. Si je retournais là-bas aujourd'hui, je devrais affronter Allysa à un moment ou à un autre. Je ne suis pas prête à lui exposer les points de suture sur mon front, ni à revoir la cuisine où les paroles de Ryle m'ont transpercée. Je ne suis pas prête à retourner dans la chambre où il m'a complètement détruite. Alors j'ai demandé au taxi de me ramener chez Atlas. Le seul endroit où je me sente en sécurité pour le moment. Atlas m'a déjà envoyé deux textos aujourd'hui, pour vérifier où j'en étais ; aussi, quand j'en reçois un autre juste avant dix-neuf heures, je suppose que c'est encore de lui. Mais non.

Allysa : Tu es rentrée du boulot ? Monte me voir, je m'ennuie déjà.

Ça me fait mal de lire ça. Elle n'a aucune idée de ce qui s'est passé entre nous. Je me demande si Ryle lui a seulement dit qu'il partait pour l'Angleterre aujourd'hui. Mon pouce écrit, efface, tape la bonne excuse que je voudrais lui envoyer pour expliquer mon absence.

Moi : Peux pas. Suis aux urgences. Me suis cogné la tête contre l'étagère du cagibi au boulot. Points de suture.

Je m'en veux de lui mentir, mais cela m'évitera de lui expliquer la raison de mes blessures et la raison pour laquelle je ne suis pas à la maison en ce moment.

Allysa : Oh non ! Tu es seule ? Marshall peut venir te voir puisque Ryle est parti.

Parfait, elle est donc au courant. Et elle croit que tout va bien entre nous. Ça veut dire que j'ai au moins trois mois avant d'avoir à lui dire la vérité. *Voilà que j'en arrive à cacher la merde sous le tapis.*

Moi : Non, ça va. Je serai sortie avant son arrivée. Je passerai demain après le boulot. Bisous à Rylee de ma part.

J'éteins mon téléphone et m'installe sur le lit. Il fait nuit maintenant, si bien que je vois immédiatement les phares de la voiture qui se gare dans l'allée. Ce n'est pas Atlas, car il se rend directement dans le garage. Mon cœur se met à battre. Et si c'était Ryle ?

Aurait-il découvert où habite Atlas ?

Quelques instants plus tard, on frappe violemment à la porte, et on sonne aussi.

Je m'approche de la fenêtre sur la pointe des pieds, écarte les rideaux juste ce qu'il faut pour regarder dehors. Je ne vois pas qui est à la porte, mais un pick-up est garé devant la maison. Rien à voir avec Ryle.

À moins que ce ne soit la copine d'Atlas, Cassie ?

Saisissant mon téléphone, je me dirige vers l'entrée. Les coups sur la porte n'arrêtent plus, la sonnette braille. Qui que ce soit, quelle impatience stupide ! S'il s'agit de Cassie, je la trouve déjà exaspérante.

– Atlas ! crie une voix d'homme. Ouvre cette foutue porte !

Une autre voix d'homme crie :

– On se gèle les couilles ! Vas-y, ouvre !

Avant d'ouvrir et de leur dire qu'Atlas n'est pas là, je lui envoie un SMS en espérant qu'il va arriver d'un moment à l'autre et s'en charger lui-même.

Moi : Tu es où ? Il y a deux hommes à la porte, je ne sais pas si je peux les laisser entrer.

J'attends alors qu'ils insistent comme des malades, mais Atlas ne me répond pas tout de suite. Finalement, je me résous à entrouvrir la porte tout en laissant la chaîne de sécurité.

L'un des deux types est immense et, malgré la jeunesse de ses traits, il a les cheveux poivre et sel. L'autre est plus petit, châtain clair, avec une tête de bébé. Ils doivent avoir tous les deux la trentaine.

– Qui êtes-vous ? demande le grand, surpris.

– Lily. Et vous ?

Le plus petit l'écarte :

– Atlas est là ?

Je n'ai pas envie de leur dire non, car ils sauront que je suis seule ici, et je ne fais que moyennement confiance aux mecs ces derniers temps.

Mon téléphone sonne, nous faisant sursauter tous les trois. C'est Atlas.

– Allô ?

– C'est bon, Lily, ce sont des amis. J'avais oublié qu'on était vendredi. On joue au poker, le vendredi. Je vais les appeler pour leur dire de partir.

Ça m'ennuie qu'il se sente obligé de bouleverser ses projets à cause de moi. Je pousse la porte, ouvre la chaîne et leur fais signe d'entrer.

– Attends, Atlas, pas la peine. De toute façon, j'allais me coucher.

– Non, j'arrive. Je vais les faire partir.

J'ai encore le téléphone pressé contre mon oreille quand les deux hommes entrent dans le salon.

– À tout de suite, dis-je à Atlas avant de raccrocher.

Au cours des secondes qui suivent, on se mesure tous les trois du regard, jusqu'à ce que je demande :

– Comment vous appelez-vous ?

– Moi, c'est Darin, dit le premier.

– Moi, Brad, dit l'autre.

– Lily, dis-je, bien que je leur aie déjà annoncé mon nom. Atlas ne va pas tarder.

Je ferme la porte et ils semblent se détendre. Darin se dirige vers la cuisine, ouvre le réfrigérateur et se sert.

Brad ôte sa parka, qu'il accroche à un portemanteau.

– Vous savez jouer au poker, Lily ?

– Voilà longtemps que je n'y ai plus joué, mais ça m'arrivait, à la fac.

Tous deux se dirigent vers la table de la salle à manger.

– Que vous est-il donc arrivé ? demande Darin en s'asseyant.

Il pose la question tout naturellement, sans paraître se douter que ça pourrait me gêner.

Je ne sais pas pourquoi, mais j'ai envie de lui dire la vérité toute nue. Peut-être parce que je voudrais voir la réaction des gens en apprenant ce que m'a fait mon mari.

– C'est mon mari. On s'est disputés il y a deux jours et il m'a donné un coup de tête. Atlas m'a conduite aux urgences. Ils m'ont fait six points de suture et annoncé que j'étais enceinte. Maintenant, je me cache ici, le temps de voir ce que je vais faire.

Ce pauvre Darin semble cloué sur place, à moitié assis, à moitié debout. Il ne sait pas du tout quoi répondre. Il a l'air de me prendre pour une folle.

Brad tire une chaise et s'assied.

– Vous devriez voir un dermatologue. Il saura faire disparaître ces cicatrices.

J'éclate de rire, comme s'il plaisantait. Enfin…

– Brad, ta gueule ! lance Darin en s'asseyant.

– Quoi ? Je peux donner des conseils, quand même ! D'ailleurs tu devrais en faire autant avec ton acné d'ado. À trente ans, ça devient relou.

Sans répondre, Darin se met à battre les cartes tandis que Brad désigne la chaise à côté de lui.

– Asseyez-vous, Lily. L'un de nos amis vient de commettre l'erreur de sa vie en se mariant la semaine dernière. Résultat, sa femme le prive de nos soirées poker. Vous pourriez le remplacer le temps qu'il divorce.

Moi qui avais l'intention de me planquer toute la nuit dans ma chambre, j'ai maintenant du mal à leur résister. Je m'assieds près de Brad, tends les mains.

– Donnez-moi ça.

Darin bat les cartes avec maladresse, comme un bébé auquel il manquerait un bras.

Il hausse un sourcil mais, sans se faire prier, pousse bientôt le paquet vers moi. Je n'y connais pas grand-chose en cartes, mais je sais les battre comme une pro.

Je les coupe ; puis je les rassemble en appuyant les pouces sur les extrémités afin de les intercaler dans une magnifique cascade. Darin et Brad me regardent faire lorsqu'on frappe de nouveau à la porte. Cette fois, elle s'ouvre sur un type vêtu d'une élégante veste en tweed, une écharpe vaguement nouée autour du cou qu'il défait en claquant la porte derrière lui. Tout en se dirigeant vers la cuisine, il penche la tête dans ma direction :

– Qui êtes-vous ?

Il est plus âgé que les autres hommes, environ dans les quarante-cinq ans.

Décidément, Atlas a des amis plutôt variés.

– Je te présente Lily, répond Brad. Elle est mariée à un enfoiré et vient d'apprendre qu'elle était enceinte, sans doute de cet enfoiré. Lily, voici Jimmy, un mec snob et prétentieux.

– Snob et prétentieux, ça veut dire la même chose, idiot ! rétorque Jimmy en s'asseyant à côté de Darin.

Il penche la tête vers mes mains.

– Atlas vous a fait venir pour nous dégoûter ? Il faut vraiment être quelqu'un de spécial pour manipuler les cartes comme ça.

Je commence à les distribuer en souriant.

– On va peut-être devoir jouer une partie pour que vous vous fassiez une idée.

***

On en est à la troisième partie quand Atlas arrive enfin. Il nous regarde tous les quatre en fermant la porte. Brad venait juste de lancer une plaisanterie qui nous a tous fait éclater de rire, si bien que je suis en train de m'esclaffer quand nos yeux se croisent. D'un signe de tête, il m'indique la cuisine et prend cette direction.

– Je passe, dis-je en déposant mes cartes.

Après quoi, je me lève pour le suivre. Arrivée dans la cuisine, je le trouve dans un coin, invisible depuis le bar. Je m'adosse au comptoir, en face de lui.

– Tu veux que je leur demande de s'en aller ?

– Non, pas du tout. En fait, je m'amuse bien… Ça me change les idées.

Je m'aperçois qu'il sent le romarin et ça me donne envie de le voir au travail dans son restaurant.

– Tu as faim ? demande-t-il.

– Pas vraiment. J'ai mangé les pâtes qui restaient, il y a deux heures.

J'ai posé les deux mains sur le comptoir. Il se rapproche, m'en caresse une des doigts. Je sais qu'il n'y voit qu'un geste d'amitié, mais ce contact me fait monter une bouffée de chaleur dans tout le corps et je baisse immédiatement les yeux. Il s'immobilise un instant, comme s'il ressentait la même chose, puis me lâche, recule.

– Pardon, murmure-t-il en se tournant lentement vers le réfrigérateur.

Il fait mine d'y chercher quelque chose, mais je sais très bien qu'il veut surtout m'éviter toute gêne.

Je retourne m'installer à la table de poker pour la partie suivante. Il me rejoint bientôt, prend place à mes côtés. Jimmy distribue des cartes à tout le monde.

– Alors, Atlas. Comment vous vous connaissez, Lily et toi ?

Atlas ramasse ses cartes une à une.

– Elle m’a sauvé la vie quand on était encore gamins, lâche-t-il paisiblement.

Puis il m’adresse un clin d’œil qui provoque en moi un sentiment de culpabilité. Surtout à un moment pareil. *Pourquoi mon cœur me fait-il ça ?*

– Ah, trop mignon ! commente Brad. Lily t’a sauvé la vie et, maintenant, tu sauves la sienne.

Atlas le fusille du regard.

– Je te demande pardon ?

– Détends-toi. On se comprend, Lily et moi. Elle sait que je plaisante. N’est-ce pas, Lily ? Votre vie n’est peut-être pas marrante en ce moment, mais ça va s’arranger, croyez-moi. Je suis passé par là.

– C’est ça ! s’esclaffe Darin, tu as été battu, enceinte et tu es allé te réfugier chez un autre homme ?

Atlas claque ses cartes sur la table, repousse sa chaise.

– Qu’est-ce qui te prend ? lui crie-t-il.

Je préfère lui saisir le bras pour le rassurer.

– Ce n’est rien, on a fait connaissance avant ton arrivée. Ça m’est égal qu’ils parlent de ma situation, en fait, je me sens plutôt mieux comme ça.

L’air de ne pas trop comprendre, il se passe la main dans les cheveux.

– Attends, vous avez dû rester seuls une dizaine de minutes…

– Et alors ? On peut apprendre beaucoup de choses sur quelqu’un en dix minutes. Racontez-moi plutôt comment vous avez tous fait connaissance.

– Moi, dit Darin, je suis le sous-chef du Bab's. Brad est plongeur.

– Pour le moment réplique celui-ci. Mais je vais faire mes preuves.

– Et vous ? dis-je à Jimmy.

– Devinez, répond-il avec un sourire narquois.

À la façon dont il s'habille, dont il se fait traiter de snob, je suppose…

– Maître d'hôtel ?

Ça fait rire Atlas.

– Disons plutôt voiturier.

Comme je dois avoir l'air de m'étonner, l'intéressé ajoute en déposant des jetons :

– Oui, c'est vrai, je gare les voitures contre un bon pourboire.

– Ne t'y trompe pas, précise Atlas. Il joue les valets, mais juste parce qu'il est tellement riche que, sinon, il s'ennuierait à mourir.

Ce qui me rappellerait assez Allysa.

– J'ai une employée dans le même cas. Elle travaille parce qu'elle s'ennuie. Et c'est la meilleure de toutes.

– Exactement, marmonne Jimmy.

Je regarde mes cartes. Lorsque c'est mon tour, je dépose mes trois jetons de poker. Le téléphone d'Atlas sonne et il le sort de sa poche. Je relance alors qu'il s'éloigne en s'excusant.

– Je me couche, dit Brad en jetant ses cartes.

Je regarde pensivement le couloir dans lequel Atlas vient de disparaître. Je me demande si c'est à Cassie qu'il parle ou s'il a quelqu'un d'autre dans sa vie. Je connais son métier, au moins trois de ses amis, mais rien de sa vie amoureuse.

Darin abat ses cartes. Carré. Je montre mon full et récupère tous les jetons en demandant :

– Alors, Cassie ne vient pas souvent aux soirées poker ?

C'est une information que je n'ai pas eu le courage de demander moi-même à Atlas.

– Cassie ? répète Brad.

Tout en faisant des petits tas des jetons que j'ai gagnés, je hoche la tête.

– Ce n'est pas le nom de sa copine ?

– Atlas n'a pas de copine, rigole Darin. Je le connais depuis deux ans, il n'a jamais parlé d'aucune Cassie.

Il commence à redistribuer un jeu tandis que j'essaie d'absorber l'information. Je soulève mes deux premières cartes quand Atlas revient.

– Hé, lui lance Jimmy. C'est qui, cette Cassie ? Tu ne nous en as jamais parlé.

Oh, merde !

Je ne sais plus où me fourrer, je crispe les mains sur mon jeu en essayant d'éviter le regard d'Atlas. Mais un tel silence s'abat sur la pièce que je ferais mieux de ne pas me défiler. Il dévisage Jimmy, qui le dévisage, tandis que Brad et Darin me scrutent.

Il serre les lèvres puis finit par laisser tomber :

– Il n'y a pas de Cassie.

Nos yeux se croisent un court instant, du moins assez longtemps pour que je déchiffre son expression.

Il n'y a jamais eu de Cassie. Il m'a menti.

Après s'être éclairci la gorge, il maugrée :

– Écoutez, les gars, j'aurais dû annuler ce soir. Cette semaine a été plutôt…

Tandis qu'il se passe une main sur le visage, Jimmy se lève déjà, lui serre l'épaule.

– La semaine prochaine, chez moi.

Atlas acquiesce d'un signe de tête et ses trois amis rassemblent jetons et cartes. Brad me prend les miennes des mains, l'air de s'excuser car je n'ai pas bougé d'un pouce, et les serre encore avec vigueur.

– Ravi d'avoir fait votre connaissance, Lily.

Je parviens à lui sourire et me lève pour les serrer chacun dans mes bras. Puis ils partent et nous laissent seuls, Atlas et moi.

Et pas de Cassie.

Il n'a pas bougé d'un pouce, debout, les bras croisés, la tête légèrement penchée de côté. Mais il ne me quitte pas des yeux.

Pourquoi m'a-t-il menti ?

Ryle et moi ne formions même pas un couple officiel lorsque je suis tombée sur Atlas dans ce restaurant. Si seulement, ce soir-là, il m'avait donné la moindre raison de croire que quelque chose pouvait se passer entre nous… je sais très bien que je l'aurais choisi ; je connaissais à peine Ryle, à l'époque.

Mais il n'a rien dit ; en fait, il m'a menti en me laissant croire qu'il vivait avec quelqu'un depuis un an. Pourquoi ? Pourquoi aurait-il fait ça si ce n'était pour me priver de la moindre chance avec lui ?

Et si je me trompais depuis le début ? S'il ne m'avait jamais aimée, s'il savait qu'en inventant cette Cassie il m'éloignerait de lui pour toujours ?

Pourtant, voilà qu'il m'invite chez lui, je joue avec ses amis, goûte ses plats, utilise sa douche.

Je sens les larmes me monter aux yeux et je n'ai aucune envie de pleurer en sa présence. Alors je contourne la table, file devant lui pour m'en aller. Mais il m'attrape la main au passage.

– Attends !

Je m'arrête, les yeux fixés droit devant moi.

– Dis-moi quelque chose, Lily.

Il se tient complètement derrière moi, maintenant. Je dégage ma main et me dirige vers le fond du salon.

Là, je fais volte-face et sens une première larme me rouler sur la joue.

– Pourquoi tu n'es jamais revenu me chercher ?

Il semblait s'attendre à tout, sauf à ça. Dans un soupir las, il va s'asseoir sur le canapé.

– Je suis revenu, Lily.

J'en reste pétrifiée.

Il est revenu me chercher ?

– La première fois que je suis sorti des Marines, je suis revenu dans le Maine en espérant t'y trouver. Je me suis renseigné, j'ai découvert dans quelle université tu étais. Je ne savais pas trop à quoi m'attendre, car on ne vivait plus du tout le même genre de vie. Quatre années s'étaient écoulées depuis la dernière fois qu'on s'était vus. Je supposais que beaucoup d'éléments avaient changé.

J'en ai les jambes qui flageolent, je me laisse tomber dans le fauteuil près de lui. *Il est revenu me chercher ?*

– J'ai passé la journée à te chercher sur le campus. Et puis, en fin d'après-midi, je t'ai vue. Tu étais assise dans le parc, avec un groupe d'amis. Je t'ai longtemps observée, en cherchant le courage de t'aborder. Tu riais. Tu semblais heureuse. Tu vibrais d'une vie que je ne t'avais jamais vue. Je ne savais pas qu'un tel bonheur pouvait exister. J'en ai conclu que tout allait bien pour toi…

Il marque une pause. J'ai mal au ventre à l'idée qu'il ait pu se trouver aussi près de moi sans que je m'en doute.

– J'allais te rejoindre lorsque quelqu'un est arrivé derrière moi. Un garçon. Il est tombé à genoux devant toi et là, tu as souri, tu l'as pris dans tes bras, tu l'as embrassé.

Je ferme les yeux. *C'était juste un garçon avec qui je suis sortie pendant six mois. Il ne m'a jamais inspiré le quart de ce que je ressentais pour Atlas.*

Il laisse échapper un soupir.

– Alors je suis parti. Je te voyais heureuse et c'était la pire et la meilleure des choses qui pouvait m'arriver. Mais j'estimais à l'époque que mon mode de vie n'était pas digne de toi. Je n'avais rien d'autre à t'offrir que mon amour ; à mon avis, tu méritais mieux que ça. Le lendemain, je signais un nouvel engagement dans les Marines. Et maintenant…

Il lève les bras en l'air, comme pour dire que sa vie n'a rien d'extraordinaire.

Je me prends la tête entre les mains, pleine de regret de ce qu'aurait pu être ma vie, de ce qu'elle est, de ce qui nous a échappé. Je caresse mon tatouage en me demandant si je pourrai jamais remplir ce trou, désormais.

Atlas ressentirait-il ce que je ressentais lorsque je me suis fait faire ce tatouage ? Cette impression que l'air lui échappe par le cœur ?

Je ne comprends toujours pas pourquoi il m'a menti après m'avoir rencontrée dans ce restaurant. S'il ressentait vraiment les mêmes élans que moi pour lui, pourquoi avoir inventé cette histoire ?

– Pourquoi t'es-tu inventé cette copine ?

Il se passe encore une main sur le visage, je perçois ses regrets avant de les entendre dans sa voix.

– J'ai dit ça parce que… tu avais l'air heureuse ce soir-là. En te voyant lui dire au revoir, ça m'a fait très mal mais, en même temps, j'étais soulagé de te voir en si bonne forme. Je ne voulais pas que tu t'inquiètes pour moi. Et puis, je ne sais pas… peut-être que j'étais un peu jaloux. Je ne sais pas, Lily. J'ai regretté ce mensonge aussitôt après l'avoir prononcé.

Mon cœur bat si fort que je suis prise de vertige.

Et s'il m'avait dit la vérité ? S'il s'était montré sincère ?

Où en serions-nous maintenant ?

J'ai envie de lui demander pourquoi il a fait ça. Pourquoi il n'a pas voulu se battre pour moi, mais je connais déjà la réponse. Il croyait me donner ce que je voulais, car il ne souhaitait que mon bonheur. Et pour je ne sais quelle raison idiote, il n'a jamais pensé que ça pourrait passer par lui.

Atlas le bienveillant.

Plus j'y songe, plus j'ai du mal à respirer. Entre Atlas ce soir, Ryle il y a deux soirs… Ça fait trop.

Je file vers la chambre d'amis. J'attrape mon téléphone, mon sac, reviens dans le salon. Atlas n'a pas bougé.

– Ryle est parti en Angleterre aujourd'hui, lui dis-je. Je ferais mieux de rentrer, maintenant. Tu pourrais me déposer ?

Il lève sur moi un regard empli de tristesse.

Assurément, c'est ce que j'ai de mieux à faire. Ni l'un ni l'autre nous ne saurons tourner la page, et je ne suis pas sûre que nous y parvenions jamais. Je commence à croire que ma vie ne va faire qu'empirer de jour en jour. Il faut que j'élimine tous ces désarrois qui m'obscurcissent l'esprit et, pour le moment, mes sentiments pour Atlas estompent tout le reste.

Les dents serrées, il hoche la tête puis attrape ses clefs.

***

Nous ne prononçons pas un mot sur la route qui mène chez moi. Il ne me dépose pas mais entre sur le parking, puis sort de sa voiture.

– Je préférerais vraiment que tu me laisses t'accompagner, dit-il.

J'accepte et, toujours dans le même silence, nous prenons l'ascenseur pour le sixième étage. Il me suit jusqu'à mon appartement. Je fouille dans mon sac pour en sortir les clefs, sans me rendre compte que mes mains tremblent. Je m'y reprends à trois fois et, finalement, c'est Atlas qui s'en charge pour moi.

– Tu veux que je vérifie qu'il n'y a personne ?

J'acquiesce en silence. J'ai beau savoir que Ryle est parti, quelque part j'ai peur d'entrer seule dans l'appartement.

Il allume, regarde autour de lui, entre dans toutes les chambres. Puis il revient dans le salon, les mains dans les poches.

– Je ne sais pas quoi faire d'autre, Lily, soupire-t-il.

Bien sûr que si. Il sait. Il veut juste vérifier, ne pas se sentir obligé de partir car nous n'avons aucune envie de nous dire au revoir. Ça ferait trop mal.

Son regard est si triste que je préfère détourner les yeux.

– Tu sais, Atlas, j'ai beaucoup de travail en retard. Énormément. Et j'ai peur de ne pas y arriver avec toi dans ma vie. J'espère que tu ne m'en voudras pas, parce que c'est un compliment.

Un instant, il me dévisage sans rien dire, il n'a pas l'air surpris. Pourtant, je vois qu'il aurait mille choses à me répondre ; moi-même, j'en aurais mille à lui raconter, cependant ce serait mal venu. Je suis mariée, enceinte de quelqu'un d'autre. Et il se trouve au milieu d'un salon qu'un autre homme a acheté pour moi. Je dirais que ce ne sont pas là les meilleures conditions pour exprimer tout ce que nous aurions pu nous dire en d'autres circonstances.

Pourtant, il semble encore hésiter. Je vois sa mâchoire se crisper.

– Si jamais tu as besoin de moi, tu dois m'appeler. Mais juste en cas d'urgence, car je ne suis pas capable de rester comme ça, relax devant toi, Lily.

Ses paroles me déconcertent, car je ne m'attendais pas à ce qu'il l'admette. En fait, il a raison. Depuis qu'on se connaît, on n'a jamais entretenu de relations désinvoltes. C'était tout ou rien. Raison pour laquelle il a coupé les ponts en s'engageant dans les Marines. Il savait qu'une banale amitié ne nous suffirait jamais. Ce serait trop triste.

Apparemment, ça n'a pas changé.

– Au revoir, Atlas.

À ces mots, j'ai presque autant envie de pleurer que la première fois où je les ai prononcés. Il frémit, puis tourne les talons et s'en va rapidement. Une fois la porte refermée derrière lui, je la verrouille, appuie la tête dessus.

Avant-hier, j'étais la plus heureuse des femmes. Aujourd'hui, je me demande ce qu'il pourrait m'arriver de pire.

Je sursaute lorsqu'on frappe à la porte. Voilà à peine dix secondes qu'il est parti, ce ne peut être que lui. J'ouvre et je me retrouve dans ses bras, serrée contre lui alors qu'il m'embrasse la tête.

Fermant les yeux, je laisse couler mes larmes. J'ai tant pleuré à cause de Ryle, ces deux derniers jours. Je ne sais pas comment il peut encore m'en rester pour Atlas.

Pourtant, elles m'inondent les joues.

– Lily. Je sais que tu n'as vraiment pas besoin d'entendre ça en ce moment, mais il faut que je te le dise parce que je suis trop souvent parti sans te l'avouer.

Il recule pour me contempler et, quand il voit mes larmes, il me passe la main sur le visage.

– À l'avenir… si par miracle tu as encore l'occasion de tomber amoureuse… que ce soit de moi.

Il m'embrasse sur le front.

– Tu restes la personne que j'aime le plus au monde, Lily. Et ce sera toujours comme ça.

Il me lâche et s'en va sans attendre de réponse.

La porte close, je me laisse glisser au sol, le cœur défaillant. Le moyen de réagir autrement après deux ruptures en deux jours ?

Et j'ai l'impression qu'il me faudra beaucoup de temps avant qu'une de ces peines de cœur ne guérisse.

CHAPITRE 29

Allysa vient se poser sur le canapé entre Rylee et moi.

– Tu me manques trop, Lily. J'aimerais bien revenir travailler un ou deux jours par semaine.

– Attends, j'habite dans le même immeuble et je te rends visite presque tous les jours. Je ne vois pas comment je pourrais te manquer.

Avec une petite moue, elle croise ses jambes sous elle.

– Bon, ce n'est pas toi qui me manques, mais le boulot. Et, parfois, j'ai envie de sortir de cette maison.

Voilà six semaines qu'elle a eu Rylee, donc je suis sûre qu'elle serait autorisée à revenir travailler. Franchement, je n'aurais pas cru que ça la tenterait maintenant qu'elle a son bébé. Je me penche pour embrasser la petite fille sur le bout du nez.

– Tu amènerais Rylee avec toi ?

– Non. On travaille trop. Marshall s'en occupera.

– Tu n'as pas du personnel pour ça ?

Marshall passe juste à cet instant.

– Chut, Lily ! Arrête de parler comme une gosse de riche devant ma fille. C'est du blasphème.

J'éclate de rire. C'est pour ça que je viens ici plusieurs soirs par semaine, parce que ce sont les seuls moments où je ris. Depuis un mois et demi que Ryle est parti en Angleterre, personne n'est au courant de ce qui s'est passé entre nous. Il n'en a pas parlé à quiconque et moi non plus. Tout le monde, y compris ma mère, croit qu'il est juste parti pour ce stage à Cambridge et que rien n'a changé entre nous.

Je n'ai pas davantage évoqué ma grossesse.

Je suis allée voir le médecin à deux reprises. En fait, j'étais déjà enceinte depuis douze semaines lorsque je l'ai appris ; autrement dit, j'en suis à ma dix-huitième semaine. J'essaie toujours de me faire à cette idée. Je prends la pilule depuis mes dix-huit ans. Apparemment, un petit oubli par-ci, par-là, ça ne pardonne pas.

Ça commence à se voir un peu, mais en plein hiver ce n'est pas encore trop difficile à cacher. Personne ne se doute de rien quand on porte un pull large et une veste.

Il va pourtant bien falloir que je le dise sans tarder, mais j'estime que c'est à Ryle de l'apprendre en premier, et je n'ai aucune envie de le lui annoncer au cours d'un coup de téléphone longue distance. Il va rentrer dans six semaines. Si je peux encore garder le secret jusque-là, je verrai bien le moment venu.

Je baisse les yeux et Rylee me sourit. Je lui fais des grimaces pour qu'elle continue. Voilà longtemps que j'ai envie de parler de ma grossesse à Allysa, mais ça me paraît difficile étant donné que je n'ai même pas prévenu son frère. Je ne veux pas la mettre dans une situation difficile, même si je suis la première à en souffrir.

– Comment tu tiens le coup sans Ryle ? demande-t-elle. Tu as hâte qu'il rentre ?

Je hoche la tête sans répondre. J'essaie d'écarter ce sujet quand elle l'aborde.

– Il se plaît à Cambridge ? insiste-t-elle.

– Oui, dis-je en tirant la langue à Rylee.

Elle sourit. Je me demande si mon bébé pourrait lui ressembler. J'espère bien. Elle est trop adorable, mais je suis sans doute un peu partiale.

– Il a compris comment fonctionnait le métro là-bas ? reprend Allysa. Parce que chaque fois que je lui en parle, il a l'air paumé. Il ne sait jamais s'il doit prendre la ligne A ou la ligne B.

– Si, si, ça va. Il a compris maintenant.

Elle se redresse sur le canapé.

– Marshall !

Son mari entre dans le salon et elle reprend Rylee sur mes genoux, la lui tend.

– Tu veux bien changer ses couches ?

Je ne sais pas pourquoi elle lui demande ça, alors que je viens de le faire.

Marshall plisse le nez mais emporte le bébé.

– Ma fille empeste ? demande-t-il en chemin.

Ils portent les mêmes grenouillères.

Allysa m'attrape par la main et m'entraîne.

– *Où va-t-on ?*

Sans répondre, elle se dirige vers sa chambre et claque la porte derrière nous, se met à faire les cent pas avant de s'arrêter devant moi.

– Tu ferais mieux de me dire ce qui se passe, dès maintenant, Lily !

Je recule, suffoquée. Qu'est-ce qu'elle raconte ? Je porte automatiquement les mains à mon ventre. Elle se serait donc aperçue de quelque chose ? Mais non, ce n'est pas ce qu'elle regarde.

– Il n'y a pas de métro à Cambridge, idiote !

– Quoi ?

– J'ai inventé ! Ça fait un moment que je me pose des questions à ton propos. Tu es ma meilleure amie, Lily. Et je connais mon frère. Je lui parle toutes les semaines, il n'est plus le même. Quelque chose s'est passé entre vous et je veux savoir immédiatement ce que c'est !

Merde. Finalement, ça arrive plus vite que prévu. Je ne sais pas trop quoi lui dire. Jusqu'où. Je ne me rendais pas compte à quel point ça me tuait de ne pas avoir pu me confier à elle. Pour un peu, je me sentirais soulagée qu'elle lise si clairement en moi.

– Allysa, dis-je en m'asseyant sur son lit. Viens là.

À coup sûr, elle en sera presque aussi choquée que moi.

– Je ne sais pas par où commencer.

Elle me prend les mains, mais ne dit rien. Durant un quart d'heure, je lui raconte tout. Notre dispute. L'intervention d'Atlas. L'hôpital. Ma grossesse.

Je lui révèle comment, depuis six semaines, je pleure tous les soirs dans mon lit, tellement je me sens seule, tant j'ai peur.

Lorsque j'achève ma confession, nous sommes toutes les deux en larmes.

Pendant que je parlais, elle ne m'a interrompue que de quelques « Oh, Lily ! »

De toute façon, rien ne l'oblige à me répondre. Ryle est son frère. Bien sûr, elle voudrait que je prenne son passé en considération, que je fasse des efforts pour que nous formions une grande et heureuse famille. Je n'en doute pas un instant.

D'abord, elle ne dit rien, plongée dans une profonde réflexion. Et puis elle finit par relever les yeux, elle me serre encore les mains.

– Mon frère t'aime, Lily. Beaucoup. Tu as bouleversé sa vie, tu lui as permis de s'élever à un niveau dont je ne l'aurais jamais cru capable. En tant que sœur, je rêve que tu trouves le moyen de lui pardonner. Mais en tant qu'amie, je dois te dire que si tu te remets avec lui, je ne t'adresserai plus jamais la parole.

Il me faut un certain temps pour digérer ses paroles, et puis j'éclate en sanglots.

Et elle aussi.

Elle me prend dans ses bras et on gémit en chœur sur l'amour qu'on éprouve toutes les deux pour Ryle. Ainsi que sur la haine qu'il nous inspire.

Au bout de quelques minutes, on se lève ensemble du lit et elle me lâche pour aller chercher des mouchoirs.

On s'essuie les yeux et je lui glisse :

– Tu es la meilleure amie que j'aie jamais eue.

– Oui, je sais. Et maintenant, je vais être la meilleure des tantes.

Elle s'essuie le nez, renifle encore, sourit.

– Lily, tu vas avoir un bébé !

Elle a lancé ça d'une voix si intense que, pour la première fois, j'en éprouve de la joie.

– Désolée de te dire ça, ajoute-t-elle. Mais j'ai bien vu que tu avais grossi. Je croyais que tu étais trop déprimée depuis le départ de Ryle, et que tu mangeais n'importe quoi.

Elle ouvre sa penderie, en sort plusieurs vêtements.

– Tiens, j'ai plein de fringues de grossesse à te refiler.

On les examine en détail et elle me les met dans une valise, au point de la faire déborder.

– Je ne pourrai pas porter ça, dis-je en lui montrant une chemise de grande marque. Je vais te les abîmer.

– Arrête ! Je n'en ai plus besoin. Si je tombe de nouveau enceinte, j'enverrai mon personnel m'en acheter d'autres.

En riant, elle décroche machinalement une chemise de son portemanteau.

– Tiens, essaie ça.

Je l'enfile puis me regarde dans la glace.

J'ai l'air… enceinte. Plus moyen de le cacher.

Elle pose une main sur mon ventre, nous regarde ensemble dans la glace.

– Tu sais si c'est un garçon ou une fille ?

– Aucune idée, mais je ne veux pas le savoir.

– J'espère que ce sera une fille. Comme ça, elle deviendra la meilleure copine de Rylee.

– Lily ?

On se retourne ensemble pour découvrir Marshall sur le seuil. Il regarde mon ventre, la main d'Allysa toujours posée dessus. Il penche la tête de côté.

– Tu… Lily, il y a… Tu te rends compte que tu es enceinte ?

Allysa se dirige vers la porte et saisit la poignée.

– Il y a des choses que tu ne devras jamais répéter de ta vie si tu veux que je reste ta femme. Et ceci en fait partie. Compris ?

Haussant les sourcils, il recule.

– Oui, d'accord. Compris. Lily n'est pas enceinte.

Il embrasse Allysa sur le front, me jette encore un coup d'œil.

– Alors je ne t'adresse pas mes félicitations, Lily. Pour rien du tout.

Allysa le jette dehors, referme la porte.

Elle se tourne vers moi.

– Il va falloir organiser une baby shower[3].

– Non. Je dois d'abord en parler à Ryle.

---

3 Une *baby shower* est une fête prénatale organisée pour une future maman entre son septième et huitième mois de grossesse.

Elle repousse l'idée d'un geste de la main.

– Ce genre de fête, ce n'est pas son problème. On va garder ça entre nous jusqu'au jour J.

Là-dessus, elle ouvre son ordinateur et, pour la première fois depuis que je sais que je suis enceinte, j'en suis heureuse.

CHAPITRE 30

C'est assez pratique d'avoir juste un ascenseur à prendre pour se rendre chez soi. Je ne suis pas encore vraiment habituée à vivre dans cet immeuble. Ryle et moi n'y avons passé qu'une semaine ensemble avant notre rupture et son départ pour l'Angleterre. En fait, je ne m'y sens pas vraiment chez moi, ça me semble un peu artificiel. Je n'ai plus dormi dans notre chambre à coucher depuis cette nuit-là. J'occupe la chambre d'amis et mon ancien lit.

Allysa et Marshall sont les seuls à savoir pour ma grossesse. Voilà quinze jours que je le leur ai annoncé.

À présent, j'en suis au cinquième mois. Je sais que je devrais en parler à ma mère, mais Ryle va rentrer dans quelques semaines et j'estime qu'il a le droit de savoir avant qui que ce soit d'autre. Si seulement je pouvais cacher mon ventre jusqu'à son retour…

Je devrais accepter le fait qu'il faudrait le lui annoncer par un coup de fil longue distance. Je n'ai plus vu ma mère depuis quinze jours. Jamais nous n'étions restées si longtemps loin l'une de l'autre après son installation à Boston ; alors, s'il ne se passe pas bientôt quelque chose, elle va se pointer chez moi à coup sûr.

Je crois que mon ventre a doublé de volume en deux petites semaines seulement. Impossible de le cacher aux gens qui me connaissent bien. Pour l'instant, personne dans la boutique n'a posé de question. Ils doivent hésiter : « Elle est enceinte ou elle a grossi ? »

Je m'apprête à déverrouiller la porte pour entrer dans l'appartement, lorsque la voilà qui s'ouvre. Je n'ai pas le temps de tirer la veste sur mon ventre que Ryle apparaît devant moi. Je porte un des tee-shirts qu'Allysa m'a donnés, modèle typique femme enceinte, et il semble s'en apercevoir tout de suite.

Ryle.

Ryle est là.

Mon cœur bondit, mon cou frémit, je pose les mains sur ma poitrine et mes paumes vibrent de ses palpitations désordonnées.

Palpitations parce que je suis terrifiée.

Palpitations parce que je le hais.

Palpitations parce qu'il m'a trop manqué.

Ses yeux remontent lentement de mon ventre à mon visage, emplis d'une expression blessée, comme si je venais de le poignarder. Il recule d'un pas, porte une main à sa bouche. Et le voilà qui secoue la tête, l'air de refuser cette trahison ; c'est à peine s'il parvient à murmurer :

– Lily ?

Je demeure paralysée sur place, trop anxieuse pour bouger ou dire un mot. Je ne veux pas réagir tant que je ne saurai pas comment lui réagit. Il doit lire la peur dans mes yeux, entendre ma respiration saccadée car il tend la paume, d'un geste rassurant.

– Je ne vais pas te faire de mal, Lily. Je suis juste venu te parler.

Il ouvre grand la porte, désigne le salon.

– Regarde.

Comme il s'écarte, j'aperçois quelqu'un derrière lui.

À présent, c'est moi qui me sens trahie.

– Marshall ?

Celui-ci ouvre aussitôt les bras dans un geste de défense.

– Je ne savais pas qu'il rentrait plus tôt, Lily. Il m'a juste envoyé un SMS pour demander mon aide. Il ne voulait pas je vous en parle, ni à toi ni à Issa. Je t'en prie, ne la pousse pas au divorce, je ne suis qu'un passant innocent.

Je hoche la tête tout en essayant de comprendre à quoi il joue.

– Je l'ai prié de venir me rejoindre ici pour que tu te sentes plus à l'aise, explique Ryle. Il est là pour toi, pas pour moi.

Du coup, j'ose entrer dans l'appartement. Ryle paraît toujours sous le choc de sa découverte, ce qui peut se comprendre. Il semble ne voir que mon ventre, comme s'il n'osait pas m'interroger du regard.

– On va dans la chambre, dit-il à Marshall. Si tu m'entends prendre… Si je me mets à crier…

– T'inquiète, je reste là.

Alors, je suis Ryle dans la chambre en me demandant ce qu'il doit ressentir quand il ignore à quel point il peut se laisser dépasser par ses propres émotions. Sur le moment, j'en éprouve un minuscule élan de pitié. Mais lorsque mes yeux se posent sur notre lit, les images de cette nuit-là me reviennent et toute ma compassion m'abandonne.

Il pousse la porte sans complètement la fermer. On dirait qu'il a vieilli d'un an au cours de ces deux mois d'absence, avec ses poches sous les yeux, ses sourcils plissés, cette allure avachie. Si le regret prenait forme humaine, ce serait celle-là. Il regarde encore mon ventre, s'approche doucement, tend une main timide, comme pour demander la permission de le toucher. Je fais oui de la tête. Alors il pose une main dessus.

Je sens la tiédeur de sa paume et ferme les yeux. Malgré ma rancœur, l'émotion qu'il me procure reste intacte. Ce n'est pas parce que quelqu'un vous blesse que vous cessez de l'aimer. Ce ne sont pas ses actes qui vous font le plus souffrir. Mais l'amour. S'il n'y avait aucun amour relié à ses actes, la douleur serait un peu plus facile à supporter.

Il remue un peu la main et je rouvre les yeux. On dirait qu'il n'arrive pas à y croire. Lentement, il tombe à genoux devant moi. Ses bras m'entourent la taille, ses lèvres se pressent sur mon ventre ;

plaquant les mains sur mes reins, il appuie la tête contre moi.

Difficile de décrire ce que je ressens pour lui en ce moment. Comme toute mère pourrait le souhaiter pour son enfant, c'est une belle chose de voir l'amour que son père éprouve déjà pour lui. J'ai eu du mal à n'en parler à personne, même pas à lui, malgré mon aversion. Je ne peux m'empêcher de lui caresser les cheveux. Quelque part, j'ai envie de crier, d'appeler la police, comme j'aurais dû le faire cette nuit-là. Quelque part, je m'apitoie sur ce petit garçon qui regardait son frère mourir dans ses bras. Quelque part, j'aurais voulu ne jamais le rencontrer. Quelque part, je voudrais pouvoir lui pardonner.

Il détache ses bras, s'appuie au matelas pour se relever, mais s'assied sur le lit, les coudes sur les genoux.

Je me pose près de lui. Il faut bien qu'on en parle, de toute façon, même si je n'en ai aucune envie.

– La vérité toute nue ?

Il hoche la tête.

Je ne sais pas lequel est censé commencer. Je n'ai pas grand-chose à lui dire sur ce point, alors j'attends.

– Je ne sais par où commencer, Lily.

– Si tu essayais : « Désolé de t'avoir frappée. »

Il me jette un regard incertain.

– Lily, tu ne peux pas savoir. Je suis trop désolé. Tu ne te rends pas compte de ce que j'ai vécu ces deux derniers mois en pensant à ce que je t'ai fait.

Je serre les dents.

Je ne me rends pas compte de ce qu'il a vécu ?

– C'est toi, Ryle, qui ne te rends pas compte.

Furieuse, je me relève brusquement, tends le doigt vers lui.

– Tu ne te rends pas compte ! Tu ne te rends pas compte de ce que j'ai vécu à cause de toi ! Craindre pour sa vie à cause de l'homme qu'on aime ? Avoir la nausée rien que de penser à ce qu'il vous a fait ? Tu ne te rends pas compte, Ryle ! Merde ! Va te faire foutre, pour m'avoir fait ça !

Je laisse échapper un énorme soupir, choquée de ma propre rage. Elle est montée en moi comme une vague. Je m'essuie les yeux et me détourne, incapable de le regarder plus longtemps.

– Lily, je ne…

– Non ! Je n'ai pas fini. Tu me raconteras ta vérité quand j'aurai fini de dire la mienne !

La tête posée sur ses poings, il regarde par terre. C'est moi qui me rapproche, m'accroupis, pose mes mains sur ses genoux pour l'obliger à me fixer dans les yeux.

– Oui. J'ai gardé le magnet qu'Atlas m'avait donné quand on était gamins. Oui, j'ai gardé mon journal. Non, je ne t'ai pas parlé de mon tatouage. Oui, j'aurais sans doute dû. Oui, je l'aime toujours. Et je l'aimerai jusqu'à ma mort, parce qu'il a occupé une grande place dans ma vie. Et oui, je suis sûre que ça te fait de la peine. Mais rien de tout ça ne t'a donné le droit de me faire ce que tu m'as fait. Même si tu nous avais surpris au lit ensemble, tu n'aurais encore pas eu le droit de lever la main sur moi, espèce de sale fils de pute !

Je m'appuie sur ses genoux pour me relever.

– À ton tour, maintenant !

Je vais et viens dans la chambre, le cœur battant à tout rompre. Je voudrais que ça se termine. Si je le pouvais, je l'enverrais promener tout de suite.

Plusieurs minutes s'écoulent ainsi. Le silence de Ryle et ma colère se mélangent en un seul mouvement de chagrin. Mes larmes m'ont épuisée. Je n'en peux plus d'éprouver tant d'émotions ; au point que je retombe sur le lit pour pleurer sur l'oreiller, et que je peux à peine respirer.

Ryle s'allonge à côté de moi. Il place une main douce sur ma tête, comme si cela pouvait apaiser ma peine. Je garde les yeux fermés sur l'oreiller, mais je le sens poser son front sur ma tempe.

– Ma vérité toute nue, c'est que je n'ai strictement rien à dire, lâche-t-il posément. Je ne pourrai jamais effacer ce que je t'ai fait. Et tu ne me croiras pas si je te dis que ça ne recommencera jamais. Mais tu es mon univers, Lily. Mon univers. Quand je me suis réveillé sur ce lit, cette nuit-là, en voyant que tu étais partie, j'ai su que je ne saurais jamais te convaincre de revenir. Aujourd'hui, je venais te dire à quel point je suis désolé et aussi t'annoncer que j'avais accepté ce poste dans le Minnesota. J'étais venu te dire au revoir. Mais, Lily…

Il repose les lèvres sur ma tête, pousse un grand soupir.

– Lily, je ne peux plus faire ça, maintenant. Tu portes mon enfant. Et je l'aime déjà plus que tout ce que j'ai pu aimer dans ma vie.

Sa voix se brise et il m'agrippe plus fort encore.

– Je t'en prie, ne me prive pas de lui, Lily. S'il te plaît !

Ses lèvres effleurent brièvement les miennes. Comme je ne le repousse pas, il recommence.

Et encore.

La cinquième fois, elles ne s'en vont plus.

Il me prend dans ses bras, m'attire contre lui. Je me sens faible, fatiguée. Mais mon corps se souvient du sien qui peut tout apaiser, qui peut se montrer si doux que, quelque part, un vide s'était creusé en moi depuis son départ.

– Je t'aime, murmure-t-il contre ma bouche.

Sa langue glisse sur la mienne et c'est trop déplacé, trop bon, trop douloureux. Sans bien m'en rendre compte, je me retrouve sur le dos et il se glisse sur moi. Ce contact, c'était tout ce qui me manquait, tout ce que je devrais fuir. Sa main agrippe une mèche de mes cheveux et, en un instant, je crois revivre cette nuit-là.

Je me tiens sur le seuil et sa main parcourt mon épaule juste avant qu'il ne la morde de toute la force de sa mâchoire.

Son front repose sur le mien et, en un instant, je crois revivre cette nuit-là.

Je suis sous lui, sur ce même lit, quand il me balance un coup de tête si violent que ça m'a valu six points de suture.

Mon corps ne réagit plus. La colère commence à submerger tout le reste. Sa bouche cesse de remuer sur la mienne quand il me sent me raidir.

Il se redresse, me regarde. Je n'ai strictement rien à lui dire. Nos yeux expriment davantage de vérités que n'ont jamais su le faire nos paroles. Mes yeux lui disent que je ne supporte plus qu'il me touche. Ses yeux me disent qu'il le sait.

Lentement, il hoche la tête.

Il se détache de moi, jusqu'à se retrouver assis au bord du lit, le dos tourné. Il se lève lentement, parfaitement conscient qu'il n'obtiendra pas mon pardon aujourd'hui. Il se dirige vers la porte.

– Attends, lui dis-je.

Il se tourne à demi.

Je hausse le menton.

– J'aurais préféré que ce bébé ne soit pas de toi, Ryle. De tout mon cœur, j'aurais préféré que tu n'y sois pour rien.

Si j'ai cru que son monde ne pouvait s'écrouler encore plus, j'avais tort.

Il sort de ma chambre et je replonge le visage dans l'oreiller. Je croyais que si je parvenais à lui faire autant de mal qu'il m'en a fait, je me sentirais vengée.

Mais non.

En fait, je me sens agressive et méchante.

Comme mon père.

CHAPITRE 31

Maman : Tu me manques. Quand est-ce que je te vois ?

Je relis le texto. Voilà deux jours que Ryle est au courant pour ma grossesse. Il serait temps que j'en parle à ma mère. La seule chose qui m'ennuie, c'est que je vais devoir également l'informer de la situation avec Ryle.

Moi : Je voudrais te voir moi aussi. Je viendrai demain après le boulot. Tu pourrais préparer des lasagnes ?

À peine lui ai-je envoyé ce message que j'en reçois un autre :

Allysa : Monte dîner avec nous ce soir. C'est pizza maison.

Voilà plusieurs jours que je ne suis pas allée la voir. En fait depuis le départ de Ryle. Je ne sais pas trop où il habite, mais j'imagine que c'est chez eux. La dernière chose dont j'aie envie serait de me retrouver dans le même appartement que lui.

Moi : Il y aura qui d'autre ?

Allysa : Lily... je ne te ferais jamais ça. Il travaille jusqu'à demain matin 8 h. On sera juste tous les trois.

Elle me connaît bien. Je lui réponds en disant que j'arrive directement après le travail.

***

– Ils mangent quoi les bébés à cet âge-là ?

On est assis autour de la table. Rylee dormait déjà quand je suis arrivée, mais je l'ai réveillée pour pouvoir lui faire un câlin. Allysa m'a laissée faire en disant qu'elle préférait ne pas la voir trop éveillée à l'heure du coucher.

– Du lait maternel, dit Marshall la bouche pleine. Mais, parfois, je plonge un doigt dans mon soda pour lui faire goûter.

– Marshall ! crie Allysa. J'espère que tu plaisantes !

– Évidemment.

Je n'en suis pas si sûre que ça... Je préfère détourner la conversation :

– Mais quand est-ce qu'ils se mettent à manger de la nourriture de bébé ?

J'ai peut-être intérêt à le savoir avant d'accoucher.

– Vers le quatrième mois, dit Allysa en bâillant.

Elle repose couteau et fourchette, se frotte les yeux. Alors je propose :

– Tu veux que je l'emmène chez moi, ce soir, pour que vous puissiez avoir une nuit complète ?

– Non, merci.

Elle a répondu pendant que Marshall s'exclamait :

– Ce serait hyper gentil !

– Bon, dis-je en riant. J'habite à l'étage au-dessous. Je ne travaille pas demain, alors si je ne dors pas cette nuit, je me rattraperai demain.

Allysa semble réfléchir puis :

– Je laisserai mon téléphone allumé au cas où tu m'appellerais.

– Tu as entendu ça ? dis-je à Rylee. Tu vas passer la nuit chez tante Lily !

***

Avec tout ce qu'Allysa met dans son sac à langer, on croirait que j'emmène Rylee à l'autre bout du pays.

– Elle te préviendra quand elle aura faim. Ne réchauffe pas le lait au micro-ondes, mets-le dans…

– Je sais. J'ai déjà dû lui préparer quelque chose comme cinquante biberons depuis qu'on se connaît !

Allysa me tend le sac et on s'allonge toutes les deux en attendant que, dans le salon, Marshall finisse de nourrir le bébé une dernière fois.

– Tu sais ce que ça veut dire ? me demande-t-elle.

– Non. Quoi ?

– Je vais faire l'amour ce soir. La dernière fois remonte à quatre mois.

Elle pouffe de rire puis se rassied, toute droite.

– Merde, souffle-t-elle. Je devrais me raser les jambes. Ça non plus je ne l'ai pas fait depuis quatre mois.

Mon rire est coupé net par un mouvement dans mon ventre.

– Oh, mon Dieu, Allysa ! Je viens de sentir quelque chose !

– C'est vrai ?

Elle pose une main dessus et on ne bouge plus pendant cinq bonnes minutes en attendant que ça se reproduise. Ça revient, mais si légèrement que je le perçois à peine. Je me remets à rire.

– Je n'ai rien senti, marmonne Allysa. Il va sans doute falloir encore plusieurs semaines avant qu'on puisse le sentir de l'extérieur. C'était la première fois ?

– Oui. D'ailleurs, j'avais peur de porter le bébé le plus paresseux du monde.

Je garde les mains sur mon ventre dans l'espoir qu'il va recommencer. On ne bouge pas encore quelques minutes et je ne peux m'empêcher de regretter que les circonstances ne soient pas différentes. Ryle devrait être là. Il devrait être assis à côté de moi, la main sur mon ventre. Pas Allysa.

Cette pensée m'ôte presque toute ma joie. Elle doit s'en apercevoir car elle se relève, l'air grave.

– Lily. Je voudrais te dire quelque chose.

Mon Dieu ! Je n'aime pas le son de sa voix.

– Qu'y a-t-il ?

Elle pousse un soupir, qu'elle accompagne d'un sourire forcé.

– Je sais que tu es triste de découvrir ça sans mon frère. Mais, quoi qu'il arrive, dis-toi que tu es en train de vivre la plus belle expérience de ta vie. Tu seras une maman formidable, Lily. Ce bébé a beaucoup de chance.

Je suis contente que personne ne nous voie en ce moment parce que ses paroles me font rire, pleurer, renifler comme une ado en quête d'émotions fortes. Je la serre dans mes bras, la remercie. Étonnant comme de telles paroles peuvent me rendre la joie que j'avais commencé à éprouver.

– Maintenant, ajoute-t-elle en souriant, prends ma fille, emmène-la loin d'ici, que je puisse m'envoyer en l'air avec mon mari pété de thunes.

– Toi, au moins, tu sais alléger l'atmosphère. C'est un de tes points forts.

– C'est à ça que je sers. Allez, barre-toi, maintenant.

CHAPITRE 32

De toutes les personnes que je n'ai pas mises dans le secret, celle qui me rendait le plus triste était ma mère. Je ne sais pas comment elle va le prendre ; bien sûr, elle sera contente d'apprendre ma grossesse, mais je ne sais pas ce qu'elle dira de notre séparation avec Ryle. Elle l'adore. Et quand on pense à ses propres réactions dans le même genre de situation, elle trouvera sans doute facile d'excuser l'attitude de mon mari et voudra me convaincre de retourner avec lui. En toute franchise, c'est un peu pour ça que je n'ai rien voulu lui dire, parce que j'ai peur qu'elle n'obtienne gain de cause.

La plupart du temps, je suis assez solide, si furieuse après lui que l'idée de lui pardonner me paraît des plus ridicules. Mais, parfois, il me manque tellement que je ne peux plus respirer. On s'amusait trop bien ensemble. On faisait trop bien l'amour. J'en arrivais à aimer l'attendre. Il travaillait tant que, dès qu'il apparaissait sur le seuil de l'appartement, en pleine nuit, je sortais de la chambre en courant pour me jeter dans ses bras. J'en arrive à regretter son plaisir de me voir faire ça.

Je suis dans un de ces jours pas trop solides où je regrette que ma mère ne sache pas déjà tout ce qui se passe. Parfois, j'ai juste envie de prendre ma voiture et de filer chez elle pour me blottir auprès d'elle sur son canapé, pour qu'elle repousse mes cheveux de mon visage et me dise que tout ira bien. Parfois, même les femmes adultes ont besoin du réconfort de leur mère, pour se détendre enfin de tous ces moments où il faut se montrer si forte.

Je reste là, dans ma voiture, garée devant chez elle ; j'attends cinq bonnes minutes avant de trouver la force d'aller franchir sa porte. J'hésite encore parce que je sais très bien que ça va lui briser le cœur. Je n'aime pas la voir triste et, quand je vais lui dire que j'ai épousé un homme qu'on pourrait comparer à mon père, ça va la rendre très triste.

À mon arrivée, je la trouve en train d'étaler les pâtes dans un plat. Je n'enlève pas tout de suite ma parka. Je n'ai pas mis de chemise de maternité, mais mon ventre est désormais à peu près impossible à cacher. Particulièrement à une mère.

– Ma chérie ! lance-t-elle.

J'entre dans la cuisine, l'embrasse sur une joue tandis qu'elle saupoudre le fromage sur les lasagnes. Dès qu'elle a mis le plat au four, on va s'asseoir dans le salon pour boire un verre de thé.

Elle sourit. Ça me met encore plus mal à l'aise qu'elle ait l'air si contente.

– Lily. J'ai quelque chose à te dire.

Je n'aime pas ça. C'était moi qui venais lui parler. Pas le contraire.

– Qu'y a-t-il ?

Elle serre son verre entre les mains.

– Je vois quelqu'un.

J'en reste bouche bée.

– C'est vrai ? C'est…

Je m'apprête à dire *bien*, mais je m'inquiète aussitôt : et si elle retombait dans une situation similaire à celle qu'elle a connue avec mon père ? La gravité de mon expression doit l'alerter parce qu'elle me prend les mains.

– Il est gentil, Lily, je t'assure.

J'en suis aussitôt soulagée. Je vois qu'elle dit la vérité, je vois qu'elle est heureuse.

– Ouah ! Je suis contente pour toi. Quand est-ce que tu me le présentes ?

– Ce soir, si tu veux. Je peux l'inviter à dîner avec nous.

– Euh… non. Peut-être pas ce soir…

Elle me serre un peu plus les mains, comme si elle se rendait compte que, moi aussi, j'avais quelque chose à lui dire. Je préfère commencer par la bonne nouvelle.

Je me lève, ôte ma parka. Au début, elle ne remarque rien. Elle doit juste croire que je me mets à l'aise. Alors je prends sa main, l'appuie sur mon ventre.

– Tu vas être grand-mère.

Elle écarquille les yeux, abasourdie. Et puis ses larmes commencent à couler. Elle saute en l'air, me prend dans ses bras.

– Lily ! Oh, mon Dieu ! C'est arrivé si vite ! Vous l'avez voulu ? Vous n'êtes pas mariés depuis si longtemps…

– Non, tu peux me croire si je te dis que ça a été un choc.

Elle rit, m'embrasse de nouveau, et puis on se rassied devant la table. J'essaie de garder le sourire, mais ce n'est pas le sourire d'une future mère aux anges. Elle le constate presque aussitôt et porte une main à sa bouche.

– Ma chérie, qu'y a-t-il ?

Jusque-là, j'étais parvenue à me contrôler. J'essayais de ne pas m'apitoyer sur mon sort devant les autres. Mais là, face à ma mère, je n'en peux plus. Je voudrais lâcher prise un instant. Qu'elle m'étreigne et me dise que tout ira bien. Alors, pendant le quart d'heure qui suit, je pleure dans ses bras et c'est exactement ce qu'elle fait. Je cesse de me battre, j'ai besoin de quelqu'un qui le fasse à ma place. Je lui épargne la plupart des détails sur notre relation mais lui dis le plus important. Qu'il m'a battue à plusieurs reprises et que je ne sais pas quoi faire. Que j'ai peur d'avoir ce bébé toute seule. Que j'ai peur de me tromper dans mes décisions. Que j'ai peur d'être trop faible alors que j'aurais dû le faire arrêter. Que j'ai peur d'être trop sensible alors que j'en fais peut-être trop. En fait, je lui dis tout ce que je n'ai pas eu le courage de m'avouer. Elle va chercher des serviettes en papier à la cuisine et, une fois qu'on s'est toutes les deux essuyé les yeux, elle roule la sienne entre ses mains.

– Tu voudrais reprendre avec lui ? demande-t-elle.

Je ne dis pas oui. Pas plus que non.

C'est la première fois, depuis ces événements, que je me montre complètement honnête, avec elle autant qu'avec moi-même. Sans doute parce qu'elle est la seule personne de ma connaissance qui soit passée par là. La seule capable de comprendre l'énorme désarroi dans lequel je me débats.

– J'ai l'impression je ne pourrai jamais plus lui faire confiance. Pourtant, quelque part, je regrette la vie que nous avons connue. On était si bien ensemble, maman ! J'ai passé avec lui certains des meilleurs moments de ma vie. Et, parfois, j'ai l'impression que je ne pourrais y renoncer pour rien au monde.

Je m'essuie encore les yeux.

– Parfois, quand il me manque vraiment trop… je me dis qu'au fond ce n'était pas si tragique. Que je pourrais peut-être le supporter dans ses pires moments afin de partager les meilleurs.

Elle me caresse doucement la main.

– Je vois très bien ce que tu veux dire, Lily. Mais il ne faut pas dépasser tes limites. N'oublie jamais ça.

Je ne vois pas trop ce qu'elle veut dire par là. Elle s'en aperçoit et s'explique :

– Nous avons tous des limites. Ce que nous sommes prêts à supporter avant de capituler. Quand j'ai épousé ton père, je savais exactement jusqu'où je pouvais aller. Mais peu à peu… après chaque incident… mes limites reculaient davantage. Et encore. Et encore. La première fois qu'il m'a frappée, il s'est excusé aussitôt. Il a juré que ça ne se reproduirait jamais. La deuxième fois, il était encore plus désolé. La troisième, c'était allé plus loin. Il m'avait rouée de coups. Et, chaque fois, je revenais avec lui. Mais, la quatrième fois, ça n'a été qu'une gifle. Du coup, je me suis sentie soulagée. Je me rappelle avoir pensé : « Au moins, il ne m'a pas battue, cette fois-ci. Ce n'était pas trop grave. »

Je me suis remise à pleurer et elle aussi. Elle porte de nouveau la serviette à ses yeux.

– Chaque incident mord davantage sur tes limites. Chaque fois que tu décides de rester, ça devient plus difficile de partir la fois suivante. Finalement, tu perds de vue tes limites, parce que tu commences à te dire :

« J'ai tenu cinq ans. Pourquoi pas cinq de plus ? »

Elle me reprend les mains alors que je sanglote.

– Ne fais pas comme moi, Lily. Je sais, tu crois qu'il t'aime et je suis sûre que c'est le cas. Mais il ne t'aime pas comme il faut. Il ne t'aime pas comme tu le mérites. S'il t'aimait vraiment, il refuserait de reprendre la vie avec toi. Il déciderait lui-même de te quitter afin de ne plus jamais te faire de mal. Voilà le genre d'amour que mérite une femme, Lily.

Je regrette de tout mon cœur qu'elle sache ces choses-là d'expérience. Je la serre dans mes bras.

Je ne sais trop pourquoi j'ai cru que je devrais me défendre contre elle ; pas un instant je n'ai imaginé qu'elle pourrait me faire la leçon sur ce point. J'aurais mieux fait d'y réfléchir. Je pensais que ma mère s'était montrée faible par le passé, alors que c'est l'une des femmes les plus fortes que je connaisse.

– Maman ? Quand je serai grande, je voudrais être toi.

Elle rit, me dégage encore le front. À la façon dont elle me regarde, je comprends qu'elle échangerait volontiers certains aspects de sa vie avec la mienne. Elle éprouve plus de peine pour moi, en ce moment, qu'elle n'en a jamais éprouvé pour elle-même.

– Je voudrais te dire quelque chose, reprend-elle. Pour l'oraison funèbre de ton père, je sais que tu n'as pas fait un blocage. Tu es restée silencieuse sur ce podium parce que tu refusais de dire un seul mot sur cet homme. Jamais je n'ai été aussi fière de toi. Tu es la seule personne qui ait pris ma défense. Tu étais forte quand j'avais peur.

Une larme lui coule sur la joue quand elle ajoute :

– Continue comme ça, Lily. Reste intrépide.

CHAPITRE 33

– Qu'est-ce que je vais faire avec trois sièges auto ?

Assise sur le canapé d'Allysa, je regarde tout ce qu'on m'a offert. Elle a organisé aujourd'hui cette baby shower pour moi. Ma mère est venue. Ainsi que celle de Ryle, qui a pris l'avion spécialement pour l'occasion ; mais, maintenant, celle-ci se repose dans sa chambre. Les filles de la boutique de fleurs sont venues elles aussi, et quelques amis de mon ancien job. Et même Devin. On s'est bien amusés, alors que je redoutais ce moment depuis des semaines.

– C'est pour ça que je t'avais dit de faire une liste, réplique Allysa. Pour que tu ne reçoives rien en double.

– Je pourrai toujours demander à maman de rendre le sien. Elle m'a déjà offert bien assez de choses comme ça.

Je commence alors à rassembler tous mes cadeaux. Marshall m'a promis de m'aider à les descendre dans mon appartement. Allysa m'aide à les entasser dans des sacs-poubelles. J'arrive à ma trentième semaine de grossesse, je ne pourrais faire grand-chose sans elle.

Quand on a tout emballé, Marshall doit effectuer plusieurs voyages et je lui prépare le prochain en sortant un autre sac que je traîne par terre. Je me serais attendue à tout sauf à rencontrer Ryle, de l'autre côté de la porte. On paraît aussi choqués l'un que l'autre de se voir, étant donné qu'on ne s'est plus parlé depuis notre dernière dispute d'il y a trois mois.

Il fallait pourtant que ça arrive. Je ne peux pas être la meilleure amie de sa sœur et vivre dans le même immeuble que lui sans risquer de le croiser de temps en temps.

À coup sûr, il savait qu'il y aurait cette fête, puisque sa mère venait ; il a l'air surpris de découvrir toutes ces choses derrière moi. Au point que je me demande s'il ne tombe pas à pic. D'ailleurs, il s'empare aussitôt du sac que je traîne.

– Donne-moi ça.

Je le laisse faire. Il attrape un autre sac par la même occasion et j'en profite pour récupérer mes propres affaires. Avec Marshall, ils reviennent dans l'appartement alors que je me prépare à en sortir.

Ryle saisit le dernier sac et se dirige de nouveau vers le palier. Je le suis lorsque Marshall m'interpelle d'un regard silencieux, l'air de demander si je suis d'accord pour que Ryle descende avec moi. Je hoche la tête. Je ne vais pas non plus l'éviter le restant de mes jours. Autant profiter de ce moment pour décider de l'orientation à suivre.

Il n'y a que quelques étages entre leur appartement et le mien, pourtant la descente en ascenseur avec Ryle me paraît d'une longueur infinie. Il jette plusieurs regards furtifs sur mon ventre, au point que je me demande ce que ça peut lui faire de voir une telle différence en trois mois.

La porte de mon appartement est restée ouverte, je n'ai donc qu'à la pousser, et il me suit à l'intérieur. Il emporte tous les sacs dans la chambre d'enfant et je l'entends remuer, ouvrir des boîtes. Je reste dans la cuisine à laver des trucs qui n'ont pas besoin d'être lavés, la gorge serrée à l'idée qu'il se trouve là, si près. Je n'éprouve aucune peur pour le moment, juste un peu d'anxiété. J'aurais préféré mieux me préparer à cette conversation car j'ai horreur des confrontations. Mais il est temps de discuter du bébé et de notre avenir. Sauf que je n'en ai pas envie. Pas maintenant.

Il finit par venir me rejoindre et je le vois qui regarde encore mon ventre, mais s'en détourne assez vite.

– Tu veux que je monte le berceau tant que je suis là ?

Je devrais sans doute dire non, mais il est quand même à moitié responsable de l'enfant qui grandit en moi. Autant qu'il retrousse un peu ses manches, lui aussi, même si je lui en veux toujours à mort.

– D'accord. Ça m'aiderait bien.

Il désigne la buanderie.

– Ma caisse à outils est toujours là ?

Après quoi, je fais semblant de chercher quelque chose dans le réfrigérateur. Pas la peine de le voir retraverser la cuisine. Lorsque je l'entends enfin bidouiller dans la chambre, je referme la porte du réfrigérateur, y appuie le front en agrippant la poignée, pousse un énorme soupir. Il se passe trop de chose à la fois en ce moment.

Il a l'air en pleine forme. Depuis le temps que je ne l'avais pas vu, j'avais oublié combien il était beau. J'ai une envie folle de courir me jeter dans ses bras, de sentir sa bouche sur la mienne. J'ai envie de l'entendre me dire combien il m'aime. J'ai envie qu'il s'étende auprès de moi et pose sa main sur mon ventre, ainsi que je l'ai souvent imaginé. Ce serait si facile ! Ma vie redeviendrait tellement plus simple si seulement je lui pardonnais et le laissais revenir…

Je ferme les yeux en me répétant les paroles de ma mère : « *S'il t'aimait vraiment, il refuserait de reprendre la vie avec toi.* » Ce seul avertissement parvient à m'empêcher de me précipiter dans le couloir.

***

Je m'affaire dans la cuisine tout le temps qu'il travaille à côté. Mais il faut que j'aille chercher mon téléphone sur son chargeur dans ma chambre. En ressortant, je m'arrête sur le seuil de la nursery.

Le berceau est prêt, il y a même déposé le matelas et se penche maintenant dessus, comme s'il imaginait le petit être qui va bientôt l'occuper. Il paraît si calme, si paisible, on dirait une statue. Il semble tellement perdu dans ses pensées qu'il n'a pas dû m'entendre arriver.

Se dit-il qu'il ne verra jamais grandir ce bébé ?

Qu'il ne le verra pas dormir dans ce berceau ?

Jusque-là, je ne savais pas trop s'il voulait seulement faire partie de sa vie, mais son regard prouve que oui. Je n'y ai jamais vu tant de tristesse et je suis certaine que ça n'a aucun rapport avec moi, qu'il ne songe en ce moment qu'à son enfant. Levant la tête, il m'aperçoit sur le seuil et se redresse, l'air de s'arracher à sa transe.

– Terminé, lance-t-il en remettant les outils dans leur boîte. Tu as besoin d'autre chose pendant que j'y suis ?

Je fais non de la tête et m'approche du berceau. Comme je n'ai pas voulu savoir si c'était un garçon ou une fille, j'ai choisi un thème neutre, proche de la nature, avec des couleurs brunes et vertes et des images de plantes et d'arbres. C'est assorti aux rideaux et, un de ces quatre, j'y ajouterai une peinture murale. J'ai également l'intention d'apporter quelques plantes vertes de la boutique. En voyant tout ceci prendre forme, je ne peux m'empêcher de sourire. Il a même assemblé le mobile que je fais tourner au son de la berceuse de Brahms. À quelques pas, Ryle me regarde.

Je me dis alors qu'il est trop facile de porter des jugements sur ses semblables vu de l'extérieur. C'est ce que j'ai fait, des années durant, avec ma mère.

Facile, vu de l'extérieur, de croire qu'on s'en irait sans se retourner si une personne venait à vous maltraiter. Facile de dire qu'on ne pourrait jamais plus aimer l'homme qui vous a frappée quand on n'est pas dans la peau de celle qui l'aime.

Quand ça vous arrive, il n'est pas facile de se mettre à détester l'être qui vous a fait ça, alors que, jusque-là, il représentait tout pour vous.

Le regard de Ryle se teinte d'une lueur d'espoir ; il voit très bien que je viens d'abaisser une barrière. Déjà, il effectue un pas vers moi. Je sais qu'il va me serrer dans ses bras, alors je recule aussitôt.

Et la barrière se relève d'un coup.

Le seul fait de le laisser entrer dans cet appartement était déjà un acte héroïque de ma part. Il doit s'en rendre compte. L'air stoïque, il paraît ne pas réagir. Bientôt, il se penche pour récupérer sa caisse à outils, mais aussi la boîte dans laquelle se trouvait le berceau, remplie de toutes sortes d'emballages qu'il avait défaits au fur et à mesure.

– J'emporte tout ça à la poubelle, annonce-t-il en se dirigeant vers la porte. Si tu as besoin de quoi que ce soit d'autre, n'hésite pas, d'accord ?

Je murmure d'une voix à peine audible :

– Merci.

Quand j'entends la porte d'entrée se fermer, je me retourne vers le berceau, les yeux pleins de larmes. Ce n'est pas pour moi que je pleure, ni pour le bébé.

C'est pour Ryle. Parce qu'il a beau être responsable de toute cette situation, je sais combien ça l'attriste. Et, quand on aime quelqu'un, sa tristesse vous rend triste.

Ni l'un ni l'autre n'avons abordé notre séparation ni la moindre chance de réconciliation. On n'a même pas parlé de ce qui allait se passer à la naissance du bébé, dans quinze jours.

Pourtant, je ne me sens pas prête à soutenir une telle conversation et, le moins qu'il puisse faire maintenant, c'est faire preuve de patience. La patience qu'il me doit encore pour tous les moments où il en a manqué.

CHAPITRE 34

J'achève de rincer mes pinceaux puis retourne dans la chambre d'enfant afin d'y contempler mon œuvre. J'ai passé les journées d'hier et d'aujourd'hui sur cette peinture. Voilà quinze jours que Ryle est venu installer le berceau. Maintenant que la décoration est achevée et que j'ai apporté quelques plantes, la pièce est prête. Dommage qu'il n'y ait personne pour l'admirer avec moi. J'envoie un texto à Allysa :

Moi : Décoration achevée ! Tu devrais venir voir.

Allysa : Pas à la maison. Fais des courses. Passerai demain.

Déçue, je décide d'essayer avec ma mère. Elle travaille demain, mais je sais qu'elle sera contente de voir ça.

Moi : Envie de venir faire un tour ce soir ? La chambre d'enfant est enfin prête.

Maman : Peux pas. Soirée récital à l'école. Rentrerai trop tard. Hâte de voir ça ! Je viens demain !

Je m'assieds sur la chaise longue, consciente de ne pas devoir faire ce que je m'apprête à faire, mais je le fais quand même.

Moi : La chambre d'enfant est prête. Tu veux passer la voir ?

Tous mes nerfs se mettent à vibrer lorsque j'appuie sur envoi. Je regarde l'écran jusqu'à ce que la réponse arrive.

Ryle : Bien sûr. J'arrive.

Je me relève aussitôt pour quelques retouches de dernière minute. Je tape sur les coussins de la causeuse, redresse un tableau. J'arrive tout juste à la porte quand il frappe. J'ouvre et, *bon sang ! Il porte une blouse.*

Je m'écarte pour le laisser entrer.

– Allysa m'a dit que tu préparais une fresque ?

Je le suis jusqu'à la chambre d'enfant.

– Il m'a fallu deux jours. J'ai l'impression d'avoir couru un marathon, alors que je n'ai fait qu'escalader un ou deux échelons de temps en temps.

Il se retourne, me jette un regard perplexe, inquiet que j'aie pu faire ça toute seule. Il ne devrait pas, c'est fait. Quand on arrive devant la chambre, il s'arrête sur le seuil. Sur le mur d'en face, j'ai peint un jardin. Plein de fruits et de légumes. Je ne suis pas peintre, mais c'est fou ce qu'on peut faire avec un projecteur et un papier transparent.

– Rhooo ! dit Ryle.

Je souris en reconnaissant sa façon d'exprimer la surprise. Il entre dans la pièce, regarde autour de lui.

– Lily, c'est… Rhooo !

Si ça venait d'Allysa, je frapperais dans mes mains et sauterais sur place. Mais c'est Ryle et, avec ce qui s'est passé entre nous, ce serait un rien déplacé.

Il se dirige vers la fenêtre devant laquelle j'ai installé une balancelle de bébé. Il la pousse doucement, de droite à gauche. Je crois bon de préciser :

– Elle va aussi d'avant en arrière.

Je ne pense pas qu'il y connaisse grand-chose en balancelles de bébé. Moi, ça m'a beaucoup impressionnée.

Il se dirige vers la table à langer, prend une couche au-dessus de la réserve, la déplie, la tient devant lui.

– C'est tout petit, observe-t-il. Je ne me rappelle pas avoir vu Rylee aussi minuscule.

Je me sens toute triste en l'entendant mentionner sa nièce. Nous sommes séparés depuis la nuit de sa naissance, si bien que je ne l'ai jamais vu s'occuper d'elle.

Il replie la couche, la remet à sa place. Il se retourne vers moi, le sourire aux lèvres.

– C'est vraiment superbe, Lily. Toute la chambre. Tu as vraiment fait…

Ses mains retombent sur ses hanches, son sourire disparaît.

– Tu as fait du beau travail.

Je me sens comme enveloppée dans une coque ouatée et j'ai du mal à respirer, soudain prise d'une irrésistible envie de pleurer. Je ne sais pas pourquoi. J'aime trop ce moment et ça me désole que ma grossesse n'en ait pas été émaillée. Ça fait pourtant du bien de partager de telles émotions avec lui ; en même temps, j'ai peur de lui donner de faux espoirs.

Maintenant qu'il a vu la chambre d'enfant, je ne sais trop que faire de plus. Il devient de plus en plus évident que nous devons discuter de plein de choses, mais je ne sais par où commencer. Ni comment.

Je vais m'asseoir dans la chaise longue.

– La vérité toute nue ? dis-je en le regardant.

Il laisse échapper un long soupir et prend place sur le canapé.

– S'il te plaît, Lily. S'il te plaît, dis-moi que tu veux bien qu'on en parle !

Sa réaction me détend quelque peu. Ainsi, il est prêt. Croisant les bras sur mon ventre, je me penche un peu en avant.

– Vas-y, dis-je, commence.

Il me scrute avec une telle sincérité que je détourne les yeux.

– Je ne sais pas ce que tu attends de moi, Lily. Quel rôle tu veux que je remplisse. J'essaie de te donner tout l'espace dont tu as besoin, en même temps, je voudrais t'aider autant que possible. Je voudrais faire partie de la vie de notre bébé. Je voudrais être ton mari, un bon mari. Mais je ne sais pas du tout ce qui se passe dans ta tête.

Ses paroles m'emplissent de remords. Malgré tout ce qui a pu se passer entre nous, il reste le père de ce bébé. Il a le droit de le voir, de s'en occuper, quoi que j'en pense. Et je voudrais bien qu'il soit son père, un bon père. Mais, au plus profond de moi, s'accroche encore l'une de mes plus terribles craintes ; il va bien falloir que je lui en parle.

– Je ne voudrais pas t'éloigner de ton enfant, Ryle. Je suis contente que tu te sentes concerné. Mais…

À ce dernier mot, il se prend la tête dans les mains.

– Quel genre de mère je serais si je ne m'inquiétais pas de tes sautes d'humeur ? Quand tu perds tout contrôle de toi ? Comment savoir qu'un jour tu ne risques pas de t'emporter devant ce bébé ?

Une profonde douleur marque ses yeux et il secoue énergiquement la tête.

– Lily, jamais je ne…

– Jamais tu ne frapperais délibérément ton propre enfant. Je ne crois même pas que tu l'aies fait exprès pour moi, mais tu l'as fait. Et, crois-moi, je suis prête à croire que tu ne ferais jamais une chose pareille. Mon père ne s'en prenait qu'à ma mère. Beaucoup d'hommes – et aussi de femmes – maltraitent leur conjoint sans jamais s'emporter avec qui que ce soit d'autre. J'aimerais te croire, de tout mon cœur, mais tu dois comprendre d'où provient mon hésitation. Je ne t'empêcherai pas de voir ton enfant. Seulement, il va falloir te montrer très patient, le temps de reconstruire la confiance que tu as brisée en moi.

Il acquiesce. Il doit savoir que je lui donne plus qu'il ne mérite.

– Tout à fait, répond-il. C'est toi qui vois. C'est toi qui vois pour tout, non ?

Les mains jointes, il se mordille la lèvre.

J'ai l'impression qu'il a autre chose à dire.

– Vas-y, dis ce que tu as en tête tant que je suis d'humeur à en parler.

Il lève les yeux au ciel. Visiblement, il a du mal. J'ignore s'il a du mal à poser la question ou s'il craint la réponse que je pourrais lui donner.

– Et nous, alors ? murmure-t-il.

Je renverse la tête en arrière ; je savais bien qu'il allait poser cette question, mais c'est terriblement difficile d'y répondre. Je ne sais que dire. Divorce ou réconciliation, ce sont les seules options possibles, mais je n'ai envie d'adopter aucune des deux.

– Je ne voudrais pas te donner de faux espoirs, Ryle. S'il fallait que je choisisse aujourd'hui… je choisirais sans doute le divorce. Bon, en toute honnêteté, je ne sais pas si c'est parce que je déborde d'hormones de grossesse en ce moment ou si c'est bien ce que je veux. Je ne crois pas qu'il serait juste pour nous que je prenne une telle décision avant la naissance de ce bébé.

Il pousse un soupir tremblé, porte une main à sa nuque en s'étirant. Puis il se lève et me fait face.

– Merci. De m'avoir invité. De m'avoir parlé. Depuis quinze jours que je suis là, je voulais sans cesse venir ici, mais je ne savais pas si tu en avais envie.

– Je ne sais pas si j'en aurais eu envie non plus.

J'essaie de me lever de ma chaise longue, mais ça me devient de plus en plus difficile avec les jours qui passent. Ryle me tend la main pour m'aider.

J'ignore comment je vais survivre jusqu'à la naissance alors que je n'arrive même pas à me lever sans gémir. Une fois debout, je vois qu'il ne lâche pas ma main. On est tout près l'un de l'autre et je sais que si je le regarde dans les yeux, je vais me sentir submergée de bons sentiments. Je ne veux pas éprouver de bons sentiments pour lui.

Prenant mon autre main, il les tient toutes les deux le long de mes cuisses, entremêle ses doigts avec les miens et j'en ai tout de suite le cœur qui fond. Mon front se pose sur son torse et je ferme les yeux. Je sens sa joue sur ma tête et on reste ainsi, complètement immobiles, redoutant tous les deux de bouger. J'ai peur de ne pouvoir l'arrêter s'il entreprenait de m'embrasser. Il a peur que je ne le repousse. Ainsi, durant cinq bonnes minutes, aucun de nous ne remue un muscle.

– Ryle… Tu pourrais me promettre quelque chose ?

Je le sens hocher la tête.

– Jusqu'à l'arrivée de ce bébé, ne me demande pas de te pardonner. Et, s'il te plaît, ne m'embrasse pas…

Je me détache de lui, lève les yeux vers son visage.

– Je préférerais aborder un sujet important à la fois et pour le moment, ma seule priorité, c'est de mettre ce bébé au monde. Je ne veux pas ajouter de stress et d'incompréhension à ce qui se passe déjà.

Il me serre les mains comme pour me rassurer.

– Chaque bouleversement en son temps. Compris.

Je suis soulagée qu'on ait enfin abordé ce sujet. Je sais, je n'ai pas pris de décision définitive en ce qui nous concerne, mais j'ai l'impression de mieux respirer maintenant qu'on se retrouve sur la même longueur d'onde.

Il me lâche les mains.

– Je vais être en retard pour ma garde. Il faut que j'y aille.

Je l'accompagne à la porte et, une fois qu'elle s'est refermée derrière lui, je me retrouve seule. Je m'aperçois alors que je souris.

Je suis dans une colère folle après lui. Cependant, il faut bien que les parents apprennent à surmonter leurs différends et mettent un peu de maturité dans leurs relations afin de mieux élever leur enfant.

C'est exactement ce que nous faisons. Apprendre à nous conduire intelligemment dans notre situation avant l'arrivée de notre enfant.

CHAPITRE 35

Ça sent le pain grillé.

Je m'étire en souriant. Ryle sait que j'adore les toasts. Je reste allongée un certain temps avant d'essayer de me lever. J'ai l'impression qu'il faudrait trois hommes pour me tirer du lit. Dans un grand soupir, je finis par poser les pieds sur le côté et me soulève du matelas.

Je commence par aller faire pipi. Je n'arrête pas, ces jours-ci. Normalement, j'accouche après-demain, mais le médecin a dit que ça pourrait prendre encore huit jours. Je me suis mise en congé maternité maintenant. Depuis, je ne fais qu'aller aux toilettes et regarder la télévision. Lorsque j'arrive à la cuisine, Ryle est en train de cuire des œufs brouillés. Il se retourne lorsqu'il m'entend entrer.

– Bonjour. Toujours pas de bébé ?

– Non, mais j'ai fait pipi neuf fois cette nuit.

– Nouveau record ! s'esclaffe-t-il.

Il verse les œufs dans une assiette, ajoute du bacon et surmonte le tout d'un toast. Puis il me la tend en m'embrassant brièvement sur la tempe.

– Il faut que j'y aille. Je suis déjà en retard. Je garde mon téléphone sous la main.

D'accord, donc je mange, aussi. Pipi, repas, télé.

– Merci, dis-je gaiement.

J'emporte mon assiette sur le canapé, allume la télé. Ryle se dépêche de réunir ses affaires.

– Je viendrai voir où tu en es au déjeuner. Je risque de travailler tard ce soir, mais Allysa pourra t'apporter ton dîner.

– C'est bon, Ryle. Le médecin a dit que j'avais juste besoin de me reposer un peu, sans non plus tout lâcher.

Il ouvre la porte, marque une pause comme s'il oubliait quelque chose, revient vers moi, se penche, pose les lèvres sur mon ventre.

– Je double ton argent de poche si tu te décides à sortir aujourd'hui, souffle-t-il au bébé.

Il lui parle beaucoup. J'ai fini par m'habituer à le laisser venir sentir ses coups de pied, il y a quinze jours et, depuis, il s'arrête souvent pour parler à mon ventre ; sans me dire grand-chose à moi. Mais j'aime bien. Ça me plaît de le voir si content de devenir père. J'attrape la couverture avec laquelle Ryle a dormi sur le canapé cette nuit, m'enveloppe dedans. Voilà une semaine qu'il habite ici maintenant, en attendant que j'accouche. Au début, je ne savais pas trop quoi en penser mais, finalement, ça m'a plutôt rendu service. Je dors toujours dans la chambre d'amis.

Il pourrait reprendre la grande, que nous avons un temps occupée ensemble, mais il semble préférer dormir sur le canapé. Je suppose qu'il en garde autant de mauvais souvenirs que moi, si bien que nous n'y mettons plus les pieds.

Ces dernières semaines se sont plutôt bien passées. À part le fait que nous n'entretenons strictement aucune relation physique, quelque part les choses semblent s'être arrangées entre nous. Il travaille toujours autant, mais les soirs où il rentre, j'ai pris l'habitude de monter dîner avec eux tous. Nous ne prenons jamais aucun repas en couple. J'évite tout ce qui pourrait ressembler à un rendez-vous galant. J'essaie toujours de me concentrer sur une chose importante à la fois et, tant que ce bébé ne sera pas né, tant que mes hormones ne seront pas revenues à un taux normal, je refuse de prendre la moindre décision quant à notre couple. Je me doute bien que cette grossesse me sert de prétexte pour gagner du temps mais, dans mon état, j'ai bien le droit de me montrer un peu égoïste.

Mon téléphone se met à sonner et je lève la tête en grognant. Je l'ai laissé à la cuisine. Ça me fait plus de quatre mètres à parcourir.

Ouf !

Je m'arrache du canapé, mais rien ne se passe.

J'essaie encore. *Toujours assise.*

Je saisis le bras du canapé, me soulève.

La troisième fois sera la bonne.

À peine debout, je renverse mon verre d'eau sur moi. Je râle… et reste le souffle court.

Je ne tenais pas de verre d'eau.

Putain de merde.

L'eau me coule entre les jambes et le téléphone sonne toujours sur le comptoir de la cuisine. Je m'en approche de ma démarche de canard, réponds.

– Allô ?

– Salut, c'est Lucy ! Question super rapide. Notre commande de roses rouges a souffert à la livraison, mais on a l'enterrement Levenberg aujourd'hui et ils tenaient aux roses rouges à jeter sur le cercueil. On a un plan B ?

– Oui, appelle le fleuriste de Broadway. Il me doit un service.

– D'accord, merci !

Je m'apprête à raccrocher pour pouvoir appeler Ryle et lui annoncer que je perds les eaux, mais Lucy ajoute :

– Attends !

Je remets le téléphone à mon oreille.

– À propos des factures, tu veux que je les paie aujourd'hui, ou on attend…

– Ça peut attendre.

De nouveau, je vais raccrocher quand elle crie mon nom et me balance une autre question. Je l'interromps calmement :

– Lucy, il va falloir que je te rappelle demain. Je crois que je perds les eaux.

– Oh ! Ouille ! VAS-Y !

Cette fois, je raccroche alors que les premières douleurs me traversent le ventre. Je compose le numéro de Ryle. Il répond aussitôt.

– Je dois faire demi-tour ?

– Oui.

– Oh mon Dieu ! C'est vrai ? Ça y est ?

– Oui.

– Lily !

Et il coupe.

Je passe les minutes suivantes à rassembler tout ce dont j'ai besoin. J'ai déjà un sac prêt pour l'hôpital, mais je me sens sale, alors je vais me rincer sous la douche. La deuxième vague de douleur arrive à peu près dix minutes après la première. Je me penche en me tenant le ventre, laissant l'eau me couler sur le dos. À l'instant où la contraction s'achève, j'entends la porte de la salle de bains s'ouvrir.

– Tu es sous la douche ? s'écrie Ryle. Sors vite. On y va !

– Passe-moi un peignoir.

Ses mains apparaissent derrière le rideau pour me tendre une serviette et j'essaie de m'enrouler dedans avant de sortir. Bizarre de vouloir cacher son corps à son mari. D'autant qu'elle ne se ferme pas sur moi. Elle couvre mes seins mais s'ouvre en V inversé sur mon ventre. Nouvelle contraction à l'instant où je sors. Ryle m'attrape par la main et m'aide à respirer, puis m'emmène dans la chambre. Je sors calmement des vêtements propres pour aller jusqu'à l'hôpital, quand je tourne les yeux vers lui.

Il regarde mon ventre. Je n'arrive pas à déchiffrer son expression. Un moment s'écoule durant lequel je ne saurais dire s'il va se rembrunir ou sourire. À vrai dire, c'est la première fois qu'il aperçoit mon ventre dénudé, qu'il voit à quoi je ressemble avec son bébé en moi. Je m'approche de lui, prends sa main, la pose sur mon ventre. Il me sourit en le caressant du pouce. C'est un instant magnifique. L'un des plus beaux que nous ayons vécus.

– Merci, Lily.

C'est écrit partout en lui, à sa façon de m'effleurer, à sa façon de me contempler. Il ne me remercie pas pour ce moment ni pour aucun autre de ceux que nous avons vécus, mais pour tous ceux que je vais lui permettre de passer avec son enfant.

Je me plie en deux.

– Putain de merde !

Fini l'état de grâce.

Ryle saisit mes vêtements et m'aide à les enfiler. Puis il attrape mes affaires et on se dirige vers l'ascenseur. Lentement. J'ai une autre contraction sur le palier.

– Il faudrait appeler Allysa, lui dis-je quand on débouche dans le parking.

– Je conduis. Je l'appellerai en arrivant. Et aussi ta maman.

Je devrais pouvoir le faire moi-même. Je préférerais aussi arriver au plus vite car j'ai l'impression que ce bébé commence à vraiment s'impatienter et s'apprête à faire ses débuts ici, dans la voiture.

Quand on arrive, mes contractions se succèdent à moins d'une minute d'intervalle. Le temps que le médecin vienne et qu'ils m'installent sur un lit, je suis complètement dilatée. À peine cinq minutes plus tard, on commence à me dire de pousser. Ryle n'a pas eu le temps d'appeler qui que ce soit, tout est arrivé trop vite.

Je lui étreins la main à chaque poussée. À un moment, je me rappelle l'importance de cette main pour sa carrière, mais il ne dit rien. Il me laisse la serrer aussi fort que possible et je ne m'en prive pas.

– La tête est presque sortie, dit le médecin. Encore quelques poussées.

Je ne saurais décrire les minutes qui suivent ; ce n'est qu'une tornade de douleur, de respiration intense, d'anxiété et de pure allégresse. Et de pression. Si énorme que je me sens sur le point d'exploser. Et puis :

– C'est une fille ! crie Ryle. Lily, nous avons une fille !

J'ouvre les yeux sur le médecin qui la brandit. Je n'aperçois qu'une petite silhouette, car j'ai les yeux trop pleins de larmes. Quand on la pose sur ma poitrine, je vis le moment le plus intense de mon existence. J'effleure du doigt ses lèvres rouges et ses joues. Ryle coupe le cordon ombilical et, quand on me reprend ma fille pour la laver, je me sens vide.

Quelques minutes plus tard, elle revient sur ma poitrine, emmaillotée dans une couverture.

Je n'arrive pas à détourner mes yeux d'elle.

Ryle s'assied au bord du lit, près de moi, et baisse la couverture sous le menton du bébé afin qu'on puisse mieux voir son visage. On compte ses doigts, sur les mains et sur les pieds. Elle essaie d'ouvrir les yeux et ça nous fait mourir de rire. Elle bâille et on sourit en tombant encore plus amoureux d'elle.

Une fois que la dernière infirmière est partie et qu'on se retrouve enfin seuls, Ryle demande s'il peut la prendre dans ses bras. Il soulève la tête de mon lit afin qu'on se sente mieux assis. Une fois qu'il a pris le bébé, je pose la tête sur son épaule et nous le regardons encore tous les deux.

– Lily. La vérité toute nue ?

Je hoche la tête.

– Elle est beaucoup plus jolie que la fille de Marshall et Allysa.

Je lui envoie un coup de coude en riant.

– Je rigole, ajoute-t-il.

Je sais exactement ce qu'il voulait dire. Rylee est un superbe bébé, mais personne n'arrivera à la cheville de notre adorable petite fille.

– Comment allons-nous l'appeler ? demande-t-il.

On n'a pas eu de relation classique pendant que j'étais enceinte, donc on n'a pas discuté du nom du bébé.

– J'aimerais l'appeler comme ta sœur. Ou alors comme ton frère ?

Je ne sais pas trop ce qu'il en pense. En ce qui me concerne, je crois que le prénom de son frère lui ferait du bien, mais il ne voit pas forcément les choses sous cet angle.

– Emerson ? demande-t-il. C'est joli pour une fille. Pour nous, ça tournerait à Emma ou Emmy.

Il sourit fièrement avant d'ajouter :

– À vrai dire, c'est parfait.

Il se penche pour embrasser Emerson sur le front.

Je finis par relever la tête pour mieux le voir la tenir dans ses bras. C'est magnifique. Il ne la connaît que depuis cinq minutes et, déjà, il déborde d'amour pour elle. Je vois qu'il serait capable de tout pour la protéger.

À ce moment-là, je prends ma décision.

Pour nous.

La meilleure possible pour notre famille.

Par certains aspects, Ryle est extraordinaire.

Tout à la fois : généreux, bienveillant, intelligent, charismatique, motivé.

Mon père était un peu comme ça aussi. Peut-être pas très généreux avec les autres, mais quand je me retrouvais seule avec lui, je savais qu'il m'aimait. Il était intelligent, charismatique, motivé. Mais je le détestais infiniment plus que je ne l'aimais. Je ne voyais plus ce qu'il y avait de bon en lui, aveuglée par ce qu'il y avait de plus mauvais. Cinq années de ses meilleurs moments ne sauraient effacer cinq minutes de ses pires crises. Face à Ryle et à Emerson, il va de soi que je dois trancher en fonction de ma fille. De la relation qu'elle bâtira avec son père. Je ne prends cette décision ni pour moi ni pour Ryle.

Mais pour elle.

– Ryle ?

Il pose sur moi un regard souriant, mais il se fige en découvrant le mien.

– Je veux divorcer.

Il cligne des yeux, comme s'il venait de recevoir une décharge électrique, frémit, se penche vers sa fille.

– Lily. Je t'en prie, ne fais pas ça !

Il implore et je suis navrée de briser ses beaux espoirs. C'est en partie ma faute, je sais, mais je ne crois pas avoir pris conscience de mon choix avant de tenir ma fille dans mes bras.

– Une dernière chance, Lily, s'il te plaît !

Sa voix se brise dans les larmes.

Je sais que je le fais souffrir au moment le plus mal choisi. Je lui brise le cœur alors qu'il goûtait l'un des plus beaux événements de sa vie. Mais si je ne le fais pas, je risque de ne jamais plus pouvoir lui faire comprendre pourquoi je ne prendrai pas le risque de revenir avec lui. Je fonds en larmes parce que j'éprouve autant de chagrin que lui.

– Ryle. Que ferais-tu si un de ces jours, cette petite fille te regardait en te disant : « Papa ? Mon copain m'a tapé dessus. » Que lui dirais-tu, Ryle ?

Il attire Emerson contre lui, enfouit le visage dans sa couverture.

– Arrête, Lily !

Je me rapproche de lui, place la main sur le dos du bébé tout en essayant d'attirer son regard.

– Et si elle te disait : « Papa ? Mon mari m'a poussée dans l'escalier. Il a dit que c'était un accident.

Que dois-je faire ? »

Ses épaules se mettent à trembler et, pour la première fois de ma vie, je le vois pleurer. Avec de vraies larmes qui lui coulent sur les joues, alors qu'il serre encore plus fort sa fille contre lui. Moi aussi je pleure. Mais je continue. Pour elle.

– Et si… Et si elle venait te voir en disant : « Mon mari a essayé de me violer, papa. Il m'a maintenue alors que je le suppliais d'arrêter. Mais il jure qu'il ne recommencera jamais. *Que dois-je faire, papa ?* »

Il l'embrasse sur le front, le visage baigné de larmes.

– Que lui répondrais-tu, Ryle ? Dis-moi. Je voudrais savoir ce que tu répondrais à notre fille si l'homme qu'elle aimait de tout son cœur lui faisait du mal.

Dans un sanglot, il m'entoure d'un bras.

– Je la supplierais de le quitter, articule-t-il.

Ses lèvres s'appuient désespérément sur mon front et je sens ses larmes me couler sur les joues. Il porte les lèvres à mon oreille, nous serre toutes les deux contre lui.

– Je lui dirais qu'elle vaut beaucoup mieux que ça. Et je la supplierais de ne pas retourner avec lui, même si elle l'aime beaucoup. Elle vaut infiniment mieux.

À présent, on sanglote ensemble, sur nos cœurs et nos rêves brisés. Dans les bras l'un de l'autre. Notre fille dans nos bras. Aussi dur que ce soit pour nous, nous broyons nos illusions avant qu'elles ne nous broient.

Il me rend ma fille, s'essuie les yeux. Il se lève sans cesser de pleurer, mais en essayant de reprendre son souffle. En un quart d'heure, il a perdu l'amour de sa vie, tout en devenant le père d'une jolie petite fille.

Voilà ce que peut faire un simple quart d'heure à quelqu'un. Le détruire.

Le sauver.

Il m'indique le couloir car il voudrait aller retrouver ses esprits. Il a l'air plus triste que jamais, pourtant je sais qu'un jour il me remerciera. Un jour, il comprendra que j'ai fait le bon choix pour sa fille.

La porte se referme et je contemple mon bébé.

Je ne vais pas lui offrir la vie dont j'ai rêvé pour elle. Une maison où elle vivrait avec ses deux parents qui l'aimeraient et l'élèveraient ensemble. Sauf que je ne veux pas qu'elle subisse la même vie que moi. Je ne veux pas qu'elle surprenne son père en pleine crise. Je ne veux pas qu'elle le surprenne en train de s'emporter sur moi, au risque de ne plus voir un père en lui. Car, même si elle a des chances de passer de bons moments avec Ryle, je sais d'expérience que ce serait d'abord les pires qui lui resteraient en mémoire.

S'il existe des cycles, c'est bien qu'ils sont impossibles à briser. Il faut consacrer énormément de douleur et de courage pour rompre un schéma familier. Parfois, il semble plus facile de poursuivre une routine cruelle plutôt que d'affronter la peur de s'en évader, au risque de ne pas atterrir sur ses pieds.

Ma mère est passée par là.

Je suis passée par là.

Que le diable m'emporte si je laisse ma fille passer par là.

Je l'embrasse sur le front et lui fais une promesse :

– Ça s'arrête ici. Entre toi et moi. Jamais plus.

ÉPILOGUE

Je me fraie un chemin à travers la foule de Boylston Street jusqu'au croisement suivant. Je ralentis la poussette et m'arrête au bord du trottoir, regarde Emmy. Elle agite ses pieds en souriant, comme d'habitude. C'est un bébé très heureux, d'un naturel énergique et calme qui fait du bien.

– Quel âge a-t-elle ? me demande une femme qui attend avec nous pour traverser.

– Onze mois.

– Elle est adorable. Elle vous ressemble. Elle a la même bouche.

– Merci. Mais vous devriez voir son père. Elle a ses yeux.

Le feu passe au rouge et j'essaie de ne pas me laisser ralentir par la foule. On a déjà une demi-heure de retard et Ryle m'a envoyé deux textos. Il n'a pas encore connu la joie des carottes et il ne va pas être déçu parce que j'en ai rempli le sac à provisions.

J'ai déménagé quand Emerson a eu trois mois pour m'acheter un logement plus proche de mon travail. Ainsi, je peux m'y rendre à pied. C'est génial. Ryle a repris l'appartement mais, entre les visites chez Allysa et ses jours de garde alternée pour Emerson, je me sens comme chez moi dans cet immeuble.

– On est presque arrivées, Emmy.

On tourne à l'angle de la rue et je vais si vite qu'un homme est obligé de sauter de côté pour nous éviter. Je m'excuse sans relever la tête.

– Pardon.

– Lily ?

Je m'arrête. Je me retourne lentement car cette voix me fait vibrer des pieds à la tête. Il n'en existe que deux susceptibles de me produire un tel effet, et encore, celle de Ryle ne m'atteint plus à ce point. Je retrouve aussitôt ses yeux bleus, qu'il plisse tout en levant une main pour se protéger du soleil.

– Salut !

– Salut ! dis-je en tâchant de reprendre mon calme.

Et de rattraper le temps perdu.

– C'est… C'est ton bébé ?

Comme je fais oui de la tête, il vient se placer devant, s'accroupit pour lui sourire.

– Ouah ! Elle est magnifique, Lily ! Et comment s'appelle-t-elle ?

– Emerson. On dit souvent Emmy.

Il lui pose un doigt dans la main et la voilà qui se remet à frétiller sans plus le lâcher. Il la contemple encore un instant, puis se relève.

– Tu as l'air en forme, observe-t-il.

J'essaie de ne pas trop le scruter, mais c'est difficile. Il paraît bien, lui aussi, cependant, c'est la première fois que je peux le dévisager sans m'interdire de le trouver plus beau que jamais. Bien loin de ce jeune S.D.F. qui dormait dans ma chambre. Pourtant… quelque part, il est resté le même.

Soudain, mon téléphone vibre, m'annonçant un nouveau SMS. *Ryle.*

– Je suis trop en retard ! Ryle m'attend depuis une demi-heure.

Quand je prononce ce nom, une lueur de tristesse marque les yeux d'Atlas, bien qu'il essaie de la masquer. Il s'écarte pour nous laisser passer. J'explique aussitôt :

– C'est le jour où il en a la garde.

J'en ai dit davantage avec ces neuf mots que dans toute une conversation.

Effectivement, son expression se détend et il me désigne une direction derrière nous.

– Oui, moi aussi je suis en retard. J'ai ouvert un nouveau restaurant dans Boylston Street le mois dernier.

– Félicitations ! Il va falloir que j'y amène maman pour l'essayer.

– Tout à fait ! répond-il en souriant. Tiens-moi vite au courant, ainsi je pourrai vous préparer le repas moi-même.

Courte pause gênée, puis je reprends :

– Il faut que…

– Vas-y vite !

On échange un sourire et je me remets à foncer. Je ne sais pas pourquoi je réagis comme ça. Comme si je ne savais plus soutenir une banale conversation. Au bout de quelques mètres, je jette un coup d'œil par-dessus mon épaule. Il n'a pas bougé et me suit encore du regard.

On tourne au coin de la rue et je trouve Ryle qui m'attend près de sa voiture, devant la boutique de fleurs. Son expression s'illumine quand il nous aperçoit.

– Tu as reçu mon e-mail ? demande-t-il tout en s'agenouillant pour commencer à détacher Emerson.

– Oui, à propos du lit parapluie ?

– On n'en avait pas acheté un pour elle ?

Il prend la petite dans ses bras tandis que je replie la poussette.

– Oui, mais il s'est cassé le mois dernier. Je l'ai jeté.

Il ouvre le coffre, caresse le menton d'Emmy.

– Tu as entendu ça, bébé ? Ta maman t'a sauvé la vie.

Elle lui sourit, tape sur sa main. Il l'embrasse sur le front puis range la poussette dans le coffre que je referme avant de déposer un rapide baiser sur la joue d'Emmy.

– Je t'aime, ma chérie. À ce soir.

Et je répète ces mots tandis qu'il l'installe dans le siège auto. Puis je lance un au revoir à Ryle et me précipite pour remonter la rue.

– Lily ! Attends ! Où vas-tu ?

Il devait s'attendre à me voir partir vers la boutique que j'aurais déjà dû ouvrir. Mais quelque chose me presse encore plus, il faut que j'en aie le cœur net. Alors je crie à Ryle :

– J'ai oublié un truc ! On se revoit ce soir !

Il soulève la main d'Emerson et je repars aussitôt. Dès que j'ai tourné au coin de la rue, je me mets à courir, quitte à heurter quelques personnes au passage et à me faire injurier par une dame indignée. Mais je n'ai pas le choix.

– Atlas !

Il est reparti et ne m'entend pas de si loin. Je cours encore.

– Atlas !

Il s'arrête, mais ne se retourne pas, penchant plutôt la tête comme s'il n'en croyait pas ses oreilles.

– Atlas !

Cette fois, ça y est, il effectue un demi-tour. Nos regards se croisent au moins trois secondes. Et puis on s'élance chacun dans la direction de l'autre. Vingt pas nous séparent encore.

Dix.

Cinq.

Un.

Mais ni l'un ni l'autre ne franchissons le dernier.

Je suis complètement à bout de souffle.

– Je ne t'ai toujours pas dit quel est le deuxième prénom d'Emerson. Voilà, c'est Dory.

Il ne réagit pas tout de suite mais, tout d'un coup, ses yeux se plissent un peu et il esquisse un sourire.

– C'est parfait pour elle.

Je hoche la tête, souris, sans plus trop savoir que faire.

Il fallait que je le lui dise mais, maintenant, je reste un peu décontenancée.

Je regarde autour de moi, me passe une main sur l'épaule.

– Bon, voilà… Alors je…

Atlas s'avance, me prend dans ses bras, m'attire contre lui. Aussitôt, je ferme les yeux, goûte la caresse de ses mains sur ma tête. Et il me tient ainsi, au milieu de la foule qui va et vient, des coups de klaxon, des passants qui nous bousculent. Il m'embrasse doucement les cheveux et tout le reste disparaît.

– Lily. Je crois que mon niveau de vie est désormais digne de toi. Alors quand tu seras prête…

J'attrape sa veste des deux mains tout en gardant le visage posé contre sa poitrine. Soudain, j'ai l'impression de me retrouver à quinze ans, toute rougissante.

Sauf que j'en ai dix de plus.

Je suis une adulte responsable, j'ai un enfant. Je ne peux plus permettre à mes émotions de prendre le dessus. Du moins pas sans un minimum de précautions.

Je recule pour le regarder dans les yeux.

– Tu donnes aux bonnes œuvres ?

Il rit, l'air de ne pas comprendre.

– Ça m'arrive. Pourquoi ?

– Tu veux des enfants, plus tard ?

– Oui, bien sûr !
– Tu crois que tu voudras un jour quitter Boston ?
– Ah ça, non, jamais ! Tout va bien à Boston, rappelle-toi.

Il n'a donné que de bonnes réponses.

– Bon, alors je suis prête.

Il m'attire contre lui et je ris. Avec tout ce qui nous est arrivé depuis le jour où il est entré dans ma vie, je n'aurais jamais cru que ça s'achèverait comme ça. J'y avais beaucoup rêvé mais, jusque-là, je n'étais pas sûre que ça finirait par se produire.

Je ferme les yeux en sentant ses lèvres m'effleurer l'épaule. Il y dépose un petit baiser et ça me rappelle aussitôt le premier qu'il m'a donné, il y a des années. Puis il approche la bouche de mon oreille et murmure :

– Maintenant, tu peux cesser de nager droit devant toi, Lily. On a enfin atteint le rivage.

NOTE DE L'AUTEUR

Il vaut mieux lire cette note
après le livre,
car elle contient des spoilers.

***

Le plus ancien souvenir de ma vie remonte à l'âge de deux ans et demi. Ma chambre n'ayant pas de porte, on y avait accroché un drap. Je me rappelle avoir entendu mon père crier, alors je suis allée écarter le tissu juste à l'instant où il jetait la télévision sur ma mère et l'assommait.

Elle a divorcé avant mes trois ans. Ensuite, je n'ai que de bons souvenirs de mon père. Il ne perdait jamais patience avec moi ou mes sœurs, alors que ça lui était arrivé si souvent avec ma mère.

Je savais combien il s'était montré violent avec elle, mais elle n'en parlait jamais. Elle ne voulait pas dire du mal de lui. Elle tenait à ce que nous gardions de bonnes relations, malgré la tension qui régnait entre eux. Voilà pourquoi j'éprouve le plus grand respect pour les parents qui ne mêlent pas leurs enfants à la décomposition de leur couple.

Un jour, j'ai interrogé mon père sur ces violences. Il s'est montré très franc. À l'époque, il était alcoolique ; il a effectivement reconnu avoir battu ma mère. Il est allé jusqu'à préciser qu'il avait dû se faire réparer les articulations du poing après l'avoir frappée sur le crâne.

Toute son existence, il a regretté de l'avoir tant maltraitée. Il a dit que c'était la pire erreur de sa vie et assuré qu'il resterait fou amoureux d'elle jusqu'à sa mort.

Je trouve que c'est une bien maigre punition pour ce qu'elle a enduré.

Quand j'ai décidé d'écrire cette histoire, j'ai d'abord demandé l'autorisation à ma mère. Je lui ai dit que je voulais la raconter pour les femmes comme elle, mais aussi pour tous les gens qui ne comprenaient pas les femmes comme elle.

Car j'en ai fait partie.

La mère que je connais n'a rien d'un être faible. Elle n'est pas du genre à disculper un homme pour ses mauvais traitements. Pourtant, en écrivant ce livre et en me mettant à la place de Lily, j'ai vite compris que les choses ne se déclinaient pas en noir et blanc comme cela peut le paraître vu de l'extérieur.

À plus d'une occasion, j'ai eu envie de changer l'intrigue. Je ne voulais pas que Ryle se révèle tel qu'il était, car j'étais tombée amoureuse de lui au cours des premiers chapitres, en même temps que

Lily. Tout comme ma mère était tombée amoureuse de mon père.

La première crise entre Ryle et Lily, dans la cuisine, reprend celle qui s'est produite la première fois entre mon père et ma mère. Elle préparait un ragoût et il avait bu. Il a sorti le plat du four sans prendre de gant et elle a trouvé ça drôle, au point d'éclater de rire. Résultat, il l'a frappée si fort qu'elle a dérapé sur le sol de la cuisine.

Elle a préféré lui pardonner car il s'était confondu en excuses et en regrets. Elle l'a trouvé alors assez crédible pour lui accorder une seconde chance ; ça faisait moins mal que d'en rester le cœur brisé.

Avec le temps, les incidents de ce genre se sont multipliés. Mon père s'en montrait chaque fois navré et promettait de ne pas recommencer. Finalement, c'en est arrivé à un point où elle a compris qu'il ferait toujours des promesses à tort et à travers ; seulement, elle avait deux filles à élever et pas d'argent pour vivre. Et, au contraire de Lily, elle n'avait personne sur qui s'appuyer, ni aucun foyer pour femmes où se réfugier. À l'époque, l'État ne se préoccupait pas de ce genre de choses. Si elle quittait son mari, elle risquait simplement de ne plus avoir de toit pour nous abriter ; cependant, cela valait mieux à ses yeux que de rester.

Mon père est décédé il y a quelques années, quand j'avais vingt-cinq ans. Ce n'était pas le meilleur des pères, et encore moins le meilleur des maris. J'ai pu entretenir une relation étroite avec lui car ma mère avait pris l'initiative de le quitter avant qu'il n'arrive un malheur. Et ça n'a pas été facile. J'avais à peine trois ans et ma sœur cinq. Nous avons vécu de haricots, de macaronis au fromage pendant au moins deux ans. Elle n'avait pas fait d'études supérieures et devait élever seule ses deux filles. Mais son amour lui a donné la force nécessaire pour franchir cette terrible étape.

Je n'ai pas l'intention de présenter la situation de Ryle et de Lily comme un prototype des violences domestiques. Pas plus que je n'utiliserais le personnage de Ryle pour décrire la plupart des agresseurs. Chaque situation est différente des autres. J'ai voulu calquer l'histoire de Ryle et de Lily sur celle de mes parents. J'ai décrit un Ryle très proche de mon père en bien des aspects. Ils sont beaux, généreux, drôles et brillants… mais avec des écarts de conduite impardonnables.

J'ai décrit une Lily très proche de ma mère en bien des aspects. Toutes les deux, bienveillantes, intelligentes et fortes, sont tombées amoureuses d'hommes qui ne le méritaient pas.

Deux ans après avoir divorcé de mon père, ma mère a rencontré mon beau-père. Mari modèle par excellence. Les souvenirs que je garde de leur couple durant mon enfance m'ont permis de comprendre ce que je pouvais attendre d'un mariage heureux.

Lorsque mon tour est arrivé, le plus difficile a été de devoir annoncer à mon père biologique qu'il ne me conduirait pas à l'autel, que j'allais le demander à mon beau-père.

C'était la moindre des choses. Cet homme était devenu l'époux que mon père n'avait jamais été. Il a assumé les frais de la famille comme mon père ne l'avait jamais fait. Et il nous a élevées comme si nous étions ses propres filles, sans jamais s'opposer à ce que nous restions en contact avec notre père biologique.

Je me souviens du jour où je me trouvais dans le salon de mon père, un mois avant mon mariage. Je lui ai dit que je l'aimais, mais que ce serait à mon beau-père que je demanderais de me conduire à l'autel. Je m'attendais à une réponse des plus sèches. Pourtant, sa réaction m'a totalement surprise.

Hochant la tête, il a juste répondu

– Colleen, c'est lui qui t'a élevée. Il a le droit de t'accompagner à ton mariage. Tu n'as rien à te reprocher, c'est normal.

Je savais que cette décision le bouleversait, mais il a été assez compréhensif pour la respecter. Pendant la cérémonie, il se trouvait parmi les invités et il a vu un autre homme me conduire à l'autel. Je sais que certaines personnes se demandaient pourquoi je ne les avais pas fait venir tous les deux mais, quand j'y repense, je me rends compte que c'était par respect pour ma mère.

En fait, tout cela tournait exclusivement autour d'elle. Je voulais que l'homme qui l'avait bien traitée reçoive l'honneur d'accompagner sa fille.

Jusque-là, j'ai toujours dit que j'écrivais juste pour le plaisir. Sûrement pas pour instruire ni pour persuader ni pour informer.

Ce livre est différent. Il n'a pas représenté une simple distraction pour moi. J'en suis sortie exténuée comme jamais. Parfois, j'ai eu envie d'appuyer sur effacer et d'oublier comment Ryle avait traité Lily. Je voulais réécrire les scènes où elle lui pardonnait, pour en faire une femme plus résistante – un personnage qui saurait immédiatement prendre les décisions adéquates. Mais ce n'étaient pas les personnages de mon livre.

Ce n'était pas le sujet de mon livre. Je voulais écrire quelque chose de réaliste, qui corresponde à la situation qu'avait connue ma mère – situation que traversent bien des femmes. Je voulais étudier l'amour de Lily et de Ryle afin de ressentir ce que ma mère avait ressenti en prenant la décision de quitter mon père – un homme qu'elle aimait de tout son cœur.

Parfois, je me demande comment aurait tourné ma vie si elle n'avait pas fait ce choix. Quitter l'être qu'elle aimait afin que ses filles ne puissent considérer ce genre de relations comme normales. Elle n'a pas été sauvée par un autre homme – un chevalier blanc. Elle a pris seule l'initiative de quitter mon père en sachant qu'elle allait s'engager dans un combat différent, auquel s'ajouterait le stress que connaissent les mères célibataires. Il était important pour moi que le personnage de Lily assume le même genre de responsabilité. Lily a pris la décision suprême de quitter Ryle afin de protéger leur fille. Il n'est pas impossible que Ryle ait fini par se métamorphoser en époux modèle, mais une mère ne peut prendre ce genre de risque. Surtout quand la situation s'est déjà avérée hasardeuse par le passé.

Avant d'écrire ce livre, j'éprouvais beaucoup de respect pour ma mère. Maintenant que je l'ai terminé, que j'ai pu partager un peu la douleur qu'elle a ressentie, et comprendre le combat qu'elle a dû livrer, je n'ai qu'une chose à lui dire :

« Quand je serai grande, je voudrais être toi. »

COLLEEN HOOVER
NOVEMBER 9
COLLEEN HOOVER
NEW ROMANCE®
COLLEEN HOOVER
Quand l'amour s'écrit au futur…
NOVEMBER
9
NOVEMBER 9
Hugo Roman
Hugo Roman

Fyctia

DES MILLIERS DE SÉRIES NEW ROMANCE
DISPONIBLES GRATUITEMENT !

+ DE 15.000 SERIES ACCESSIBLES GRATUITEMENT

LA POSSIBILITÉ D'ÊTRE REPÉRÉ ET ÉDITÉ

LA PLATEFORME DE BEST-SELLERS PAPIER :
MY ESCORT LOVE, LE CONTRAT, MAKE ME BAD

Composition et mise en pages
Nord Compo à Villeneuve-d'Ascq